LA GLOIRE DE MON PÈRE

suivi de

LE CHÂTEAU DE MA MÈRE

MARCEL PAGNOL
de l'Académie française

LA GLOIRE DE MON PÈRE

suivi de

LE CHÂTEAU DE MA MÈRE

Éditions de Fallois

PARIS

© Marcel Pagnol, 1990.
ISBN 2-87706-100-0

« *A la mémoire des miens.* »

M. P.

La Gloire de mon père

AVANT-PROPOS

*V*OICI *que pour la première fois — si je ne compte pas quelques modestes essais — j'écris en prose.*

Il me semble en effet qu'il y a trois genres littéraires bien différents : la poésie, qui est chantée, le théâtre, qui est parlé, et la prose, qui est écrite.

Ce qui m'effraie, ce n'est point tant le choix des mots ou des tournures, ni les subtilités grammaticales — qui sont, finalement, à la portée de tout le monde : mais c'est la position du romancier, et celle, plus dangereuse encore, du mémorialiste.

Il est bien difficile de parler de soi : tout le mal qu'un auteur dira de lui-même, nous le croyons de fort bon cœur ; tout le bien, nous ne l'admettons que preuves en main, et nous regrettons qu'il n'ait pas laissé ce soin à d'autres.

Dans ces Souvenirs, je ne dirai de moi ni mal ni bien ; ce n'est pas de moi que je parle, mais de l'enfant que je ne suis plus. C'est un petit personnage que j'ai connu et qui s'est fondu dans l'air du temps, à la manière des moineaux qui disparaissent sans laisser de squelette. D'ailleurs, il n'est pas le sujet de ce livre, mais le témoin de très petits événements.

Cependant, c'est moi qui vais rédiger son récit. Il est bien imprudent, vers la soixantaine, de changer de métier.

La langue du théâtre sonne au sortir de la bouche d'un acteur, elle doit paraître improvisée, la réplique doit être comprise du

premier coup, car une fois passée, elle est perdue. D'autre part, elle ne peut pas être un modèle de style littéraire : ce n'est pas la langue d'un écrivain, c'est celle du personnage.

Le style d'un auteur dramatique est dans le choix des personnages, dans les sentiments qu'il leur prête, dans la démarche de l'action. Quant à sa position personnelle, elle doit rester modeste. Qu'il se taise ! Dès qu'il veut faire entendre sa propre voix, le mouvement dramatique tombe : qu'il ne sorte pas de la coulisse : nous n'avons que faire de ses opinions, s'il veut les formuler lui-même : ses acteurs nous parlent pour lui, et ils nous imposeront ses émotions et ses idées, en nous faisant croire que ce sont les nôtres.

La position de l'écrivain est sans doute plus difficile.

Ce n'est plus Raimu qui parle : c'est moi. Par ma seule façon d'écrire, je vais me dévoiler tout entier, et si je ne suis pas sincère — c'est-à-dire sans aucune pudeur — j'aurai perdu mon temps à gâcher du papier.

Il va donc falloir sortir des coulisses, et m'asseoir en face du lecteur qui me regardera fixement pendant deux ou trois heures : voilà une idée bien inquiétante, et qui m'a longtemps paralysé.

Cependant, j'ai examiné l'autre face de la question.

Le spectateur de théâtre porte un col et une cravate, et ce costume anonyme que les Anglais nous ont imposé.

Il n'est pas chez lui : il a payé fort cher pour venir chez moi. Enfin, il n'est pas seul, et il observe ses voisins, qui l'observent. C'est pourquoi il ne s'intéresse pas seulement aux rôles joués par mes comédiens, mais au sien propre, et il joue lui-même le personnage du spectateur intelligent et distingué.

Il manifeste toujours : souvent il rit, ou il applaudit, et l'auteur dans la coulisse en est agréablement ému. Mais d'autres fois il tousse, il se mouche, il murmure, il siffle, il sort L'auteur n'ose plus regarder personne, et il écoute, consterné, les explications toujours ingénieuses de ses amis : il n'ira pas souper dans une boîte de nuit.

Le lecteur — je veux dire le vrai lecteur — est presque toujours un ami.

Il est allé choisir le livre, il l'a emporté sous son bras, il l'a invité chez lui.

Il va le lire en silence, installé dans le coin qu'il aime, entouré de son décor familier.

Il va le lire seul, et ne supportera pas qu'une autre personne vienne lire par-dessus son épaule. Il est sans doute en robe de chambre ou en pyjama, sa pipe à la main : sa bonne foi est entière.

Cela ne veut pas dire qu'il aimera ce livre : il va peut-être, à la trentième page, hausser les épaules, il va peut-être dire avec humeur : « Je me demande pourquoi on imprime de pareilles sottises ! »

Mais l'auteur ne sera pas là, et il n'en saura jamais rien. Sa famille, et quelques amis fidèles, auront tendu devant ses yeux un rideau d'éloges qui tempère la chaleur du « four ».

Enfin, le succès d'un ouvrage de théâtre est clairement mesurable par le chiffre des recettes — que contrôle chaque soir un comptable de l'Assistance Publique — et par le nombre des représentations. Il serait tout à fait vain d'offrir une fête de « centième » au soir de la trentième ; tandis qu'un éditeur complice peut égayer une catastrophe romanesque en imprimant « 15e mille » sur les couvertures du troisième et dernier.

Ainsi, quoique le grand succès d'un livre ait autant de mérite que celui d'une pièce, le « four » du prosateur est moins cruel.

Ce sont ces considérations, peu honorables, mais rassurantes, qui m'ont décidé à publier cet ouvrage, qui n'a, au surplus, que peu de prétentions : ce n'est qu'un témoignage sur une époque disparue, et une petite chanson de piété filiale, qui passera peut-être aujourd'hui pour une grande nouveauté.

JE suis né dans la ville d'Aubagne, sous le Garlaban couronné de chèvres, au temps des derniers chevriers.

Garlaban, c'est une énorme tour de roches bleues, plantée au bord du Plan de l'Aigle, cet immense plateau rocheux qui domine la verte vallée de l'Huveaune.

La tour est un peu plus large que haute : mais comme elle sort du rocher à six cents mètres d'altitude, elle monte très haut dans le ciel de Provence, et parfois un nuage blanc du mois de juillet vient s'y reposer un moment.

Ce n'est donc pas une montagne, mais ce n'est plus une colline : c'est Garlaban, où les guetteurs de Marius, quand ils virent, au fond de la nuit, briller un feu sur Sainte-Victoire, allumèrent un bûcher de broussailles : cet oiseau rouge, dans la nuit de juin, vola de colline en colline, et se posant enfin sur la roche du Capitole, apprit à Rome que ses légions des Gaules venaient d'égorger, dans la plaine d'Aix, les cent mille barbares de Teutobochus.

Mon père était le cinquième enfant d'un tailleur de pierres de Valréas, près d'Orange.

La famille y était établie depuis plusieurs siècles. D'où venaient-ils ? Sans doute d'Espagne, car j'ai retrouvé, dans les archives de la mairie, des Lespagnol, puis des Spagnol.

De plus, ils étaient armuriers de père en fils, et dans les

eaux fumantes de l'Ouvèze, ils trempaient des lames d'épées : occupation, comme chacun sait, noblement espagnole.

Cependant, parce que la nécessité du courage a toujours été inversement proportionnelle à la distance qui sépare les combattants, les tromblons et les pistolets remplacèrent bientôt les espadons et les colichemardes : c'est alors que mes aïeux se firent artificiers, c'est-à-dire qu'ils fabriquèrent de la poudre, des cartouches et des fusées.

L'un d'eux, un arrière-grand-oncle, jaillit un jour de sa boutique à travers une fenêtre fermée, dans une apothéose d'étincelles, entouré de soleils tournoyants, sur une gerbe de chandelles romaines.

Il n'en mourut pas, mais sur sa joue gauche, la barbe ne repoussa plus. C'est pourquoi, jusqu'à la fin de sa vie, on l'appela « Lou Rousti », c'est-à-dire Le Rôti.

C'est peut-être à cause de cet accident spectaculaire que la génération suivante décida — sans renoncer aux cartouches ni aux fusées — de ne plus les garnir de poudre, et ils devinrent « cartonniers », ce qu'ils sont encore aujourd'hui.

Voilà un bel exemple de sagesse latine : ils répudièrent d'abord l'acier, matière lourde, dure, et tranchante ; puis la poudre, qui ne supporte pas la cigarette, et ils consacrèrent leur activité au carton, produit léger, obéissant, doux au toucher, et en tout cas non explosible.

Cependant mon grand-père, qui n'était pas « monsieur l'aîné », n'hérita pas de la cartonnerie, et il devint, je ne sais pourquoi, tailleur de pierres. Il fit donc son tour de France, et finit par s'établir à Valréas, puis à Marseille.

Il était petit, mais large d'épaules, et fortement musclé.

Lorsque je l'ai connu, il portait de longues boucles blanches qui descendaient jusqu'à son col, et une belle barbe frisée.

Ses traits étaient fins, mais très nets, et ses yeux noirs brillaient comme des olives mûres.

Son autorité sur ses enfants avait été redoutable, ses décisions sans appel. Mais ses petits-enfants tressaient sa barbe, ou lui enfonçaient, dans les oreilles, des haricots.

Il me parlait parfois, très gravement, de son métier, ou plutôt de son art, car il était maître appareilleur.

Il n'estimait pas beaucoup les maçons : « Nous, disait-il, nous montions des murs en pierres appareillées, c'est-à-dire qui s'emboîtent exactement les unes dans les autres, par des tenons et des mortaises, des embrèvements, des queues d'aronde, des traits de Jupiter... Bien sûr, nous coulions aussi du plomb dans des rainures, pour empêcher le glissement. Mais c'était incrusté dans les deux blocs, et ça ne se voyait pas ! Tandis que les maçons ils prennent les pierres comme elles viennent, et ils bouchent les trous avec des paquets de mortier... Un maçon, c'est un noyeur de pierres, et il les cache parce qu'il n'a pas su les tailler. »

Dès qu'il avait un jour de liberté — c'est-à-dire cinq ou six fois par an — il emmenait toute la famille déjeuner sur l'herbe, à cinquante mètres du pont du Gard.

Pendant que ma grand-mère préparait le repas, et que les enfants pataugeaient dans la rivière, il montait sur les tabliers du monument, prenait des mesures, examinait des joints, relevait des coupes, caressait des pierres.

Après le déjeuner, il s'asseyait dans l'herbe, devant la famille en arc de cercle, en face du chef-d'œuvre millénaire, et jusqu'au soir, il le regardait.

C'est pourquoi, trente ans plus tard, ses fils et ses filles, au seul nom du pont du Gard, levaient les yeux au ciel, et poussaient de longs gémissements.

J'ai sur ma table de travail un précieux presse-papier. C'est un cube allongé, en fer, percé en son centre d'un trou ovale. Sur chacune des faces extrêmes, un entonnoir assez profond est creusé dans le métal refoulé. C'est la massette du grand-père André, qui frappa pendant cinquante ans la dure tête des ciseaux d'acier.

Cet homme habile n'avait reçu qu'une instruction som-
maire. Il savait lire et signer, mais rien de plus. Il en souffrit
secrètement toute sa vie, finit par croire que l'instruction
était le Souverain Bien, et il s'imagina que les gens les plus
instruits étaient ceux qui enseignaient les autres. Il se
« saigna » donc « aux quatre veines », pour établir ses six
enfants dans l'enseignement, et c'est ainsi que mon père, à
vingt ans, sortit de l'Ecole Normale d'Aix-en-Provence, et
devint instituteur public.

LES écoles normales primaires étaient à cette époque de véritables séminaires, mais l'étude de la théologie y était remplacée par des cours d'anticléricalisme.

On laissait entendre à ces jeunes gens que l'Eglise n'avait jamais été rien d'autre qu'un instrument d'oppression, et que le but et la tâche des prêtres, c'était de nouer sur les yeux du peuple le noir bandeau de l'ignorance, tout en lui chantant des fables, infernales ou paradisiaques.

La mauvaise foi des « curés » était d'ailleurs prouvée par l'usage du latin, langue mystérieuse, et qui avait, pour les fidèles ignorants, la vertu perfide des formules magiques.

La Papauté était dignement représentée par les deux Borgia, et les rois n'étaient pas mieux traités que les papes : ces tyrans libidineux ne s'occupaient guère que de leurs concubines quand ils ne jouaient pas au bilboquet ; pendant ce temps, leurs « suppôts » percevaient des impôts écrasants, qui atteignaient jusqu'à *dix* pour cent des revenus de la nation.

C'est-à-dire que les cours d'histoire étaient élégamment truqués dans le sens de la vérité républicaine.

Je n'en fais pas grief à la République : tous les manuels d'histoire du monde n'ont jamais été que des livrets de propagande au service des gouvernements.

Les normaliens frais émoulus étaient donc persuadés que la grande révolution avait été une époque idyllique, l'âge d'or de la générosité, et de la fraternité poussée jusqu'à la tendresse : en somme, une explosion de bonté.

Je ne sais pas comment on avait pu leur exposer — sans attirer leur attention — que ces anges laïques, après vingt mille assassinats suivis de vol, s'étaient entre-guillotinés eux-mêmes.

Il est vrai, d'autre part, que le curé de mon village, qui était fort intelligent, et d'une charité que rien ne rebutait, considérait la Sainte Inquisition comme une sorte de Conseil de Famille : il disait que si les prélats avaient brûlé tant de Juifs et de savants, ils l'avaient fait les larmes aux yeux, et pour leur assurer une place au Paradis.

Telle est la faiblesse de notre raison : elle ne sert le plus souvent qu'à justifier nos croyances.

Cependant, les études de ces normaliens ne se bornaient pas à l'anticléricalisme, et à l'histoire laïcisée. Il y avait un troisième ennemi du peuple, et qui n'était point dans le passé : c'était l'Alcool.

De cette époque datent « l'Assommoir », et ces tableaux effrayants qui tapissaient les murs des classes.

On y voyait des foies rougeâtres et si parfaitement méconnaissables, à cause de leurs boursouflures vertes et de leurs étranglements violacés qui leur donnaient la forme d'un topinambour : mais pour éclairer ce désastre, l'artiste avait peint, au beau milieu du tableau, le foie appétissant du bon citoyen, dont la masse harmonieuse et le rouge triomphal permettaient de mesurer la gravité des catastrophes circonscrites.

Les normaliens, poursuivis jusque dans les dortoirs par cet horrible viscère (sans parler d'un pancréas en forme de vis

d'Archimède, et d'une aorte égayée de hernies) étaient peu à peu frappés de terreur, et la seule vue d'un verre de vin leur donnait des frissons de dégoût.

La terrasse des cafés, à l'heure de l'apéritif, leur paraissait une assemblée de candidats au suicide. Un ami de mon père, ivre d'eau filtrée, en renversa un jour les tables, comme un Polyeucte laïque qu'il était. Ils pensaient que ces malheureux verraient bientôt des rats grimper aux murs, ou qu'ils rencontreraient des girafes sur le cours Mirabeau, et l'on citait le cas d'un violoniste de grand talent, réduit à jouer de la mandoline à cause d'un tremblement spasmodique dû au fait que sa moelle épinière trempait dans un bain de vermouth-cassis. Mais ce qu'ils haïssaient le plus farouchement, c'étaient les liqueurs dites « digestives », les bénédictines et les chartreuses, « avec privilège du Roy », qui réunissaient, dans une trinité atroce, l'Eglise, l'Alcool et la Royauté.

Au-delà de la lutte contre ces trois fléaux, le programme de leurs études était très vaste, et admirablement conçu pour en faire les instructeurs du peuple, qu'ils pouvaient comprendre à merveille, car ils étaient presque tous fils de paysans ou d'ouvriers.

Ils recevaient une culture générale, sans doute plus large que profonde, mais qui était une grande nouveauté ; et comme ils avaient toujours vu leur père travailler douze heures par jour, dans le champ, dans la barque ou sur l'échafaudage, ils se félicitaient de leur heureux destin, parce qu'ils pouvaient sortir le dimanche, et qu'ils avaient trois fois par an des vacances, qui les ramenaient à la maison.

Alors le père et le grand-père, et parfois même les voisins — qui n'avaient jamais étudié qu'avec leurs mains — venaient leur poser des questions, et leur soumettre de petites abstractions dont jamais personne au village n'avait pu trouver la clef. Ils répondaient, les anciens écoutaient, gravement, en hochant la tête... C'est pourquoi, pendant

trois années, ils dévoraient la science comme une nourriture précieuse dont leurs aïeux avaient été privés : c'est pourquoi, pendant les récréations, M. le Directeur faisait le tour des salles de classe pour en chasser quelques trop bons élèves, et les condamner à jouer au ballon.

A la fin de ces études, il fallait affronter le brevet supérieur, dont les résultats prouvaient que la « promotion » était parvenue à maturité.

Alors, par une sorte de déhiscence, la bonne graine était projetée aux quatre coins du département, pour y lutter contre l'ignorance, glorifier la République, et garder le chapeau sur la tête au passage des processions.

Après quelques années d'apostolat laïque dans la neige des hameaux perdus, le jeune instituteur glissait à mi-pente jusqu'aux villages, où il épousait au passage l'institutrice ou la postière. Puis il traversait plusieurs de ces bourgades dont les rues sont encore en pente, et chacune de ces haltes était marquée par la naissance d'un enfant. Au troisième ou au quatrième, il arrivait dans les sous-préfectures de la plaine, après quoi il faisait enfin son entrée au chef-lieu, dans une peau devenue trop grande, sous la couronne de ses cheveux blancs. Il enseignait alors dans une école à huit ou dix classes, et dirigeait le Cours supérieur, parfois le Cours complémentaire.

On fêtait un jour, solennellement, ses palmes académiques : trois ans plus tard, il « prenait sa retraite », c'est-à-dire que le règlement la lui imposait. Alors, souriant de plaisir, il disait : « Je vais enfin pouvoir planter mes choux ! »

Sur quoi, il se couchait, et il mourait.

J'en ai connu beaucoup, de ces maîtres d'autrefois.

Ils avaient une foi totale dans la beauté de leur mission, une confiance radieuse dans l'avenir de la race humaine. Ils méprisaient l'argent et le luxe, ils refusaient un avancement pour laisser la place à un autre, ou pour continuer la tâche commencée dans un village déshérité.

Un très vieil ami de mon père, sorti premier de l'Ecole Normale, avait dû à cet exploit de débuter dans un quartier de Marseille : quartier pouilleux, peuplé de misérables où nul n'osait se hasarder la nuit. Il y resta de ses débuts à sa retraite, quarante ans dans la même classe, quarante ans sur la même chaise.

Et comme un soir mon père lui disait :

« Tu n'as donc jamais eu d'ambition ?

— Oh mais si ! dit-il, j'en ai eu ! Et je crois que j'ai bien réussi ! Pense qu'en vingt ans, mon prédécesseur a vu guillotiner six de ses élèves. Moi, en quarante ans, je n'en ai eu que deux, et un gracié de justesse. Ça valait la peine de rester là. »

Car le plus remarquable, c'est que ces anticléricaux avaient des âmes de missionnaires. Pour faire échec à « Monsieur le Curé » (dont la vertu était supposée feinte), ils vivaient eux-mêmes comme des saints, et leur morale était aussi inflexible que celle des premiers puritains. M. l'Inspecteur d'Académie était leur évêque, M. le Recteur, l'archevêque, et leur pape, c'était M. le Ministre : on ne lui écrit que sur grand papier, avec des formules rituelles.

« Comme les prêtres », disait mon père, « nous travaillons pour la vie future : mais nous, c'est pour celle des autres. »

C'EST parce qu'il était sorti, lui aussi, dans un bon rang, que la déhiscence de la promotion ne l'avait pas projeté trop loin de Marseille, et qu'il était tombé à Aubagne.

C'était une bourgade de dix mille habitants, nichée sur les coteaux de la vallée de l'Huveaune, et traversée par la route poudreuse qui allait de Marseille à Toulon.

On y cuisait des tuiles, des briques et des cruches, on y bourrait des boudins et des andouilles, on y tannait, en sept ans de fosse, des cuirs inusables. On y fabriquait aussi des santons coloriés, qui sont les petits personnages des crèches de la Noël.

Mon père, qui s'appelait Joseph, était alors un jeune homme brun, de taille médiocre, sans être petit. Il avait un nez assez important, mais parfaitement droit, et fort heureusement raccourci aux deux bouts par sa moustache et ses lunettes, dont les verres ovales étaient cerclés d'un mince fil d'acier. Sa voix était grave et plaisante et ses cheveux, d'un noir bleuté, ondulaient naturellement les jours de pluie.

Il rencontra un dimanche une petite couturière brune qui s'appelait Augustine, et il la trouva si jolie qu'il l'épousa aussitôt.

Je n'ai jamais su comment ils s'étaient connus, car on ne parlait pas de ces choses-là à la maison. D'autre part, je ne

leur ai jamais rien demandé à ce sujet, car je n'imaginais ni leur jeunesse ni leur enfance.

Ils étaient mon père et ma mère, de toute éternité, et pour toujours. L'âge de mon père, c'était vingt-cinq ans de plus que moi, et ça n'a jamais changé. L'âge d'Augustine, c'était le mien, parce que ma mère, c'était moi, et je pensais, dans mon enfance, que nous étions nés le même jour. De sa vie précédente, je sais seulement qu'elle fut éblouie par la rencontre de ce jeune homme à l'air sérieux, qui tirait si bien aux boules, et qui gagnait infailliblement cinquante-quatre francs par mois. Elle renonça donc à coudre pour les autres, et s'installa dans un appartement d'autant plus agréable qu'il touchait à l'école, et qu'on n'en payait pas le loyer.

Dans les mois qui précédèrent ma naissance, comme elle n'avait que dix-neuf ans — et elle les eut toute sa vie — elle conçut de graves inquiétudes, et déclara en sanglotant que son bébé ne naîtrait jamais, parce qu'elle « sentait bien qu'elle ne savait pas le faire ».

Mon père essaya de la raisonner. Mais alors, elle disait, furieuse : « Quand je pense que c'est toi qui m'as fait ça ! »

Et elle fondait en larmes.

Quand le survenant se mit à bouger, elle eut des accès de fou rire, entre deux crises de sanglots.

Effrayé par ce comportement déraisonnable, mon père appela au secours sa sœur aînée. C'était elle qui l'avait élevé. Elle était (naturellement) directrice d'école à La Ciotat, et célibataire.

La grande sœur fut tout à fait ravie, et décida qu'il fallait sur-le-champ installer ma mère chez elle, sur le bord de la mer latine : ce qui fut fait le soir même.

On m'a dit que Joseph en fut charmé, et qu'il profita de sa liberté pour conter fleurette à la boulangère, dont il mit en ordre la comptabilité : voilà une idée déplaisante, et que je n'ai jamais acceptée.

Pendant ce temps, la future maman se promenait le long

des plages, sous le tendre soleil de janvier, en regardant au loin les voiles des pêcheurs, qui partaient à trois heures vers le soleil couchant. Puis, près du feu où sifflotait la flamme bleue des souches d'olivier, elle tricotait le trousseau de sa bondissante progéniture, tandis que la tante Marie ourlait des langes, en chantant d'une jolie voix claire :

> *Sur le brick léger que le flot balance,*
> *Quand la nuit étend son grand voile noir...*

Elle était maintenant rassurée, d'autant que son cher Joseph venait tous les samedis, sur la bicyclette du boulanger. Il apportait des croquants aux amandes, des tartes à la frangipane, et un sachet de farine blanche pour faire des crêpes ou des beignets, ce qui prouve bien que la boulangère n'avait pas à se plaindre de lui.

Ces gâteries, ce long repos, et l'air salubre de la douce Méditerranée transformèrent la jeune Augustine : elle avait pris de belles couleurs, et il paraît qu'elle chantait tous les matins, dès son réveil.

Tout s'annonçait donc le mieux du monde, lorsqu'au petit matin du 28 février, elle fut réveillée par quelques douleurs.

Elle appela aussitôt la tante Marie, qui décréta que ce n'était rien, puisque le docteur avait annoncé la naissance d'une fille pour la fin du mois de mars ; puis, elle ralluma le feu, pour mettre en route une tisane. Mais la patiente affirma que les docteurs n'y comprenaient rien, et qu'elle voulait retourner tout de suite à Aubagne.

« Il faut que l'enfant naisse à la maison ! Il faut que Joseph me tienne la main ! Marie, Marie, partons vite ! Je suis sûre qu'il veut sortir ! »

La douce Marie essaya de la calmer, avec du tilleul et des paroles. La passoire à la main, elle déclara que si l'événement se confirmait, elle irait en informer le poissonnier, qui descendait chaque jour à Aubagne vers les huit heures, et que

Joseph viendrait, aussi vite que le vent, sur la machine à pédales.

Mais Augustine repoussa la tasse à fleurs, et se tordit les mains en pleurant à grosses larmes.

Alors, la tante Marie alla frapper aux volets d'un voisin, qui possédait un boghey et un petit cheval. C'était une époque bénie, où les gens se rendaient service : il n'y avait qu'à demander.

Le voisin attela son cheval, la tante enveloppa Augustine dans des châles, et nous voilà partis au petit trot, tandis que sur la crête des collines la moitié d'un grand soleil rouge nous regardait à travers les pins.

Mais en arrivant à la Bédoule, qui est tout juste à mi-chemin, les douleurs recommencèrent, et la tante, à son tour, s'affola. Elle serrait dans ses bras ma mère emmitouflée, et lui donnait des conseils :

« Augustine », disait-elle, « retiens-toi », car elle était vierge.

Mais Augustine, toute pâle, ouvrait des yeux noirs énormes, et transpirait en gémissant.

Heureusement, nous avions franchi le col et la route descendait sur Aubagne. Le voisin desserra son frein, qu'on appelait la mécanique, et fouetta le petit cheval, qui n'eut qu'à se laisser emporter par le poids de l'équipage. Nous arrivâmes tout juste à temps, et Mme Négrel, la sage-femme, vint en hâte délivrer ma mère, qui avait enfin planté ses ongles dans le bras puissant de Joseph.

Cette histoire n'est pas très étonnante ; mais attendez une minute, car elle va le devenir.

Au début du XVIII^e siècle, il y avait à Aubagne une très riche et très ancienne famille de commerçants, qui

s'appelaient Barthélemy. Ses mérites étaient si éclatants que le roi devait un jour l'anoblir.

Or, dans la nuit du 19 au 20 janvier 1716, Mme Barthélemy, qui était très jeune, qui habitait Aubagne, et dont le mari s'appelait Joseph, « ressentit les premières douleurs ». Elle monta « précipitamment » en voiture, pour se rendre auprès de sa mère, dans la maison familiale, qui était la plus jolie maison de Cassis.

Cassis était un petit port de pêche, à une lieue de La Ciotat, et sur les trois quarts du voyage, la même route conduit à Aubagne.

Mme Barthélemy passa donc par les gorges, puis par le col de la Bédoule, gémissante sous des couvertures... Elle arriva à Cassis, « pâmée de douleur, et pendant qu'on la mettait au lit, elle donna le jour à un petit garçon ».

Cet enfant d'Aubagne devait être l'abbé Barthélemy, auteur illustre du *Voyage du jeune Anacharsis en Grèce*, et qui fut élu à l'Académie française le 5 mars 1789, au vingt-cinquième fauteuil : c'est ce fauteuil même que j'ai l'honneur d'occuper, depuis le 5 mars d'une autre année.

On pourrait tirer, de cette double anecdote, une conclusion singulière : c'est que l'un des moyens de faire un jour partie de l'Illustre Compagnie, c'est d'être le fils d'un Joseph, et d'essayer de naître, par un petit matin d'hiver, dans une carriole doublement gémissante, sur la route de la Bédoule.

MES souvenirs d'Aubagne sont peu nombreux, parce que je n'y vécus que trois ans.

Je vois d'abord une très haute fontaine, sous les platanes du Cours, juste devant notre maison. C'est le monument que ses compatriotes élevèrent à notre abbé Barthélemy, considéré comme un homme de gauche, à cause du *Voyage du jeune Anacharsis*. Peu de personnes l'avaient lu, et beaucoup disaient, en toute bonne foi : « Le Jeune Anarchiste. » Je l'ignorais, évidemment, à cette époque, mais j'écoutais avec ravissement la petite chanson de la fontaine, qui pépiait avec les moineaux.

Je vois ensuite un plafond qui tombe sur moi à une vitesse vertigineuse, pendant que ma mère, horrifiée, crie : « Henri ! tu es idiot ! Henri, je te défends... »

C'est que mon oncle Henri, le frère de ma mère, me lance en l'air, et me rattrape au vol. Je hurle d'angoisse, mais quand ma mère m'a repris dans ses bras, je crie : « Encore ! encore ! »

Mon oncle Henri avait trente ans, une jolie barbe brune, et il était mécanicien de machines à vapeur : il travaillait à leur construction dans les Ateliers des Forges et Chantiers, comme avait fait son père, ce grand-père maternel que je n'ai jamais connu.

Celui-là était né à Coutances, vers 1845, et il s'appelait Guillaume Lansot. Normand de pure race, il était venu à Marseille en faisant son tour de France. Ma grand-mère marseillaise lui plut : il y resta.

A vingt-quatre ans, il avait déjà trois enfants, dont ma mère était la petite dernière.

Comme il savait bien son métier, et que la mer ne lui faisait pas peur, on l'envoya un jour à Rio de Janeiro, pour dépanner un navire à vapeur dont la machine ne voulait plus repartir. Il arriva dans ce pays encore sauvage, sans vaccin d'aucune sorte. Il vit des gens qui mouraient de la fièvre jaune, et tout bêtement, il fit comme eux...

Ses enfants n'avaient pas eu le temps de le connaître, et ma grand-mère, qui ne fut sa femme que pendant quatre années, n'a pas pu nous dire grand-chose, sinon qu'il était très grand, qu'il avait des yeux bleu de mer, des dents très blanches, qu'il était d'un blond tirant sur le roux et qu'il riait d'un rien, comme les enfants.

Je n'ai même pas sa photographie. Parfois, le soir, à la campagne, au coin du feu, je l'appelle, mais il ne vient pas. Il doit être encore dans les Amériques. Alors tout seul, en regardant danser les flammes, je pense à mon grand-père de vingt-quatre ans, qui mourut sans lunettes, avec toutes ses dents, sous une épaisse chevelure dorée, et je m'étonne d'être le si vieux petit-fils d'un grand jeune homme de Coutances.

Un autre souvenir d'Aubagne, c'est la partie de boules sous les platanes du Cours. Mon père, parmi d'autres géants, faisait des bonds prodigieux, et lançait une masse de fer à des distances inimaginables. Parfois, il y avait de grands applaudissements, puis les géants finissaient toujours par se disputer, à cause d'une ficelle qu'ils s'arrachaient des mains, mais ils ne se battaient jamais.

D'AUBAGNE nous passâmes à Saint-Loup, qui était un gros village dans la banlieue de Marseille. En face de l'école, il y avait l'abattoir municipal : ce n'était qu'une sorte de hangar, où deux bouchers immenses opéraient toutes portes ouvertes.

Pendant que ma mère faisait son petit ménage, je grimpais sur une chaise, devant la fenêtre de la salle à manger, et je regardais l'assassinat des bœufs et des porcs avec le plus vif intérêt. Je crois que l'homme est naturellement cruel : les enfants et les sauvages en font la preuve chaque jour.

Lorsque le malheureux bœuf recevait le coup de merlin entre ses cornes, et tombait sur les genoux, j'admirais simplement la force du boucher, et la victoire de l'homme sur la bête. La mise à mort des porcs me faisait rire aux larmes parce qu'on les tirait par les oreilles, et qu'ils poussaient des cris stridents. Mais le spectacle le plus intéressant, c'était l'assassinat du mouton.

Le boucher lui tranchait élégamment le gosier, tout en continuant une conversation avec son assistant, et sans accorder la moindre attention à ce qu'il faisait. Quand il en avait égorgé trois ou quatre, il plaçait les cadavres, les pattes en l'air, sur des sortes de berceaux. Puis, avec un soufflet, il les gonflait prodigieusement, pour décoller la peau de la

chair : je croyais qu'il essayait d'en faire des ballons, et j'espérais les voir s'envoler : mais ma mère, qui survenait toujours au meilleur moment, me faisait descendre de mon observatoire, et tout en coupant des cubes de viande pour le pot-au-feu familial elle me tenait des propos incompréhensibles sur la douceur du pauvre bœuf, la gentillesse du petit mouton frisé, et la méchanceté de ce boucher.

Lorsqu'elle allait au marché, elle me laissait au passage dans la classe de mon père, qui apprenait à lire à des gamins de six ou sept ans. Je restais assis, bien sage, au premier rang et j'admirais la toute-puissance paternelle. Il tenait à la main une baguette de bambou : elle lui servait à montrer les lettres et les mots qu'il écrivait au tableau noir, et quelquefois à frapper sur les doigts d'un cancre inattentif.

Un beau matin, ma mère me déposa à ma place, et sortit sans mot dire, pendant qu'il écrivait magnifiquement sur le tableau : « La maman a puni son petit garçon qui n'était pas sage. »

Tandis qu'il arrondissait un admirable point final, je criai : « Non ! Ce n'est pas vrai ! »

Mon père se retourna soudain, me regarda stupéfait, et s'écria : « Qu'est-ce que tu dis ?

— Maman ne m'a pas puni ! Tu n'as pas bien écrit ! »

Il s'avança vers moi :

« Qui t'a dit qu'on t'avait puni ?

— C'est écrit. »

La surprise lui coupa la parole un moment.

« Voyons, voyons, dit-il enfin, est-ce que tu sais lire ?

— Oui.

— Voyons, voyons... » répétait-il.

Il dirigea la pointe du bambou vers le tableau noir.

« Eh bien, lis. »

Je lus la phrase à haute voix.

Alors, il alla prendre un abécédaire, et je lus sans difficulté plusieurs pages...

Je crois qu'il eut ce jour-là la plus grande joie, la plus grande fierté de sa vie.

Lorsque ma mère survint, elle me trouva au milieu des quatre instituteurs, qui avaient renvoyé leurs élèves dans la cour de récréation, et qui m'entendaient déchiffrer lentement l'histoire du Petit Poucet... Mais au lieu d'admirer cet exploit, elle pâlit, déposa ses paquets par terre, referma le livre, et m'emporta dans ses bras, en disant : « Mon Dieu ! mon Dieu !... »

Sur la porte de la classe, il y avait la concierge, qui était une vieille femme corse : elle faisait des signes de croix. J'ai su plus tard que c'était elle qui était allée chercher ma mère, en l'assurant que « ces messieurs » allaient me faire « éclater le cerveau ».

A table, mon père affirma qu'il s'agissait de superstitions ridicules, que je n'avais fourni aucun effort, que j'avais appris à lire comme un perroquet apprend à parler, et qu'il ne s'en était même pas aperçu. Ma mère ne fut pas convaincue, et de temps à autre elle posait sa main fraîche sur mon front et me demandait : « Tu n'as pas mal à la tête ? »

Non, je n'avais pas mal à la tête, mais jusqu'à l'âge de six ans, il ne me fut plus permis d'entrer dans une classe, ni d'ouvrir un livre, par crainte d'une explosion cérébrale. Elle ne fut rassurée que deux ans plus tard, à la fin de mon premier trimestre scolaire, quand mon institutrice lui déclara que j'étais doué d'une mémoire surprenante, mais que ma maturité d'esprit était celle d'un enfant au berceau.

DE Saint-Loup, mon père fit un bond de comète : car franchissant d'un seul coup les faubourgs, il fut nommé — à sa grande surprise — instituteur titulaire à l'école du Chemin des Chartreux, la plus grande école communale de Marseille.

Elle était gouvernée par un « directeur sans classe », qui était une sorte de proviseur. Il pouvait aller voir M. l'Inspecteur d'Académie sans la moindre convocation, il était membre du jury du brevet élémentaire et même, parfois, du brevet supérieur !

D'ailleurs, le concierge avait dit devant moi, à mon père charmé, que les douze instituteurs des Chartreux étaient « l'élite des maîtres », et qu'au bout de quatre ou cinq ans de service, ceux qui le désiraient étaient immédiatement nommés directeurs, et souvent à Marseille même.

Cette déclaration du concierge de l'Ecole du Chemin des Chartreux fut souvent citée dans la famille, et ma mère — qui en était toute glorieuse — la répéta devant Mme Mercier et Mlle Guimard, en ajoutant qu'après tout, ce concierge exagérait peut-être un peu : mais elle n'avait pas l'air de le croire.

Elle était toujours pâle et frêle, mais heureuse, entre son Joseph, ses deux garçons, et sa machine à coudre toute neuve.

Cette prodigieuse invention moderne me permettait de l'aider dans ses travaux.

Agenouillé sous la petite table, devant sa robe, je faisais, avec mes mains, osciller la large pédale que j'arrêtais net au commandement.

Mon frère Paul était un petit bonhomme de trois ans, la peau blanche, les joues rondes, avec de grands yeux d'un bleu très clair, et les boucles dorées de notre grand-père inconnu. Il était pensif, ne pleurait jamais, et jouait tout seul, sous une table, avec un bouchon ou un bigoudi ; mais sa voracité était surprenante : de temps à autre, il y avait un drame-éclair : on le voyait tout à coup s'avancer, titubant, les bras écartés, la figure violette. Il était en train de mourir suffoqué.

Ma mère affolée frappait dans son dos, enfonçait un doigt dans sa gorge, ou le secouait en le tenant par les talons, comme fit jadis la mère d'Achille.

Alors dans un râle affreux, il expulsait une grosse olive noire, un noyau de pêche, ou une longue lanière de lard.

Après quoi, il reprenait ses jeux solitaires, accroupi comme un gros crapaud.

Joseph était devenu magnifique. Il avait un costume neuf bleu marine, digne de l'école des Chartreux : ses lunettes, jadis cerclées de fer, brillaient maintenant dans une monture d'or, et leurs verres s'étaient arrondis : enfin, il portait une cravate d'artiste, une ganse noire aux deux bouts pendants. Mais cette prétention était justifiée par le fait qu'il s'était associé à son collègue Arnaud, pour travailler le jeudi et le dimanche matin à la reproduction des cartes murales de géographie, que les éditions Vidal-Lablache leur payaient jusqu'à cent francs l'une — dans le budget familial, Vidal-Lablache était compté pour vingt-cinq francs par mois, et ce nom double était deux fois béni.

J'APPROCHAIS de mes six ans, et j'allais à l'école dans la classe enfantine que dirigeait Mlle Guimard.

Mlle Guimard était très grande, avec une jolie petite moustache brune, et quand elle parlait, son nez remuait : pourtant je la trouvais laide, parce qu'elle était jaune comme un Chinois, et qu'elle avait de gros yeux bombés.

Elle apprenait patiemment leurs lettres à mes petits camarades, mais elle ne s'occupait pas de moi, parce que je lisais couramment, ce qu'elle considérait comme une inconvenance préméditée de la part de mon père. En revanche, pendant les leçons de chant, elle disait, devant toute la classe, que je chantais faux, et qu'il valait mieux me taire, ce que je faisais volontiers.

Pendant que la marmaille s'époumonait à suivre sa baguette, je restais muet, paisible, souriant ; les yeux fermés, je me racontais des histoires, et je me promenais au bord de l'étang du parc Borély, qui est une sorte de parc de Saint-Cloud, au bout du Prado de Marseille.

Le jeudi et le dimanche, ma tante Rose, qui était la sœur aînée de ma mère, et qui était aussi jolie qu'elle, venait déjeuner à la maison, et me conduisait ensuite, au moyen d'un tramway, jusqu'en ces lieux enchantés.

On y trouvait des allées ombragées par d'antiques platanes,

des bosquets sauvages, des pelouses qui vous invitaient à vous rouler dans l'herbe, des gardiens pour vous le défendre, et des étangs où naviguaient des flottilles de canards.

On y trouvait aussi, à cette époque, un certain nombre de gens qui apprenaient à gouverner des bicyclettes : le regard fixe, les mâchoires serrées, ils échappaient soudain au professeur, traversaient l'allée, disparaissaient dans un fourré, et reparaissaient, leur machine autour du cou. Ce spectacle ne manquait pas d'intérêt, et j'en riais aux larmes. Mais ma tante ne me laissait pas longtemps dans cette zone dangereuse : elle m'entraînait — la tête tournée en arrière — vers un coin tranquille, au bord de l'étang.

Nous nous installions sur un banc, toujours le même, devant un massif de lauriers, entre deux platanes ; elle sortait un tricot de son sac, et j'allais vaquer aux travaux de mon âge.

Ma principale occupation était de lancer du pain aux canards. Ces stupides animaux me connaissaient bien. Dès que je montrais un croûton, leur flottille venait vers moi, à force de palmes, et je commençais ma distribution.

Lorsque ma tante ne me regardait pas, tout en leur disant, d'une voix suave, des paroles de tendresse, je leur lançais aussi des pierres, avec la ferme intention d'en tuer un. Cet espoir, toujours déçu, faisait le charme de ces sorties, et dans le grinçant tramway du Prado, j'avais des frémissements d'impatience.

Mais un beau dimanche, je fus péniblement surpris lorsque nous trouvâmes un monsieur assis sur notre banc. Sa figure était vieux rose ; il avait une épaisse moustache châtain, des sourcils roux et bien fournis, de gros yeux bleus, un peu saillants. Sur ses tempes, quelques fils blancs. Comme de plus, il lisait un journal sans images, je le classai aussitôt parmi les vieillards.

Ma tante voulut m'entraîner vers un autre campement ; mais je protestai : c'était *nôtre* banc, et ce monsieur n'avait qu'à partir.

Il fut poli et discret. Sans mot dire, il glissa jusqu'au bout du siège, et tira près de lui son chapeau melon, sur lequel était posée une paire de gants de cuir, signe incontestable de richesse, et d'une bonne éducation.

Ma tante s'installa à l'autre bout, sortit son tricot et je courus, avec mon petit sac de croûtons, vers le bord de l'étang.

Je choisis d'abord une très belle pierre, grande comme une pièce de cinq francs, assez plate, et merveilleusement tranchante. Par malheur, un garde me regardait : je la cachai donc dans ma poche, et je commençai ma distribution, avec des paroles si plaisantes et si affectueuses que je fus bientôt en face de toute une escadre rangée en demi-cercle.

Le garde — un blasé — me parut peu intéressé par ce spectacle : il tourna simplement le dos, et s'en alla à pas comptés. Je sortis aussitôt ma pierre, et j'eus la joie — un peu inquiète — d'atteindre en pleine tête le vieux père canard. Mais au lieu de chavirer et de couler à pic — comme je l'espérais — ce dur-à-cuire vira de bord, et s'enfuit à toutes palmes, en poussant de grands cris d'indignation. A dix mètres du bord, il s'arrêta et se tourna de nouveau vers moi ; debout sur l'eau et battant des ailes, il me lança toutes les injures qu'il savait, soutenu par les cris déchirants de toute sa famille.

Le garde n'était pas bien loin : je courus me réfugier auprès de ma tante.

Elle n'avait rien vu, elle n'avait rien entendu, elle ne tricotait pas : elle faisait la conversation avec le monsieur du banc.

« Oh ! le charmant petit garçon ! dit-il. Quel âge as-tu ?

— Six ans.

— Il en paraît sept ! » dit le monsieur. Puis il fit compliment sur ma bonne mine, et déclara que j'avais vraiment de très beaux yeux.

Elle se hâta de dire que je n'étais pas son fils, mais celui de sa sœur, et elle ajouta qu'elle n'était pas mariée. Sur quoi l'aimable vieillard me donna deux sous, pour aller acheter des « oublies » au marchand qui était au bout de l'allée.

On me laissa beaucoup plus libre que d'ordinaire. J'en profitai pour aller chez les cyclistes. Debout sur un banc — par prudence — j'assistai à quelques chutes inexplicables.

La plus franchement comique fut celle d'un vieillard d'au moins quarante ans : en faisant de plaisantes grimaces, il arracha le guidon de la machine, et s'abattit tout à coup sur le côté, en serrant toujours de toutes ses forces les poignées de caoutchouc. On le releva, couvert de poussière, ses pantalons déchirés aux genoux, et aussi indigné que le vieux canard. J'espérais une bataille de grandes personnes, lorsque ma tante et le monsieur du banc arrivèrent et m'entraînèrent loin du groupe vociférant, car il était l'heure de rentrer.

Le monsieur prit le tramway avec nous : il paya même nos places, malgré les très vives protestations de ma tante qui en était, à mon grand étonnement, toute rougissante. J'ai compris, beaucoup plus tard, qu'elle s'était considérée comme une véritable courtisane, parce qu'un monsieur encore inconnu avait payé trois sous pour nous.

Nous le quittâmes au terminus, et il nous fit de grandes salutations, avec son chapeau melon à bout de bras.

En arrivant sur la porte de notre maison, ma tante me recommanda — à voix basse — de ne parler jamais à personne de cette rencontre. Elle m'apprit que ce monsieur était le propriétaire du parc Borély, que si nous disions un seul mot de lui, il le saurait certainement, et qu'il nous défendrait d'y retourner. Comme je lui demandais pourquoi, elle me répondit que c'était un « secret ». Je fus charmé de connaître, sinon un secret, du moins son existence. Je promis, et je tins parole.

Nos promenades au parc devinrent de plus en plus fréquentes, et l'aimable « propriétaire » nous attendait tou-

jours sur notre banc. Mais il était assez difficile de le reconnaître de loin, car il n'avait jamais le même costume. Tantôt c'était un veston clair avec un gilet bleu, tantôt une veste de chasse sur un gilet de tricot ; je l'ai même vu en jaquette.

De son côté, ma tante Rose portait maintenant un boa de plumes, et une petite toque de mousseline sous un oiseau bleu aux ailes ouvertes, qui avait l'air de couver son chignon.

Elle empruntait l'ombrelle de ma mère, ou ses gants, ou son sac. Elle riait, elle rougissait, et elle devenait de plus en plus jolie.

Dès que nous arrivions, le « propriétaire » me confiait d'abord au berger des ânes que je chevauchais pendant des heures, puis à l'omnibus traîné par quatre chèvres, puis au patron du toboggan : je savais que ces largesses ne lui coûtaient rien, puisque tout le parc lui appartenait, mais je n'en étais pas moins très reconnaissant, et j'étais fier d'avoir un ami si riche, et qui me prouvait un si parfait amour.

Six mois plus tard, en jouant aux cachettes avec mon frère Paul, je m'enfermai dans le bas du buffet, après avoir repoussé les assiettes. Pendant que Paul me cherchait dans ma chambre, et que je retenais mon souffle, mon père, ma mère et ma tante entrèrent dans la salle à manger. Ma mère disait :

« Tout de même, trente-sept ans, c'est bien vieux !

— Allons donc ! dit mon père, j'aurai trente ans à la fin de l'année, et je me considère comme un homme encore jeune. Trente-sept ans, c'est la force de l'âge ! Et puis, Rose n'a pas dix-huit ans !

— J'ai vingt-six ans, dit la tante Rose. Et puis il me plaît.

— Qu'est-ce qu'il fait, à la Préfecture ?

— Il est sous-chef de bureau. Il gagne deux cent vingt francs par mois.

— Hé hé ! dit mon père.

— Et il a de petites rentes qui lui viennent de sa famille.

— Ho ho ! dit mon père.

— Il m'a dit que nous pouvions compter sur trois cent cinquante francs par mois. »

J'entendis un long sifflement, puis mon père ajouta :

« Eh bien, ma chère Rose, je vous félicite ! Mais au moins, est-ce qu'il est beau ?

— Oh non ! dit ma mère. Ça, pour être beau, il n'est pas beau. »

Alors, je poussai brusquement la porte du buffet, je sautai sur le plancher, et je criai :

« Oui ! Il est beau ! Il est superbe ! »

Et je courus vers la cuisine, dont je fermai la porte à clef.

C'est à la suite de tous ces événements que le propriétaire vint un jour à la maison, accompagné de ma tante Rose.

Il montrait un large sourire, sous les ailes d'un chapeau melon, qui était d'un noir lustré. La tante Rose était toute rose, vêtue de rose des pieds à la tête, et ses beaux yeux brillaient derrière une voilette bleue accrochée au bord d'un canotier.

Ils revenaient tous deux d'un court voyage, et il y eut de grandes embrassades : oui, le propriétaire, sous nos yeux stupéfaits, embrassa ma mère, puis mon père !

Ensuite, il me prit sous les aisselles, me souleva, me regarda un instant, et dit : « Maintenant, je m'appelle l'oncle Jules, parce que je suis le mari de tante Rose. »

LE plus étonnant, c'est qu'il ne s'appelait pas Jules. Son véritable prénom était Thomas. Mais ma chère tante, ayant entendu dire que les gens de la campagne appelaient Thomas leur pot de chambre, avait décidé de l'appeler Jules, ce qui est encore beaucoup plus usité pour désigner le même objet. L'innocente créature, faute d'avoir fait son service militaire, l'ignorait, et personne n'osa l'en informer, même pas Thomas-Jules, qui l'aimait trop pour la contredire, surtout quand il avait raison !

L'oncle Jules était né au milieu des vignes, dans ce Roussillon doré où tant de gens roulent tant de barriques. Il avait laissé le vignoble à ses frères, et il était devenu l'intellectuel de la famille, car il avait fait son droit : mais il était resté fièrement Catalan, et sa langue roulait les R comme un ruisseau roule des graviers.

Je l'imitais, pour faire rire mon frère Paul. Nous pensions en effet que l'accent provençal était le seul accent français véritable, puisque c'était celui de notre père, examinateur au Certificat d'Etudes, et que les R de l'oncle Jules n'étaient que le signe extérieur d'une infirmité cachée.

Mon père et lui faisaient une paire d'amis, quoique l'oncle Jules, plus vieux et plus riche, prît parfois des airs protecteurs.

Il protestait de temps à autre contre la durée abusive des vacances scolaires.

« J'admets, disait-il, que les enfants aient besoin d'un si long repos. Mais pendant ce temps, on pourrait employer les instituteurs à autre chose !

— Eh oui ! disait ironiquement mon père, ils pourraient aller remplacer, pendant deux mois, les fonctionnaires de la préfecture, épuisés par leurs longues siestes, et meurtris par le rond de cuir ! »

Mais ces escarmouches amicales s'arrêtaient là, et jamais on n'abordait le grand sujet, sinon par des allusions discrètes : l'oncle Jules allait à la messe !

Lorsque mon père apprit — par une confidence de tante Rose à ma mère — qu'il communiait deux fois par mois, il en fut positivement consterné, et déclara que « c'était un comble ». Ma mère alors le supplia d'admettre cet état de choses, et de renoncer, devant l'oncle, à son petit répertoire de plaisanteries sur les curés, et en particulier, à une chansonnette qui célébrait les exploits aéronautiques du vénérable père Dupanloup.

« Crois-tu qu'il se fâcherait vraiment ?

— Je suis sûre qu'il ne remettrait plus les pieds chez nous, et qu'il défendrait à ma sœur de me fréquenter. »

Mon père secoua tristement la tête, et soudain, d'une voix furieuse, il s'écria :

« Voilà ! Voilà l'intolérance de ces fanatiques ! Est-ce que je l'empêche, moi, d'aller manger son Dieu tous les dimanches ? Est-ce que je te défends de fréquenter ta sœur parce qu'elle est mariée à un homme qui croit que le Créateur de l'Univers descend en personne, tous les dimanches, dans cent mille gobelets ? Eh bien, je veux lui montrer ma largeur d'esprit. Je le ridiculiserai par mon libéralisme. Non, je ne lui parlerai pas de l'Inquisition, ni de Calas, ni de Jean Huss, ni de tant d'autres que l'Eglise envoya au bûcher ; je ne dirai rien des papes Borgia, ni de la papesse Jeanne ! Et même s'il

essaie de me prêcher les conceptions puériles d'une religion aussi enfantine que les contes de ma grand-mère, je lui répondrai *poliment*, et je me contenterai d'en rigoler doucement dans ma barbe ! »

Mais il n'avait pas de barbe, et il ne rigolait pas du tout.

Cependant, il tint parole, et leur amitié ne fut pas troublée par les quelques mots qui leur échappaient de temps à autre, et que leurs femmes vigilantes escamotaient aussitôt par de grands cris de surprise, ou des éclats de rire stridents dont elles inventaient ensuite le motif.

Mon oncle Jules devint très vite mon grand ami. Il me félicitait souvent d'avoir tenu la parole donnée, et d'avoir gardé le secret, au temps des rendez-vous au parc Borély ; il disait à qui voulait l'entendre que « cet enfant ferait un grand diplomate » ou un « officier de premier ordre » (cette prophétie, qui avait pourtant une alternative, ne s'est pas encore réalisée). Il tenait beaucoup à voir mes bulletins scolaires, et me récompensait (ou me consolait) par des jouets ou des sachets de berlingots.

Cependant, comme je lui conseillais un jour de faire construire une petite maison dans son admirable parc Borély, avec un balcon pour voir les cyclistes, il m'avoua, sur le mode badin, qu'il n'en avait jamais été le propriétaire.

Je fus consterné par la perte instantanée d'un si beau patrimoine, et je regrettai d'avoir si longtemps admiré un imposteur.

De plus, je découvris ce jour-là que les grandes personnes savaient mentir aussi bien que moi, et il me sembla que je n'étais plus en sécurité parmi elles.

Mais d'un autre côté, cette révélation, qui justifiait mes propres mensonges passés, présents et futurs, m'apporta la paix du cœur, et lorsqu'il était indispensable de mentir à mon père, et que ma petite conscience protestait faiblement, je lui répondais : « Comme l'oncle Jules ! » ; alors, l'œil naïf et le front serein, je mentais admirablement.

Un beau jour, nous changeâmes de maison, car mon père jugeait que notre appartement était devenu trop petit : il obtint une « indemnité de logement », et nous allâmes habiter, dans la rue Terrusse, un grand rez-de-chaussée, que complétait un sous-sol, éclairé, sur le derrière, par un petit jardin.

Ce fut l'une des grandes étapes de notre vie. Ma mère, toute rouge d'orgueil, éblouit la tante Rose en lui montrant qu'elle disposait désormais de huit placards et penderies ; quant à moi, je « racontais » ce palais à l'école, et pour donner une idée de sa richesse, j'affirmai, sans mentir, qu'on pouvait y jouer aux cachettes ! Un tel luxe me fit pas mal d'envieux : il y eut, heureusement, des incrédules, qui restèrent mes amis.

DEUX années passèrent : je triomphai de la règle de trois, j'appris — avec une joie inépuisable — l'existence du lac Titicaca, puis Louis X le Hutin, hibouchougenou et ces règles désolantes, qui gouvernent les participes passés.

Mon frère Paul, de son côté, avait jeté son abécédaire, et il abordait, le soir dans son lit, la philosophie des Pieds Nickelés.

Une petite sœur était née, et tout justement pendant que nous étions tous les deux chez ma tante Rose, qui nous avait gardés deux jours, pour faire sauter les crêpes de la Chandeleur.

Cette invitation malencontreuse m'empêcha de vérifier pleinement l'hypothèse audacieuse de Mangiapan, qui était mon voisin en classe, et qui prétendait que les enfants sortaient du nombril de leur mère.

Cette idée m'avait d'abord paru absurde : mais un soir, après un assez long examen de mon nombril, je constatai qu'il avait vraiment l'air d'une boutonnière, avec, au centre, une sorte de petit bouton : j'en conclus qu'un déboutonnage était possible, et que Mangiapan avait dit vrai.

Cependant, je pensai aussitôt que les hommes n'ont pas d'enfants : ils n'ont que des fils et des filles, qui les appellent

papa, mais les enfants venaient sûrement de la mère, comme les chiens et les chats. Donc, mon nombril ne prouvait rien. Tout au contraire, son existence chez les mâles affaiblissait grandement l'autorité de Mangiapan.

Que croire ? Que penser ?

En tout cas, puisqu'une petite sœur venait de naître, c'était le moment d'ouvrir les yeux et les oreilles, et de percer le grand secret.

C'est en revenant de chez la tante Rose, comme nous traversions la Plaine, que je fis, dans le passé, une importante découverte : depuis trois mois, ma mère avait changé de forme, et elle marchait le buste penché en arrière comme le facteur de la Noël. Un soir Paul, avec un air d'inquiétude, m'avait demandé : « Qu'est-ce qu'elle a, notre Augustine, sous son tablier ? »

Je n'avais su que lui répondre...

Nous la retrouvâmes, souriante, mais pâle et sans force, dans le grand lit. Auprès d'elle, dans un berceau, une petite créature grimaçante poussait des cris de mirliton. L'hypothèse de Mangiapan me parut démontrée, et j'embrassai ma mère tendrement en songeant à ses souffrances au moment où il avait fallu déboutonner son nombril.

La petite créature nous parut d'abord étrangère. De plus, notre mère lui donnait le sein, ce qui me choquait beaucoup et qui effrayait Paul. Il disait : « Elle nous la mange quatre fois par jour. » Mais quand elle se mit à tituber et à bégayer, elle nous révéla notre force et notre sagesse, et nous l'adoptâmes définitivement.

L'oncle Jules et la tante Rose venaient nous voir le dimanche et j'allais — avec Paul — déjeuner chez eux presque tous les jeudis.

Ils habitaient un bel appartement, à la rue des Minimes ; il

était éclairé au Gaz, la tante faisait la cuisine au Gaz, et elle avait une femme de ménage.

Je remarquai un jour avec surprise que ma chère tante Rose se gonflait à son tour, et je conclus immédiatement à un prochain déboutonnage.

Ce diagnostic fut bientôt confirmé par une conversation dont je surpris quelques bribes, entre ma mère et Mlle Guimard.

Pendant que le boucher découpait un beau beefsteack de quatre sous dans la « pièce noire », elle dit avec inquiétude :

« Les enfants de vieux, c'est toujours délicat...

— Rose n'a que vingt-huit ans ! protesta ma mère.

— Pour un premier enfant, c'est déjà beaucoup. Et n'oubliez pas que son mari en a quarante !

— Trente-neuf, dit ma mère.

— Vingt-huit et trente-neuf font soixante-sept ! » dit Mlle Guimard.

Et elle hochait la tête, pensive et maléfique...

Un soir, mon père nous annonça que maman ne rentrerait pas à la maison, parce qu'elle était restée auprès de sa sœur « qui n'était pas bien ». Nous dînâmes tous les quatre en silence, puis j'aidai mon père à coucher la petite sœur.

Ce fut une opération difficile, à cause du pot, des langes, et de notre peur de la casser.

Tout en tirant sur mes chaussettes, je dis à Paul : « La tante Rose, ils sont en train de la déboutonner. »

Il lisait dans son lit ses chers Pieds Nickelés, et il ne me répondit pas. Mais j'avais résolu de l'initier aux grands mystères, et j'insistai : « Est-ce que tu sais pourquoi ? »

Il ne bougea pas davantage, et je m'aperçus qu'il dormait.

Alors, je tirai doucement son livre de ses mains, j'aplatis ses genoux et, du premier coup, je soufflai la lampe.

Le lendemain, qui était un jeudi, mon père nous dit :

« Allez ouste ! Levez-vous : nous allons chez la tante Rose et je vous promets une belle surprise !

— Moi, dis-je, ta surprise, je la sais déjà…

— Ho ho ! dit-il. Et que sais-tu ?

— Je ne veux pas te le dire, mais je te promets que j'ai tout compris. »

Il me regarda en souriant, mais il n'insista pas.

Nous partîmes tous les quatre le long des rues. La petite sœur était drôlement attifée, dans une robe que nous avions boutonnée par-devant, et nous n'avions pas pu la coiffer, à cause de ses hurlements.

Une grande inquiétude me tourmentait. Nous allions voir un enfant de vieux : Mlle Guimard l'avait dit ; mais elle n'avait rien précisé, sauf qu'il aurait soixante-huit ans. J'imaginai qu'il serait tout rabougri, et qu'il aurait sans doute des cheveux blancs, avec une barbe blanche comme celle de mon grand-père — plus petite évidemment, et plus fine — une barbe de bébé. Ça ne serait pas beau. Mais il allait peut-être parler tout de suite, et nous dire d'où il venait ! Ça, ce serait intéressant.

Je fus tout à fait déçu.

On nous mena embrasser la tante Rose dans sa chambre. Elle avait l'air parfaitement reboutonnée, quoiqu'un peu pâle. Ma mère était assise sur le bord du lit, et entre elles, il y avait un bébé, un bébé sans barbe ni moustache et sa grosse figure joufflue dormait paisiblement, sous une crête de cheveux blonds.

« Voilà votre cousin ! » dit ma mère à voix basse.

Toutes les deux le regardaient, émues, émerveillées, ravies, avec une adoration si exagérée, et l'oncle Jules — qui venait d'entrer — était si rouge de fierté, que Paul, écœuré, m'entraîna dans la salle à manger, où nous dégustâmes les quatre bananes qu'il avait repérées au passage dans le compotier de cristal.

UN beau soir du mois d'avril, je rentrais de l'école avec mon père et Paul. C'était un mercredi, le plus beau jour de la semaine, car nos jours ne sont beaux que par leur lendemain.

Tout en marchant le long du trottoir de la rue Tivoli, mon père me dit :

« Crapaud, j'aurai besoin de toi demain matin.

— Pour quoi faire ?

— Tu le verras bien. C'est une surprise.

— Moi aussi, tu as besoin de moi ? demanda Paul, inquiet.

— Bien sûr, dit mon père. Mais Marcel viendra avec moi, et toi tu resteras à la maison, pour surveiller la femme de ménage, qui va balayer la cave. C'est très important.

— Moi, d'habitude, dit Paul, j'ai peur d'aller dans la cave. Mais avec la femme de ménage, je n'aurai pas peur. »

Le lendemain, vers huit heures, mon père vint me réveiller, en imitant une sonnerie de clairon, puis il rejeta mes couvertures au pied de mon lit.

« Il faut que tu sois prêt dans une demi-heure. Je vais me raser. »

Je frottai mes yeux à poings fermés, je m'étirai, je me levai.

Paul avait disparu sous ses draps, il n'en sortait qu'une boucle de cheveux dorés.

Le jeudi était un jour de grande toilette, et ma mère prenait ces choses-là très au sérieux. Je commençai par m'habiller des pieds à la tête, puis je fis semblant de me laver à grande eau : c'est-à-dire que vingt ans avant les bruiteurs de la radiodiffusion, je composai la symphonie des bruits qui suggèrent une toilette.

J'ouvris d'abord le robinet du lavabo, et je le mis adroitement dans une certaine position qui faisait ronfler les tuyaux : ainsi mes parents seraient informés du début de l'opération.

Pendant que le jet d'eau bouillonnait bruyamment dans la cuvette, je regardais, à bonne distance.

Au bout de quatre ou cinq minutes, je tournai brusquement le robinet, qui publia sa fermeture en faisant, d'un coup de bélier, trembler la cloison.

J'attendis un moment, que j'employai à me coiffer. Alors je fis sonner sur le carreau le petit tub de tôle et je rouvris le robinet — mais lentement, à très petits coups. Il siffla, miaula et reprit le ronflement saccadé. Je le laissai couler une bonne minute, le temps de lire une page des Pieds Nickelés. Au moment même où Croquignol, après un croche-pied à l'agent de police, prenait la fuite au-dessus de la mention « A suivre », je le refermai brusquement.

Mon succès fut complet, car j'obtins une double détonation, qui fit onduler le tuyau.

Encore un choc sur la tôle du tub et j'eus terminé, dans le délai prescrit, une toilette plausible, sans avoir touché une goutte d'eau.

Je trouvai mon père assis devant la table de la salle à manger. Il était en train de compter de l'argent ; en face de

lui, ma mère buvait son café. Ses nattes noires, qui avaient des reflets bleus, pendaient jusqu'à terre derrière sa chaise. Mon café au lait était servi. Elle me demanda :

« Tu t'es lavé les pieds ? »

Comme je savais qu'elle attachait une importance particulière à cette opération futile, et dont la nécessité me paraissait inexplicable (puisque les pieds, ça ne se voit pas), je répondis avec assurance :

« Tous les deux.

— Tu t'es coupé les ongles ? »

Il me sembla que l'aveu d'un oubli confirmerait la réalité du reste.

« Non, dis-je, je n'y ai pas pensé. Mais je les ai taillés dimanche.

— Bien », dit-elle.

Elle parut satisfaite. Je le fus aussi.

Pendant que je croquais mes tartines, mon père dit :

« Tu ne sais pas où nous allons ? Eh bien, voilà. Ta mère a besoin d'un peu de campagne. J'ai donc loué, de moitié avec l'oncle Jules, une villa dans la colline, et nous y passerons les grandes vacances. »

Je fus émerveillé.

« Et où est-elle, cette villa ?

— Loin de la ville, au milieu des pins.

— C'est très loin ?

— Oh oui, dit ma mère. Il faut prendre le tramway, et marcher ensuite pendant des heures.

— Alors, c'est sauvage ?

— Assez, dit mon père. C'est juste au bord d'un désert de garrigue, qui va d'Aubagne jusqu'à Aix. Un vrai désert ! »

Paul arrivait, pieds nus, pour savoir ce qui se passait et il demanda :

« Est-ce qu'il y a des chameaux ?

— Non, dit mon père. Il n'y a pas de chameaux.

— Et des rhinocéros ?

— Je n'en ai pas vu. »

J'allais poser mille questions, lorsque ma mère me dit :
« Mange. »

Et comme j'oubliais ma tartine, elle poussa ma main vers ma bouche.

Puis, elle se tourna vers Paul :
« Toi, va d'abord mettre tes pantoufles, sinon tu vas nous faire encore une angine. Allez, file ! »

Il fila.

Je demandais :
« Alors, tu m'emmènes dans la colline, ce matin ?

— Non ! dit-il. Pas encore ! Cette villa est toute vide, et il va falloir la meubler. Seulement, les meubles neufs coûtent très cher : alors, nous allons ce matin chez le brocanteur des Quatre-Chemins. »

Mon père avait une passion : l'achat des vieilleries chez les brocanteurs.

Chaque mois, lorsqu'il revenait de « toucher son mandat » à la mairie, il rapportait quelques merveilles : une muselière crevée (0 fr. 50), un compas diviseur épointé (1 fr. 50), un archet de contrebasse (1 fr.), une scie de chirurgien (2 fr.), une longue-vue de marine où l'on voyait tout à l'envers (3 fr.), un couteau à scalper (2 fr.), un cor de chasse un peu ovalisé, avec une embouchure de trombone (3 fr.), sans parler d'objets mystérieux, dont personne n'avait jamais pu trouver l'usage, et qui traînaient un peu partout dans la maison.

Ces arrivage mensuels étaient, pour Paul et pour moi, une véritable fête. Ma mère ne partageait pas notre enthousiasme. Elle regardait, stupéfaite, l'arc des îles Fidji, ou l'altimètre de précision, dont l'aiguille, montée un jour à 4 000 mètres (à la

suite d'une ascension du mont Blanc, ou d'une chute dans un escalier), n'en voulut jamais redescendre.

Alors, elle disait avec force : « Surtout, que les enfants ne touchent pas à ça ! »

Elle courait à la cuisine, et revenait avec de l'alcool, de l'eau de Javel, des cristaux de soude, et elle frottait longuement ces épaves.

Il faut dire qu'à cette époque, les microbes étaient tout neufs, puisque le grand Pasteur venait à peine de les inventer, et elle les imaginait comme de très petits tigres, prêts à nous dévorer par l'intérieur.

Tout en secouant le cor de chasse, qu'elle avait rempli d'eau de Javel, elle disait, d'un air navré :

« Je me demande, mon pauvre Joseph, ce que tu veux faire de cette saleté ! »

Le pauvre Joseph, triomphant, répondait simplement :

« Trois francs ! »

J'ai compris plus tard que ce qu'il achetait, ce n'était pas l'objet : c'était son prix.

« Eh bien, voilà trois francs de gaspillés !

— Mais, ma chérie, si tu voulais fabriquer ce cor ae chasse, pense à l'achat du cuivre, pense à l'outillage spécial qu'il te faudrait, pense aux centaines d'heures de travail indispensables pour la mise en forme de ce cuivre... »

Ma mère haussait doucement les épaules, et on voyait qu'elle n'avait jamais songé à fabriquer ce cor de chasse, ni aucun autre.

Alors mon père, avec condescendance, disait :

« Tu ne te rends pas compte que cet instrument, peut-être inutile par lui-même, est une véritable mine ! Réfléchis une seconde : je scie le pavillon, et j'obtiens un cornet acoustique, un porte-voix de marine, un entonnoir, un pavillon de phonographe ; le reste du tube, si je l'enroule en spirale, c'est le serpentin d'un alambic. Je puis aussi le redresser pour en faire une sarbacane, ou une conduite d'eau, en *cuivre*, note

bien ! Si je le scie en tranches fines, tu as vingt douzaines d'anneaux de rideaux ; si je le perce de cent petits trous, nous avons un collier à douches ; si je l'ajuste à la poire à lavements, c'est un pistolet à bouchon... »

Ainsi, devant ses fils émerveillés, et sa chère femme navrée, il transformait l'instrument inutile en mille objets tout aussi inutiles, mais plus nombreux.

C'est pourquoi ma mère, au seul mot de « brocanteur », avait hoché la tête plusieurs fois, avec un petit air d'inquiétude.

Mais elle ne formula pas sa pensée et me dit seulement : « As-tu un mouchoir ? »

Assurément, j'avais un mouchoir : il était tout propre, dans ma poche, depuis huit jours.

Pour moi, qui savais extraire de mon nez, avec l'ongle de mon index, les matériaux sifflants qui gênaient ma respiration, l'usage du mouchoir me semblait être une superstition parentale.

Il m'arrivait parfois de m'en servir, pour faire briller mes souliers, ou pour essuyer mon banc d'écolier ; mais l'idée de souffler du mucus dans cette étoffe délicate, et de renfermer le tout dans ma poche, me paraissait absurde et dégoûtante. Cependant, comme les enfants viennent trop tard pour faire l'éducation des parents, il faut respecter leurs incurables manies, et ne jamais les chagriner. C'est pourquoi, tirant mon mouchoir de ma poche, et cachant dans ma main une assez belle tache d'encre, je l'agitai comme sur un quai de gare, devant ma chère maman rassurée, et je suivis mon père dans la rue.

L À, au bord du trottoir, je vis une petite charrette à bras qu'il avait empruntée au voisin. En grosses lettres noires, sur la ridelle, on lisait :

BERGOUGNAS
BOIS ET CHARBONS

Mon père entra dans les brancards, à reculons.

« J'ai besoin de toi, me dit-il, pour serrer la mécanique quand nous descendrons la rue Tivoli. »

Je regardai au loin cette rue qui montait vers le ciel par une pente de toboggan.

« Mais papa, lui dis-je, elle monte, la rue Tivoli !

— Oui, me dit-il. Maintenant, elle monte. Mais je suis presque sûr qu'au retour, elle descendra. Et au retour, nous serons chargés. Pour le moment, installe-toi sur le charre-ton. »

Je pris place au beau milieu du plateau, pour en assurer l'équilibre.

Ma mère, derrière la grille bombée de la fenêtre, nous regardait partir.

« Surtout, dit-elle, prenez garde aux tramways ! »

Sur quoi mon père, pour exprimer sa confiance, poussa un

joyeux hennissement, lança deux petites ruades et partit au galop vers l'aventure.

<center>*
* *</center>

Nous nous arrêtâmes au bout du boulevard de la Madeleine, devant une boutique noirâtre. Elle commençait sur le trottoir, qui était encombré de meubles hétéroclites, autour d'une très vieille pompe à incendie à laquelle était accroché un violon.

Le maître de ce commerce était très grand, très maigre, et très sale. Il portait une barbe grise, et des cheveux de troubadour sortaient d'un grand chapeau d'artiste. Son air était mélancolique, et il fumait une pipe en terre.

Mon père lui avait déjà rendu visite et avait retenu quelques « meubles » : une commode, deux tables, et plusieurs fagots de morceaux de bois poli qui, selon le brocanteur, devaient permettre de reconstituer six chaises. Il y avait aussi un petit canapé qui perdait ses entrailles comme un cheval de toréador, trois sommiers crevés, des paillasses à moitié vides, un bahut qui n'avait plus ses étagères, une gargoulette qui représentait assez schématiquement un coq et divers ustensiles de ménage que la rouille appareillait.

Le brocanteur nous aida à charger tout ce fourniment sur la charrette à bras, qui avait laissé tomber une béquille, comme font les ânes au printemps. Le tout fut arrimé avec des cordes, qu'un long usage avait rendu chevelues. Puis, on fit les comptes. Après une sorte de méditation, le brocanteur regarda fixement mon père et dit :

« Ça fait cinquante francs !

— Ho ho ! dit mon père, c'est trop cher !

— C'est cher, mais c'est beau, dit le brocanteur. La commode est d'époque ! »

Il montrait du doigt cette ruine vermoulue.

« Je le crois volontiers, dit mon père. Elle est certainement d'une époque, mais pas de la nôtre ! »

Le brocanteur prit un air dégoûté et dit :

« Vous aimez tellement le moderne ?

— Ma foi, dit mon père, je n'achète pas ça pour un musée. C'est pour m'en servir. »

Le vieillard parut attristé par cet aveu.

« Alors, dit-il, ça ne vous fait rien de penser que ce meuble a peut-être vu la reine Marie-Antoinette en chemise de nuit ?

— D'après son état, dit mon père, ça ne m'étonnerait pas qu'il ait vu le roi Hérode en caleçons !

— Là, je vous arrête, dit le brocanteur, et je vais vous apprendre une chose : le roi Hérode avait peut-être des caleçons, mais il n'avait pas de commode ! Rien que des coffres à clous d'or, et des espèces de cocottes en bois. Je vous le dis parce que je suis honnête.

— Je vous remercie, dit mon père. Et puisque vous êtes honnête, vous me faites le tout à trente-cinq francs. »

Le brocanteur nous regarda tour à tour, hocha la tête avec un douloureux sourire, et déclara :

« Ce n'est pas possible, parce que je dois cinquante francs à mon propriétaire qui vient encaisser à midi.

— Alors, dit mon père indigné, si vous lui deviez cent francs, vous oseriez me les demander ?

— Il faudrait bien ! Où voulez-vous que je les prenne ? Remarquez que si je ne devais que quarante francs, je vous demanderais quarante. Si je devais trente, ça serait trente...

— Dans ce cas, dit mon père, je ferais mieux de revenir demain, quand vous l'aurez payé et que vous ne lui devrez plus rien...

— Ah maintenant, ce n'est plus possible ! s'écria le brocanteur. Il est onze heures juste. Vous êtes tombé dans ce coup-là : vous n'avez plus le droit d'en sortir. D'ailleurs, je reconnais que vous n'avez pas eu de chance de venir

aujourd'hui. Mais quoi ! A chacun son destin ! Vous, vous êtes jeune et frais, vous êtes droit comme un i, et vous avez deux yeux superbes : tant qu'il y aura des bossus et des borgnes, vous n'aurez pas le droit de vous plaindre, c'est cinquante francs !

— Bien, dit mon père. Dans ce cas, nous allons décharger ces débris, et nous irons nous servir ailleurs. Petit, détache les cordes ! »

Le brocanteur me retint par le bras en criant : « Attendez ! »

Puis il regarda mon père avec une tristesse indignée, secoua la tête, et me dit : « Comme il est violent ! »

Il s'avança vers lui, et parla solennellement :

« Sur le prix, ne discutons plus : c'est cinquante francs ; ça m'est impossible de le raccourcir. Mais nous pouvons peut-être allonger la marchandise. »

Il entra dans sa boutique : mon père me fit un clin d'œil triomphal et nous le suivîmes.

Il y avait des remparts d'armoires, des miroirs lépreux, des casques, des pendules, des bêtes empaillées. Il plongea son bras dans ce fouillis, et en retira divers objets.

« Premièrement, dit-il, puisque vous aimez le Moderne, je vous donne en plus cette table de nuit *en tôle émaillée*, et ce robinet col de cygne, *nickelé par galvanoplastie*. Vous ne direz pas que ce n'est pas Moderne ! Deuxièmement, je vous donne ce fusil arabe damasquiné, qui n'est pas un fusil à pierre, mais à capsule. Admirez la longueur du canon ! On dirait une canne à pêche. Et regardez, ajouta-t-il à voix basse, les initiales (en lettres arabes) qui sont gravées sur la crosse ! »

Il nous montra des signes, qui avaient l'air d'une poignée de virgules, et chuchota :

« A et K. Avez-vous saisi ?

— Vous allez m'affirmer, dit mon père, que c'est le propre fusil d'Abd el-Kader ?

— Je n'affirme rien, dit le brocanteur avec conviction.

Mais on a vu plus fort ! A bon entendeur, salut ! Je vous donne en plus ce pare-étincelles en cuivre découpé, ce parapluie de berger (qui sera comme neuf si vous changez seulement la toile), ce tam-tam de la Côte-d'Ivoire — qui est une pièce de *collection* — et ce fer à repasser de tailleur. Est-ce que ça va ?

— C'est honnête, dit mon père. Mais je voudrais aussi cette vieille cage à poules.

— Hé hé ! dit le brocanteur, je reconnais qu'elle est vieille mais elle peut servir aussi bien qu'une neuve. Enfin, puisque c'est vous, je vous la donne. »

Mon père lui tendit un billet mauve de cinquante francs. Il le prit gravement, avec un salut de la tête.

Enfin, comme nous finissions de glisser notre butin sous les cordes déjà tendues, pendant qu'il rallumait sa pipe, il dit tout à coup :

« J'ai bien envie de vous faire cadeau d'un lit pour le petit ! »

Il entra dans son magasin, disparut dans la citadelle d'armoires, et reparut, triomphant. Il portait à bout de bras un cadre fait de quatre vieilles solives si mal jointes qu'au moindre effort, ce carré devenait losange. Sur l'un de ces bois, on avait fixé, avec des clous de tapissier, un rectangle de toile de jute, aux bords effilochés, qui pendait comme le drapeau de la misère.

« A la vérité, dit-il, il manque un second cadre tout pareil pour former un X avec celui-ci. Avec quatre bouts de bois, vous en verrez la farce, et le petit dormira comme un pacha ! »

Il croisa ses bras sur sa poitrine, pencha doucement la tête sur le côté, et feignit de s'endormir avec un sourire béat.

Nous lui fîmes de grands remerciements ; il en parut touché et, levant sa main droite qui nous présenta une paume noirâtre, il s'écria :

« Attendez ! J'ai encore une surprise pour vous ! »

Et il rentra dans sa boutique en courant. Mais mon père, qui avait passé la bricole, démarra brusquement et descendit à bonne allure le boulevard de la Madeleine, tandis que le généreux vieillard, reparu au bord du trottoir, brandissait à bout de bras un immense drapeau de la Croix-Rouge, que nous jugeâmes inutile d'aller chercher.

LORSQUE ma mère, qui nous attendait à la fenêtre, vit arriver ce chargement, elle disparut aussitôt pour reparaître sur le seuil.

« Joseph, dit-elle selon l'usage, tu ne vas pas rentrer toutes ces saletés dans la maison ?

— Ces saletés, dit mon père, vont être la base d'un mobilier rustique que tu ne te lasseras pas de regarder. Laisse-nous seulement le temps d'y travailler ! Mes plans sont faits, et je sais où je vais. »

Ma mère secoua la tête et soupira, tandis que le petit Paul accourait pour aider au déchargement.

Nous transportâmes tout le matériel à la cave, où mon père avait décidé d'installer notre atelier.

Nos travaux commencèrent par le vol, dont je fus chargé, d'une cuiller en fer battu, dans un tiroir de la cuisine.

Ma mère la chercha longtemps, et la retrouva plusieurs fois. Mais elle ne la reconnut jamais, car nous l'avions aplatie à coups de marteau pour en faire une truelle.

Avec cet outil, digne de Robinson Crusoé, nous scellâmes dans le mur de la cave deux bouts de fer, reliés par quatre vis à une flageolante table, dont ils assurèrent la stabilité, et qui fut ainsi promue au rang d'établi.

Nous y installâmes un étau criard, apaisé d'une goutte

d'huile. Puis, nous fîmes le classement de l'outillage. Une scie, un marteau, une paire de tenailles, des clous de tailles différentes, mais également tordus par de précédentes extractions, des vis, un tournevis, un rabot, un ciseau à bois.

J'admirai ces trésors, ces Machines, que le petit Paul n'osait pas toucher, car il croyait à la méchanceté active des outils pointus ou tranchants, et faisait peu de différence entre une scie et un crocodile. Cependant il comprit bien que de grandes choses se préparaient ; il partit soudain en courant, et nous rapporta, avec un beau sourire, deux bouts de ficelle, de petits ciseaux en celluloïd et un écrou qu'il avait trouvé dans la rue.

Nous accueillîmes ce complément d'outillage avec des cris d'enthousiasme et de reconnaissance, tandis que Paul rougissait de fierté.

Mon père l'installa sur un tabouret de bois, et lui recommanda de n'en jamais descendre.

« Tu vas nous être très utile, lui dit-il, parce que les outils ont une grande malice : dès qu'on en cherche un, il le comprend, et il se cache...

— Parce qu'ils ont peur des coups de marteau ! dit Paul.

— Naturellement, dit mon père. Alors, toi, sur ce tabouret, surveille-les bien : ça nous fera gagner beaucoup de temps. »

Chaque soir, à six heures, je sortais de l'école avec lui ; nous rentrions à la maison en parlant de nos travaux et nous achetions en chemin de petites choses oubliées : de la colle de menuisier, des vis, un pot de peinture, une râpe à bois. Nous nous arrêtions souvent chez le brocanteur, devenu notre ami. Là, j'entrais en pleine féerie, car j'avais maintenant la permission de fouiller partout. Il y avait tout, dans cette boutique ; pourtant, on n'y trouvait jamais ce que l'on

cherchait... Venus pour acheter un balai, nous repartions avec un cornet à piston, ou une sagaie, celle-là même — au dire de notre ami — qui avait tué le prince Bonaparte. Dès notre arrivée à la maison, ma mère, selon le rite établi, nous dépouillait de ce butin, me lavait les mains en grande hâte, et brossait nos trophées à l'eau de Javel. Après cette toilette médicale, je plongeais dans l'escalier de la cave, et je trouvais mon père, en compagnie de Paul, dans « l'atelier ».

Il était éclairé par une lampe à pétrole : elle était en cuivre un peu cabossé, et portait un bec Matador, c'est-à-dire que la mèche circulaire sortait d'un tube de cuivre, et montait sous un petit champignon de métal qui forçait la flamme à s'épanouir en corolle. Cette corolle était assez large et, pour la contenir, le « verre » que les Anglais appellent excellemment « la cheminée » avait à sa base un renflement du plus bel effet : mon père considérait cette lampe comme le dernier mot de la technique, et il est vrai qu'elle donnait une vive lumière, en même temps qu'une violente odeur moderne.

Nous commençâmes par l'assemblage des chaises. C'était un puzzle, et d'autant plus difficile à résoudre que les barreaux n'entraient pas dans les trous des montants et qu'ils n'étaient pas tous de la même longueur.

Nous allâmes revendiquer chez l'antiquaire, qui feignit d'abord de s'étonner, puis nous donna une botte de barreaux. Il tint à l'assortir d'un petit cadeau, sous la forme d'une paire d'étriers mexicains.

A grand renfort de colle forte, dont je faisais fondre les galettes dans de l'eau tiède, les six chaises furent reconstituées, puis vernies. Avec de la ficelle épaisse, ma mère tissa les sièges. Par un raffinement imprévu, une triple cordelette rouge en cernait le bord.

Mon père, les ayant rangées autour de la table de la salle à manger, les contempla longuement ; puis il déclara que ces meubles, ainsi attifés, valaient au moins cinq fois le prix qu'il les avait payés, et nous fit admirer, une fois de plus, les

prodigieuses « affaires » qu'il savait découvrir chez les bro-
canteurs.

Ce fut ensuite le tour de la commode, dont les tiroirs
étaient si fortement coincés qu'il fallut démonter tout le
meuble, et user longuement du rabot.

Ces travaux, qui ne durèrent pas plus de trois mois,
occupent cependant dans ma mémoire une place considéra-
ble, car c'est à la lumière du bec Matador que j'ai découvert
l'intelligence de mes mains, et la prodigieuse efficacité des
plus simples outils.

Un beau jeudi matin, nous pûmes installer le long du
corridor de l'immeuble le mobilier des grandes vacances.
L'oncle Jules avait été convoqué, à titre d'admirateur
probable, et notre ami le brocanteur était venu en expert.

L'oncle admira, le brocanteur expertisa. Il loua les tenons,
il approuva les mortaises, et trouva les collages parfaits. Puis
comme l'ensemble ne ressemblait à rien, il déclara que c'était
du « rustique provençal », ce qui fut doctoralement approuvé
par l'oncle Jules.

Ma mère était émerveillée par la beauté de ces meubles, et
selon la prophétie de mon père, elle ne pouvait se lasser de les
regarder. Elle admira surtout un petit guéridon, revêtu par
mes soins de trois couches de « vernis acajou ». Il était
vraiment beau à voir, mais il valait mieux le regarder que le
toucher, car en posant les mains à plat sur la tablette, on
pouvait le soulever et le transporter ailleurs, comme font les
médiums. Je crois que tout le monde s'aperçut de cet
inconvénient, mais personne n'en dit un seul mot qui eût gâté
le triomphe de notre exposition.

J'eus d'ailleurs le plaisir de constater plus tard qu'une
petite erreur peut avoir de grands avantages, car ce guéridon,
placé dans un coin bien éclairé, comme un meuble de prix,

attrapa tant de mouches qu'il assura le silence et l'hygiène de la salle à manger des vacances, tout au moins pendant la première année.

Enfin, au moment de partir, le généreux expert ouvrit une vieille valise qu'il avait apportée. Il en tira une gigantesque pipe, dont le fourneau, sculpté dans une racine, était aussi gros que ma tête, et il l'offrit à mon père « à titre de curiosité ». Puis, il fit présent à ma mère d'un collier de coquillages qu'avait porté la reine Ranavalo et, s'excusant de n'avoir pas prévu la présence de l'oncle Jules — « qui ne perdrait rien pour attendre » —, il prit congé avec des façons de grand seigneur.

LA première quinzaine de juillet fut bien longue.
Les meubles attendaient dans le couloir, et nous attendions à l'école, où nous ne faisions pas grand-chose.

Les maîtres nous lisaient des contes d'Andersen ou d'Alphonse Daudet, puis nous allions jouer dans la cour pendant la plus grande partie de la journée. Mais nous poursuivions sans conviction ces jeux d'écoliers, tout à coup rapetissés et désenchantés par l'approche, lente mais sûre, des jeux éternels des grandes vacances.

Je me répétais sans cesse quelques mots magiques : la « villa », les « pinèdes », les « collines », les « cigales ». Il y en avait bien quelques-unes au bout des platanes scolaires. Mais je n'en avais jamais vu de près, tandis que mon père m'en avait promis des milliers, et presque toujours à portée de la main... C'est pourquoi, écoutant les chanteuses égarées qui nous narguaient, invisibles dans les hauts feuillages, je pensais — sans la moindre poésie — « Toi, ma vieille, quand nous serons dans les collines, je te mettrai la paille au cul ! » Telle est la gentillesse des « petits anges » de huit ans.

Un soir, l'oncle Jules et la tante Rose vinrent dîner à la maison. Ce fut un dîner-conférence pour la préparation du grand départ, qui devait avoir lieu le lendemain.

L'oncle Jules, qui se flattait d'être un organisateur, déclara

d'abord qu'à cause de l'état des chemins, il n'était pas possible de louer une voiture importante, qui aurait d'ailleurs coûté une fortune — peut-être même vingt francs !

Il avait donc loué deux voitures : un petit camion de déménagement, qui transporterait ses propres meubles, ainsi que sa femme, son fils et lui-même, au prix de sept francs cinquante.

Cette somme comprenait la puissance d'un déménageur qui serait à notre service toute la journée.

Pour nous, il avait trouvé un paysan, qui s'appelait François, et dont la ferme était à quelques centaines de mètres de la villa. Ce François venait deux fois par semaine vendre ses fruits au marché de Marseille. En remontant chez lui, il transporterait notre mobilier au prix raisonnable de quatre francs. Cet arrangement enchanta mon père, mais Paul demanda :

« Et nous, nous monterons sur la charrette ?

— Vous, dit l'Organisateur, vous prendrez le tramway jusqu'à la Barasse, et de là, vous rejoindrez votre paysan *pedibus cum jambis*. Augustine aura une petite place sur le chariot, et les trois hommes suivront à pied, avec le paysan. »

Les trois hommes acceptèrent cette idée avec joie, et la conversation, qui dura jusqu'à onze heures, devint absolument féerique, car l'oncle Jules parla de chasse, puis mon père parla des insectes, si bien que jusqu'à mon réveil je tirai des coups de fusil sur des mille-pattes, des sauterelles et des scorpions.

Le lendemain matin, dès huit heures, nous étions prêts, et déjà revêtus du costume des vacances : culottes de toile écrue, et chemises à manches courtes, blanches, mais ornées de cravates bleues.

Ces vêtements étaient l'ouvrage de ma mère : on avait acheté dans un grand magasin nos casquettes à longue visière, et nos espadrilles à semelles de corde.

Mon père portait un veston à martingale, avec deux

grandes poches plaquées, et une casquette bleu marine, tandis que ma mère était jeune et belle dans une robe blanche à petites fleurs rouges, qu'elle avait merveilleusement réussie.

Quant à la petite sœur, qui ouvrait de grands yeux noirs sous un bonnet bleu, elle paraissait inquiète parce qu'elle avait compris (comme font les chats) que nous allions quitter la maison.

Le paysan nous avait prévenus : l'heure de notre départ ne dépendait point de son zèle, mais de la vitesse d'écoulement de ses abricots.

Elle ne fut pas très rapide ce jour-là, car à midi il n'était pas encore arrivé.

Nous déjeunâmes donc, dans la maison déjà morte, de saucisson et de viande froide, et nous courions sans cesse à la fenêtre, pour guetter l'arrivée du messager des vacances.

Il parut enfin.

C'était une charrette bleue, d'un bleu délavé, qui laissait transparaître les fibres du bois.

Les roues très hautes avaient un jeu latéral considérable : quand elles arrivaient à bout de jeu, c'est-à-dire à chaque tour, il y avait un choc tintant. Les cercles de fer tressautaient sur les pavés, les brancards gémissaient, les sabots du mulet faisaient sauter des étincelles... C'était le chariot de l'aventure et de l'espoir...

Le paysan qui le conduisait n'avait ni veste ni blouse, mais un gilet tricoté, d'une laine épaisse, feutrée par la crasse. Sur la tête, une casquette informe, à la visière ramollie. Cependant, de belles dents blanches brillaient dans un visage d'empereur romain.

Il parlait provençal, il riait et faisait claquer une longue lanière au bout d'un manche de jonc tressé.

Aidé de mon père, et grandement gêné par les efforts du petit Paul (qui s'accrochait aux plus gros meubles en prétendant les transporter), le paysan chargea la charrette, c'est-à-dire qu'il y entassa le mobilier en pyramide. Il en assura ensuite l'équilibre par un treillis de cordes, cordelettes et ficelles, et jeta sur le tout une bâche trouée.

Alors, il s'écria, en provençal :

« Cette fois-ci, nous y sommes ! » et il alla prendre la bride du mulet, qu'il fit démarrer au moyen de plusieurs injures blessantes, accompagnées de violentes saccades sur le mors du peu sensible animal.

Nous suivîmes nos biens meubles, comme un char funéraire, jusqu'au boulevard Mérentié. Là, nous quittâmes le paysan, et nous allâmes prendre le tramway.

Dans un brillant tintamarre de ferrailles, au tremblement cliquetant de ses vitres, et avec de longs cris aigus dans les courbes, le prodigieux véhicule s'élança vers l'avenir.

Comme nous n'avions pu trouver une place sur les banquettes, nous étions debout — ô merveille ! — sur la plate-forme avant. Je voyais le dos du « wattman », qui, ses mains posées sur deux manivelles, lançait et refrénait tour à tour les élans du monstre, avec une tranquillité souveraine. Je fus séduit par ce personnage tout-puissant, auquel s'ajoutait un grand mystère, car une plaque émaillée défendait à quiconque de lui parler, à cause de tous les secrets qu'il savait.

Lentement, patiemment, en utilisant les cahots et les coups de frein, je me glissai entre mes voisins, et j'arrivai enfin près de lui, abandonnant Paul à son triste sort : coincé entre les hautes jambes de deux gendarmes, les cahots de la voiture le lançaient, le nez en avant, sur les fesses d'une dame énorme, qui oscillait dangereusement.

Alors, les rails luisants s'avancèrent vertigineusement vers moi, le vent de la vitesse souleva la visière de ma casquette, et bourdonna dans le pavillon de mes oreilles : nous dépassâmes en deux secondes un cheval lancé au galop.

Je n'ai jamais retrouvé sur les machines les plus modernes cet orgueil triomphal d'être un petit d'homme, vainqueur de l'espace et du temps.

Mais ce bolide de fer et d'acier, qui nous rapprochait des collines, ne nous y conduisait pas : il fallut le quitter dans l'extrême banlieue de Marseille, en un lieu nommé la Barasse, et il continua sa course folle vers Aubagne.

Mon père, qui avait déplié un plan, nous guida jusqu'à l'embouchure d'une petite route poudreuse, qui fuyait la ville entre deux bistros : nous y entrâmes d'un bon pas, derrière notre Joseph qui portait la petite sœur sur son cou.

Il était bien joli ce chemin de Provence. Il se promenait entre deux murailles de pierres cuites par le soleil, au bord desquelles se penchaient vers nous de larges feuilles de figuier, des buissons de clématites, et des oliviers centenaires. Au pied des murs, une bordure d'herbes folles et de ronces prouvait que le zèle du cantonnier était moins large que le chemin.

J'entendais chanter les cigales, et sur le mur couleur de miel, des larmeuses immobiles, la bouche ouverte, buvaient le soleil. C'étaient de petits lézards gris, qui avaient le brillant de la plombagine. Paul leur fit aussitôt la chasse, mais il ne rapporta que des queues frétillantes. Notre père nous expliqua que ces charmantes bestioles les abandonnent volontiers, comme ces voleurs qui laissent leur veston entre les mains de la police. D'ailleurs, elles se font une autre queue en quelques jours, en vue d'une nouvelle fuite...

Au bout d'une petite heure de marche, notre chemin en coupa un autre, à travers une sorte de place ronde, parfaitement vide : mais dans le creux de l'un des quarts de cercle, il y avait un banc de pierre. Ma mère y fut installée et mon père déplia son plan :

« Voilà, dit-il, l'endroit où nous avons quitté le tramway.

Voilà l'endroit où nous sommes en ce moment, et voilà le carrefour des Quatre-Saisons où notre déménageur nous attend, à moins que nous ne soyons obligés de l'attendre. »

Je regardai avec étonnement le trait double qui figurait notre chemin : il faisait un détour immense.

« Les cantonniers sont fous, dis-je, d'avoir fait une route aussi tordue !

— Ce ne sont pas les cantonniers qui sont fous, dit mon père, c'est notre société qui est absurde.

— Pourquoi ? demanda ma mère.

— Parce que cet immense détour nous est imposé par quatre ou cinq grandes propriétés, que le chemin n'a pu traverser, et qui s'étendent derrière ces murs... Voici, dit-il, en montrant un point sur la carte, notre villa... A vol d'oiseau, elle est à quatre kilomètres de la Barasse... Mais à cause de quelques grands propriétaires, il va falloir en faire neuf.

— C'est beaucoup pour les enfants », dit ma mère.

Mais moi je pensais que c'était beaucoup pour elle. C'est pourquoi, lorsque mon père se leva pour repartir, je demandai encore quelques minutes de grâce, en prétextant une douleur dans la cheville.

Nous marchâmes encore une heure, le long des murs entre lesquels nous étions forcés de rouler comme les billes des jeux de patience...

Paul allait recommencer la chasse aux queues des larmeuses, mais ma mère l'en dissuada, par quelques paroles pathétiques qui lui mirent les larmes aux yeux : il remplaça donc ce jeu cruel par la capture de petites sauterelles, qu'il écrasait entre deux pierres.

Cependant, mon père expliquait à ma mère que, dans la société future, tous les châteaux seraient des hôpitaux, tous les murs seraient abattus, et tous les chemins tracés au cordeau.

« Alors, dit-elle, tu veux recommencer la révolution ?

— Ce n'est pas une révolution qu'il faut faire. Révolution, c'est un mot mal choisi, parce que ça veut dire un tour complet. Par conséquent, ceux qui sont en haut descendent jusqu'en bas, mais ensuite ils remontent à leur place primitive... et tout recommence. Ces murs injustes n'ont pas été faits sous l'Ancien Régime : non seulement notre République les tolère, mais c'est elle qui les a construits ! »

J'adorais ces conférences politico-sociales de mon père, que j'interprétais à ma façon, et je me demandais pourquoi le Président de la République n'avait jamais pensé à l'appeler, tout au moins pendant les vacances, car il eût fait en trois semaines le bonheur de l'humanité.

Notre chemin déboucha tout à coup sur une route beaucoup plus large, mais qui n'était pas mieux entretenue.

« Nous sommes presque au rendez-vous, dit mon père. Ces platanes que tu vois là-bas, ce sont ceux des Quatre-Saisons ! Et regardez ! dit-il soudain en montrant l'herbe épaisse qui habillait le pied du mur, voilà une belle promesse ! »

Dans l'herbe, s'allongeaient d'immenses barres de fer, toutes rouillées.

« Qu'est-ce que c'est ? demandai-je.

— Des rails ! dit mon père. Les rails de la nouvelle ligne de tramway ! Il ne reste plus qu'à les mettre en place ! »

Il y en avait tout le long de la route ; mais la végétation qui les recouvrait prouvait que les constructeurs de la ligne ne voyaient pas l'urgence de son installation.

Nous arrivâmes devant le bar rustique des Quatre-Saisons. C'était, à la bifurcation de la route, une petite maison cachée sous deux grands platanes, derrière une haute fontaine de rocaille moussue. Une eau brillante, qui sortait de quatre tubes coudés, murmurait à l'ombre une chanson fraîche.

Il devait faire bon, sous les arceaux de ses platanes, devant les petites tables vertes : mais nous n'entrâmes pas dans cet « assommoir », dont le charme faisait justement le danger.

**

Nous allâmes donc nous asseoir sur le parapet qui bordait la route ; ma mère ouvrit le paquet du goûter, et nous commençâmes à dévorer le pain craquant et doré d'autrefois, le tendre saucisson marbré de blanc (où je cherchais d'abord le grain de poivre, comme la fève du gâteau des Rois), et l'orange longtemps bercée sur les balancelles espagnoles.

Cependant, ma mère disait, soucieuse :

« Joseph, c'est bien loin !

— Et nous n'y sommes pas encore ! dit joyeusement mon père... Il nous reste au moins une heure de marche !

— Aujourd'hui, nous n'avons pas de paquets, mais quand il faudra monter des provisions...

— On les montera, dit mon père.

— Maman, nous sommes trois hommes, dit Paul. Toi, tu ne porteras rien.

— Bien sûr ! dit mon père. Ce sera une promenade un peu longue mais tout de même une promenade hygiénique ! De plus, nous ne pourrons venir que pour la Noël, Pâques et les grandes vacances : en tout trois fois par an ! Et puis, nous partirons le matin de bonne heure, et nous déjeunerons sur l'herbe, à mi-chemin. Puis nous nous arrêterons encore une fois, pour goûter. Et ensuite, tu as vu ces rails. Je vais en parler au frère de Michel, qui est journaliste : il est inadmissible qu'on les laisse se rouiller si longtemps. Je te parie qu'avant six mois, le tramway nous déposera à la Croix, c'est-à-dire à six cents mètres d'ici : il ne restera pas une heure de marche. »

A ces mots, je vis jaillir les rails de l'herbe, et s'encastrer dans les pavés, tandis que s'annonçait au loin le sourd grondement d'un tramway...

**

Toutefois, levant la tête, ce n'est pas la puissante machine que je vis arriver, mais la branlante pyramide de notre déménagement.

Paul poussa un cri de joie et courut à la rencontre du mulet : le paysan le prit par les hanches et le mit à califourchon sur l'encolure de l'animal... C'est ainsi qu'il vint à notre hauteur : cramponné au collier, ivre de fierté et de peur, il avait un petit sourire, à mi-chemin entre la joie et la panique. Cependant, une honteuse jalousie me dévorait.

La charrette s'arrêta, et le paysan nous dit : « Maintenant, on va installer Madame. »

Il plia en quatre un sac, qu'il étala sur le plateau du véhicule, à la naissance du brancard ; mon père y posa ma mère, les jambes pendantes, plaça dans ses bras la petite sœur, dont la bouche était entourée par des festons de chocolat, et se mit en marche auprès d'elles, tandis que, grimpé sur le parapet, je suivais en dansant l'équipage.

Paul, non seulement rassuré, mais triomphal, se balançait gracieusement d'avant en arrière, au rythme des pas du mulet, et je contenais difficilement une envie brûlante de sauter en croupe derrière lui.

L'horizon devant nous était caché par les hautes futaies couronnées de feuillages qui bordaient les lacets du chemin.

Mais après vingt minutes de marche, nous découvrîmes tout à coup un petit village, planté en haut d'une colline, entre deux vallons : le paysage était fermé, à droite et à gauche, par deux à-pics de roches, que les Provençaux appellent des « barres ».

« Voilà le village de La Treille ! » dit mon père.

Nous étions au pied d'une montée abrupte.

« Ici, dit le paysan, il faudrait que Madame descende, et que nous poussions un peu la charrette. »

Le mulet, de lui-même, s'était arrêté, et ma mère sauta sur le sol poudreux.

Le paysan détrôna Paul, puis sous le ventre du chariot, il ouvrit une sorte de tiroir, et en sortit deux gros coins de bois. Il en tendit un à ma mère surprise.

« C'est des cales, dit-il. Quand je vous le dirai, vous poserez celle-là par terre, derrière la roue de ce côté. »

Elle parut heureuse de collaborer à une entreprise d'hommes, et prit la grosse cale dans ses petites mains.

« Et moi, dit Paul, je mettrai l'autre ! »

Sa proposition fut acceptée, et je fus profondément vexé par cette nouvelle violation du droit d'aînesse. Mais j'eus une revanche éclatante, car le paysan me tendit son fouet, un très gros fouet de roulier et dit :

« Toi, tu frapperas le mulet.

— Sur les fesses ?

— De partout, et avec le manche ! »

Puis il cracha dans ses mains, rentra la tête dans ses épaules, et les deux bras en avant, il s'arc-bouta contre l'arrière du chariot : son corps était presque horizontal. Mon père prit de lui-même la même posture. Alors le paysan hurla quelques injures graves à l'adresse du mulet, puis me cria : « Pico ! pico ! » et il poussa de toutes ses forces. Je frappai la bête, non pas méchamment, mais comme pour lui donner le signal de l'effort : tout l'équipage s'ébranla, et parcourut une trentaine de mètres ; alors le paysan, sans lever la tête, entre deux halètements, cria :

« La cale ! la cale ! »

Ma mère, qui suivait la roue, posa prestement le coin de bois sous la jante de fer ; Paul l'imita, avec une aisance remarquable, et le véhicule s'immobilisa, pour un repos de cinq minutes. Le paysan le mit à profit pour me dire qu'il fallait frapper beaucoup plus fort, et de préférence sous le ventre ; Paul hurla :

« Non ! non ! Je ne veux pas ! »

Et comme mon père allait s'attendrir sur la bonté du petit bonhomme, Paul montra du doigt le paysan surpris et cria :

« Il faut lui crever les yeux !

— Ho ho ! dit François indigné, me crever les yeux, à moi ? Qu'est-ce que c'est que ce sauvage ? Je crois qu'il vaudrait mieux l'enfermer dans le tiroir ! »

Il fit mine de l'ouvrir : Paul courut s'agripper aux pantalons paternels.

« Voilà ce que c'est, dit gravement mon père, de vouloir crever les yeux aux gens : on finit par se faire enfermer dans les tiroirs.

— Ce n'est pas vrai ! hurla Paul, et moi je ne veux pas !

— Monsieur, dit ma mère, nous pourrions peut-être attendre un peu : je crois qu'il a dit ça pour rire !

— Même pour rire, dit François, ce n'est pas des choses à dire ! Me crever les yeux ! Et juste le jour que je me suis acheté une paire de lunettes pour le soleil ! »

Il sortit en effet de sa poche un pince-nez à verres noirs qu'un camelot vendait quatre sous au marché.

« Tu pourras les mettre quand même, dit Paul, de loin.

— Mais, malheureux, dit le paysan, quand on a les yeux crevés, si en plus on met des lunettes noires, alors on n'y voit plus du tout ! Enfin, pour cette fois, je ne dis plus rien... Allons-y ! »

Chacun reprit sa place. Je frappai le mulet sous le ventre, pas trop fort, mais en hurlant des ordres dans ses oreilles, tandis que le paysan l'appelait : « carcan, carogne » et l'accusait de se nourrir d'excréments.

Par un suprême effort, nous atteignîmes le village, ou plutôt le hameau, dont les tuiles rougeâtres étaient d'une longueur antique. De très petites fenêtres perçaient les murs épais.

Il y avait à gauche une esplanade bordée de platanes et soutenue par un mur penché en arrière, qui avait bien dix mètres de haut. A droite, c'était la rue. Je dirais : la rue principale, s'il y en avait eu une autre. Mais on n'y rencontrait qu'une petite traverse, qui n'avait que dix mètres

de long et qui avait encore trouvé le moyen de faire un crochet à deux angles droits, pour atteindre la place du village. Plus petite qu'une cour d'école, la placette était ombragée par un très vieux mûrier, au tronc creusé de profondes crevasses, et deux acacias : partis à la rencontre du soleil, ils essayaient de dépasser le clocher.

Au milieu de la place, la fontaine parlait toute seule. C'était une conque de pierre vive, accrochée comme une bobèche, autour d'une stèle carrée, d'où sortait le tuyau de cuivre.

Ayant dételé le mulet (car la charrette n'aurait pu le suivre), François le conduisit à la conque, et la bête but longuement, tout en battant ses flancs de sa queue.

Un paysan passa. Quoique plutôt maigre, il était énorme. Sous un feutre raidi par la crasse, deux sourcils roux, aussi gros que des épis de seigle. Ses petits yeux noirs brillaient au fond d'un tunnel. Une large moustache rousse cachait sa bouche, et ses joues étaient couvertes d'une barbe de huit jours. En passant près du mulet, il cracha, mais ne dit rien d'autre. Puis, le regard baissé, il s'éloigna en se balançant.

« En voilà un qui n'est guère sympathique, dit mon père.

— Ils ne sont pas tous comme ça, dit le paysan. Celui-là me veut du mal, parce que c'est mon frère. »

Cette raison lui paraissant assez claire, il entraîna le mulet, qui laissa tomber quelques brioches et, pour finir, mit son rectum à l'envers, sous la forme d'une tomate.

Je crus qu'il allait en mourir, mais mon père me rassura : « Il fait ça par hygiène, me dit-il. C'est sa façon à lui d'être propre. »

LE mulet fut remis entre les brancards, et nous sortîmes du village : alors commença la féerie et je sentis naître un amour qui devait durer toute ma vie.

Un immense paysage en demi-cercle montait devant **moi** jusqu'au ciel : de noires pinèdes, séparées par des vallons, allaient mourir comme des vagues au pied de trois sommets rocheux.

Autour de nous, des croupes de collines plus basses accompagnaient notre chemin, qui serpentait sur une crête entre deux vallons. Un grand oiseau noir, immobile, marquait le milieu du ciel, et de toutes parts, comme d'une mer de musique, montait la rumeur cuivrée des cigales. Elles étaient pressées de vivre, et savaient que la mort viendrait avec le soir.

Le paysan nous montra les sommets qui soutenaient le ciel au fond du paysage.

A gauche, dans le soleil couchant, un gros piton blanc étincelait au bout d'un énorme cône rougeâtre.

« Çui-là, dit-il, c'est Tête-Rouge. »

A sa droite brillait un pic bleuté, un peu plus haut que le premier. Il était fait de trois terrasses concentriques, qui s'élargissaient en descendant, comme les trois volants de la pèlerine de fourrure de Mlle Guimard.

« Çui-là, dit le paysan, c'est le Taoumé. »

Puis pendant que nous admirions cette masse, il ajouta :

« On lui dit aussi le Tubé.

— Qu'est-ce que ça veut dire ? demanda mon père.

— Ça veut dire que ça s'appelle le Tubé, ou bien le Taoumé.

— Mais quelle est l'origine de ces mots ?

— L'origine, c'est qu'il a deux noms, mais personne ne sait pourquoi. Vous aussi, vous avez deux noms, et moi aussi. »

Pour abréger cette savante explication, qui ne me parut pas décisive, il fit claquer son fouet aux oreilles du mulet, qui répondit par une pétarade.

Au fond, à droite, mais beaucoup plus loin, une pente finissait dans le ciel, portant sur son épaule le troisième piton de roches, penché en arrière, qui dominait tout le paysage.

« Ça, c'est Garlaban. Aubagne est de l'autre côté, juste au pied.

— Moi, dis-je, je suis né à Aubagne.

— Alors, dit le paysan, tu es d'ici. »

Je regardai ma famille avec fierté, puis le noble paysage avec une tendresse nouvelle.

« Et moi, dit Paul inquiet, je suis né à Saint-Loup. Est-ce que je suis d'ici ?

— Un peu, dit le paysan. Un peu, mais guère... »

Paul, vexé, se replia derrière moi. Et comme il avait déjà de la conversation, il me dit à voix basse :

« C'est un couillon ! »

On ne voyait pas de hameau, pas une ferme, pas même un cabanon. Le chemin n'était plus que deux ornières poudreuses séparées par une crête d'herbes folles, qui caressaient le ventre du mulet.

Sur la pente qui plongeait à droite, de beaux pins dominaient une épaisse broussaille de chênes-kermès, qui ne

sont pas plus hauts qu'une table, mais qui portent de vrais glands de chêne, comme ces nains qui ont une tête d'homme.

Au-delà du vallon se dressait une colline allongée. Elle avait la forme d'un vaisseau de guerre à trois ponts, en retrait les uns sur les autres. Elle portait trois longues pinèdes, séparées par des à-pics de roches blanches.

« Çui-là, dit le paysan, c'est les barres de Saint-Esprit. »

A ce nom, si clairement « obscurantiste », mon père fronça un sourcil laïque, et demanda :

« Ils sont très calotins, dans le pays ?

— Un peu, dit le paysan.

— Vous allez à la messe, le dimanche ?

— Ça dépend… Quand nous avons la sécheresse, moi je n'y vais pas, jusqu'à tant qu'il pleuve. Le bon Dieu a besoin qu'on lui fasse comprendre. »

Je fus tenté de lui révéler que Dieu n'existait pas, ce que je savais de très bonne source ; mais comme mon père se taisait, je gardai modestement le silence.

Je m'aperçus soudain que ma mère ne marchait pas très facilement, à cause des talons « Louis XV » de ses bottines à boutons. Sans mot dire, je rejoignis la charrette et réussis à en tirer la petite valise, que l'on avait glissée sous les cordes, à l'arrière du véhicule.

« Que fais-tu ? » dit-elle surprise.

Je posai la valise à terre, et j'en tirai ses espadrilles. Elles n'étaient pas plus grandes que les miennes. Elle me fit un merveilleux sourire de tendresse, et dit :

« Gros bêta, on ne peut pas s'arrêter ici !

— Pourquoi ? Nous les rattraperons ! »

Assise sur un rocher au bord de la route, elle changea de chaussures, sous les yeux de Paul, venu assister à l'opération, qui lui parut assez audacieuse du point de vue de la pudeur, car il regarda de tous côtés, pour s'assurer que personne n'avait pu voir les bas maternels.

Elle nous prit par la main et, au pas de course, nous

rejoignîmes la charrette où je replaçai le précieux bagage. Comme elle était petite maintenant ! Elle avait l'air d'avoir quinze ans, ses joues étaient roses, et je vis avec plaisir que ses mollets paraissaient plus gros.

Le chemin montait toujours, et nous approchions des pinèdes.

A gauche, le coteau descendait, par d'étroites terrasses, jusqu'au fond d'un vallon verdoyant.

Le paysan disait à mon père :

« Çui-là aussi, il a deux noms. On lui dit " Le Vala " ou bien " Le Ruisseau ".

— Ho ho ! dit mon père charmé, il y a un ruisseau ?

— Bien sûr, dit le paysan. Et un beau ruisseau ! »

Mon père se tourna vers nous :

« Mes enfants, au fond du vallon, il y a un ruisseau ! »

Le paysan se tourna à son tour, et ajouta :

« Quand il pleut, bien entendu... »

Les terrasses de ce Vala étaient couvertes d'oliviers à quatre ou cinq troncs, plantés en rond. Ils se penchaient un peu en arrière pour avoir la place d'épanouir leurs feuillages qui formaient un seul bouquet. Il y avait aussi des amandiers d'un vert tendre, et des abricotiers luisants.

Je ne savais pas les noms de ces arbres, mais je les aimai aussitôt.

Entre eux, la terre était inculte, et couverte d'une herbe jaune et brune dont le paysan nous apprit que c'était de la « baouco ». On aurait dit du foin séché, mais c'est là son teint naturel. Au printemps, pour participer à l'allégresse générale, elle fait un effort et verdit faiblement. Mais malgré cette pauvre mine, elle est vivace et vigoureuse, comme toutes les plantes qui ne servent à rien.

C'est là que je vis pour la première fois des touffes d'un vert sombre qui émergeaient de cette « baouco » et qui figuraient des oliviers en miniature. Je quittai le chemin, je courus toucher leurs petites feuilles. Un parfum

puissant s'éleva comme un nuage, et m'enveloppa tout
entier.

C'était une odeur inconnue, une odeur sombre et soute-
nue, qui s'épanouit dans ma tête et pénétra jusqu'à mon
cœur.

C'était le thym, qui pousse au gravier des garrigues : ces
quelques plantes étaient descendues à ma rencontre, pour
annoncer au petit écolier le parfum futur de Virgile.

J'en arrachai quelques brindilles, et je rejoignis la charrette
en les tenant sous mes narines.

« Qu'est-ce que c'est ? » dit ma mère.

Elle les prit, respira profondément :

« C'est du thym frais, dit-elle. On fera des civets merveil-
leux.

— Du thym ? dit François avec un certain mépris. Il vau⁺
bien mieux le pèbre d'aï…

— Qu'est-ce que c'est ?

— C'est comme une espèce de thym, et en même temps
c'est une espèce de menthe. Mais ça ne peut pas se dire : je
vous en ferai voir ! »

Il parla ensuite de la marjolaine, du romarin, de la sauge,
du fenouil. Il fallait en « bourrer le ventre de la lièvre », ou
bien « le hacher finfinfin », avec « un gros bout de lard
gras ».

Ma mère écoutait, très intéressée. Moi, je flairais les
brindilles sacrées, et j'avais honte.

Le chemin montait toujours, franchissant de temps à autre
un petit plateau. En regardant en arrière, on voyait la longue
vallée de l'Huveaune, sous une traînée vaporeuse, qui allait
jusqu'à la mer brillante.

Paul trottait de tous côtés : il frappait, avec une pierre, sur
le tronc des amandiers, et des volées de cigales fuyaient,
vibrantes d'indignation.

Il y eut une dernière côte, aussi rude que la première.
Grâce à une volée de coups de trique, le mulet, sous un dos

en arc de cercle qui se détendait brusquement, et hochant la tête à chaque coup de collier, tira par saccades la brinquebalante charrette dont le chargement, balancé comme la tige d'un métronome, arrachait au passage des branches d'olivier. Mais il s'en trouva une plus forte que le pied de la table, qui tomba sur la tête résonnante de mon père stupéfait.

Tandis que ma mère tâchait de conjurer la montée d'une bosse en pressant sur l'ecchymose une pièce de deux sous, le petit Paul dansait en riant aux éclats. Pour moi, je ramassai le pied coupable, et je constatai avec plaisir que sa longue rupture en biseau promettait une réparation facile. A mon père, qui faisait la grimace sous la pressante effigie de Napoléon III, je courus porter cette consolation.

Nous rejoignîmes l'équipage, arrêté dans un bosquet en haut de la côte, pour laisser souffler le mulet martyrisé. Il soufflait en effet à grand bruit, élargissant ses côtes maigres qui avaient l'air de cerceaux dans un sac, et des fils de bave transparente pendaient de sa longue babine de caoutchouc.

Alors mon père nous montra — de la main gauche, car il frottait toujours son crâne endolori — une petite maison, sur le coteau d'en face, à demi cachée par un grand figuier.

« Voilà, dit-il. Voilà la Bastide Neuve. Voilà l'asile des vacances : le jardin qui est à gauche est aussi à nous ! »

Ce jardin, entouré d'un grillage rouillé, avait au moins cent mètres de large.

Je ne pus y distinguer rien d'autre qu'une petite forêt d'oliviers et d'amandiers, qui mariaient leurs branches folles au-dessus de broussailles enchevêtrées : mais cette forêt vierge en miniature, je l'avais vue dans tous mes rêves, et, suivi de Paul, je m'élançai en criant de bonheur.

ENTRE le grand figuier de la terrasse et la maison, un petit camion était arrêté, et ses deux chevaux croquaient de l'avoine dans des sacs pendus à leurs joues.

L'oncle Jules, en bras de chemise, les manches retroussées, finissait le déchargement de ses meubles, c'est-à-dire qu'il les faisait basculer du bord de la voiture sur le vaste dos d'un déménageur.

Ma tante Rose, installée sur la terrasse dans un fauteuil d'osier, donnait son biberon au cousin Pierre, qui traduisait son enthousiasme en remuant ses doigts de pied.

L'oncle Jules était assez rouge, et beaucoup plus gai que jamais : il parlait d'une voix forte, et roulait les R comme une crécelle. Sur la table ronde en fer, il y avait deux bouteilles vides, et une troisième encore à demi pleine de vin rouge.

« Ah ! vous voilà, Joseph ! s'écria-t-il avec une joie surprenante. Vous voilà enfin ! Je commençais à me demander si vous n'aviez pas fait naufrage en rroute ! »

Mon père le regarda assez froidement :

« En tout cas, dit-il, vous aviez de quoi nous attendre ! et il montra du doigt les trois bouteilles.

— Mon cher ami, dit l'oncle, vous saurez que le vin est un aliment indispensable aux travailleurs de force, et surtout aux déménageurs. Je veux dire le vin *naturel*, et celui-ci vient de

chez moi ! D'ailleurs, vous-même, quand vous aurez fini de décharger vos meubles, vous serez bien aise d'en siffler un gobelet !

— Mon cher Jules, dit mon père, j'en boirai peut-être deux doigts, pour faire honneur à votre production. Mais je n'en " sifflerai pas un gobelet ", comme vous dites si bien. Un gobelet de ce vin-là contient probablement cinq centilitres d'alcool pur, et je ne suis pas assez habitué à ce poison pour en supporter une dose dont l'injection sous-cutanée suffirait à tuer trois chiens de bonne taille. Voyez d'ailleurs dans quel état l'Alcool a mis cet homme ! »

Il montra le déménageur, qui suçotait sa tombante moustache, et s'approchait en titubant de la voiture, les yeux rougis et l'haleine courte. Il prit une table de nuit sous un bras, deux chaises sous l'autre, et tenta de franchir la porte d'un grand élan. Mais il resta coincé entre deux craquements, et la pression de la table de nuit fit jaillir de sa vaste bedaine une éructation tonitruante.

Ma mère se détourna pour rire, et ma tante Rose pouffa. Paul était au comble de la joie, mais pour moi, je ne riais pas : je m'attendais à le voir tomber entre les débris de ces meubles, dans les spasmes de l'agonie.

Au lieu de porter secours à ce malheureux (dont j'imaginais le foie), l'oncle Jules se fâcha tout rouge, en disant :

« A-t-on idée... Mais saperlipopette, a-t-on idée !... Vous voyez bien que cette porrte est trrop étrroite pour que...

— Je ne vous le fais pas dire, hoqueta le déménageur, mais ce n'est pas moi qui l'ai faite.

— Monsieur a raison, dit mon père. Il n'a pas fait cette porte, et il ne s'est pas fait lui-même... Puisque l'un ne va pas avec l'autre, il n'y a pas de raison de s'obstiner. D'ailleurs, vos meubles sont déchargés, et je n'ai pas besoin de lui pour les miens. De plus, il est certainement fatigué, et comme sa journée est finie, il vaut mieux qu'il retourne en ville.

— Voilà un homme qui parle bien, déclara le déménageur.

Il est déjà plus de cinq heures, et je suis père de famille, avec une hernie par-dessus le marché. Ça vous étonne peut-être mais si vous voulez, je vous la fais voir.

— Vous êtes, dit l'oncle Jules, un ivrogne et un imbécile. »

Le hernieux devint menaçant :

« Je ne sais pas ce qui me retient de vous casser la figure. »

Ma tante et ma mère s'étaient levées, effrayées ; mon père s'interposa, mais l'ivrogne le repoussait, en répétant :

« Je ne sais pas ce qui me retient ! »

Paul, tout pâle, se cacha derrière le tronc du figuier. Je cherchai des yeux une pierre pointue, lorsqu'une voix s'éleva :

« Tourne un peu l'œil de ce côté, et tu vas voir ce qui te retient ! »

C'était François, qui s'avançait, très calme, mais tenant dans son poing la « taravelle », c'est-à-dire le rondin de bois dur qui est l'unique rayon du treuil de la charrette.

Le déménageur se tourna vers lui, furieux, et s'écria :

« De quoi ? de quoi ?

— De bois, de bois ! répondit François.

— Celle-là est forte ! dit le déménageur.

— Très forte », dit François qui soupesait la taravelle en connaisseur. Puis il se tourna vers l'oncle Jules :

« Vous l'avez payé ?

— Pas encore, dit l'oncle Jules. Je lui dois sept francs cinquante.

— Payez-le », dit François.

L'oncle Jules tendit à l'ivrogne trois pièces d'argent.

« Et le pourboire ? dit le déménageur.

— Vous avez assez bu comme ça, dit mon père. Et croyez-moi, ça ne vous vaut rien.

— Vous êtes une bande de salauds, dit le déménageur.

— Allez zou, dit François, monte sur ton siège. Je t'aiderai à tourner. »

Il le regardait d'un tel air que l'ivrogne se radoucit soudain :

« Toi, dit-il, tu es un ami, tu comprends la vie. Tandis que ces bourgeois, oh là là ! Je me suis peut-être crevé le gésier avec cette saloperie de table de nuit, et ça me refuse un pourboire ! Mais ça ne finira pas comme ça, et ça va leur coûter plus cher que les contributions ! »

Il rassembla péniblement les rênes, pendant que François faisait tourner les deux chevaux, qu'il tenait solidement par leurs brides. Quand ils furent correctement rangés sur le chemin, et dans la bonne direction, il alla prendre son fouet sur sa charrette, et pendant que le déménageur nous montrait le poing, en proférant d'obscures menaces, François, poussant des cris sauvages, fouetta les bêtes à tour de bras : dans un nuage de poussière, de craquements et de malédictions, le camion s'envola dans le passé.

ALORS commencèrent les plus beaux jours de ma vie. La maison s'appelait La Bastide Neuve, mais elle était neuve depuis bien longtemps. C'était une ancienne ferme en ruine, restaurée trente ans plus tôt par un monsieur de la ville, qui vendait des toiles de tente, des serpillières et des balais. Mon père et mon oncle lui payaient un loyer de 80 francs par an (c'est-à-dire quatre louis d'or), que leurs femmes trouvaient un peu exagéré. Mais la maison avait l'air d'une villa — et il y avait « l'eau à la pile » : c'est-à-dire que l'audacieux marchand de balais avait fait construire une grande citerne, accolée au dos du bâtiment, aussi large et presque aussi haute que lui : il suffisait d'ouvrir un robinet de cuivre, placé au-dessus de l'évier, pour voir couler une eau limpide et fraîche...

C'était un luxe extraordinaire, et je ne compris que plus tard le miracle de ce robinet : depuis la fontaine du village jusqu'aux lointains sommets de l'Etoile, c'était le pays de la soif : sur vingt kilomètres, on ne rencontrait qu'une douzaine de puits (dont la plupart étaient à sec à partir du mois de mai) et trois ou quatre « sources » ; c'est-à-dire qu'au fond d'une petite grotte, une fente du roc pleurait en silence dans une barbe de mousse.

C'est pourquoi, quand une paysanne venait nous apporter

des œufs ou des pois chiches, et qu'elle entrait dans la cuisine, elle regardait, en hochant la tête, l'étincelant Robinet du Progrès.

Il y avait aussi, au rez-de-chaussée, une immense salle à manger (qui avait bien cinq mètres sur quatre) et que décorait grandement une petite cheminée en marbre véritable.

Un escalier, qui faisait un coude, menait aux quatre chambres du premier étage. Par un raffinement moderne les fenêtres de ces chambres étaient munies, entre les vitres et les volets, de cadres qui pouvaient s'ouvrir, et sur lesquels était tendue une fine toile métallique, pour arrêter les insectes de la nuit.

L'éclairage était assuré par des lampes à pétrole, et quelques bougies de secours. Mais comme nous prenions tous nos repas sur la terrasse, sous le figuier, il y avait surtout la lampe tempête.

Prodigieuse lampe tempête ! Mon père la sortit un soir d'une grande boîte en carton, la garnit de pétrole, et alluma la mèche : il en jaillit une flamme plate, en forme d'amande, qu'il coiffa d'un « verre de lampe » ordinaire. Puis, il enferma le tout dans un globe ovoïde, que protégeait un grillage nickelé, surmonté d'un couvercle de métal : ce couvercle était un piège à vent. Il était percé de trous qui accueillaient la brise nocturne, l'enroulaient sur elle-même, et la poussaient, inerte, vers la flamme impassible qui la dévorait... Lorsque je la vis, suspendue à une branche du figuier, brûler, brillante, avec la sérénité d'une lampe d'autel, j'en oubliai ma soupe au fromage, et je décidai de consacrer ma vie à la science... Cette amande scintillante éclaire encore mon enfance, et j'ai été moins étonné, dix ans plus tard, lorsque je visitai le phare de Planier.

D'ailleurs, tout comme Planier, séducteur de cailles et de vanneaux, elle attirait tous les insectes de la nuit. Dès qu'on la suspendait à sa branche, elle était entourée d'un vol de

papillons charnus, dont les ombres dansaient sur la nappe : brûlés d'un impossible amour, ils tombaient tout cuits dans nos assiettes.

Il y avait aussi d'énormes guêpes, dites « cabridans », que nous assommions à coups de serviette, en renversant quelquefois la carafe, toujours les verres ; des capricornes et des lucanes, qui arrivaient de la nuit comme lancés par une fronde, et qui faisaient tinter la lampe avant de plonger dans la soupière. Les lucanes, noirs et polis, portaient devant eux une gigantesque pince plate, aux deux branches bordées d'une nervure en relief : cet outil prodigieux, faute d'articulation, ne pouvait leur servir à rien, mais il était tout à fait commode pour y attacher un harnachement de ficelle, grâce auquel le lucane maîtrisé traînait sans effort, sur la toile cirée, le poids énorme du fer à repasser.

Le « jardin » n'était rien d'autre qu'un très vieux verger abandonné, et clôturé par un grillage de poulailler, dont la rouille du temps avait rongé la meilleure part. Mais l'appellation de « jardin » confirmait celle de « villa ».

De plus, mon oncle avait décoré du titre de « bonne » une paysanne à l'air égaré, qui venait l'après-midi laver la vaisselle et parfois faire la lessive, ce qui lui donnait l'occasion de se laver les mains ; nous étions ainsi triplement rattachés à la classe supérieure, celle des bourgeois distingués.

Devant le jardin, des champs de blé ou de seigle assez pauvrement cultivés, et bordés d'oliviers millénaires.

Derrière la maison, les pinèdes formaient des îlots sombres dans l'immense garrigue, qui s'étendait, par monts, par vaux et par plateaux, jusqu'à la chaîne de Sainte-Victoire. La Bastide Neuve était la dernière bâtisse, au seuil du désert, et l'on pouvait marcher pendant 30 kilomètres sans rencontrer que les ruines basses de trois ou quatre fermes du moyen âge, et quelques bergeries abandonnées.

Nous allions dormir de bonne heure, épuisés par les jeux

de la journée, et il fallait emporter le petit Paul, mou comme une poupée de chiffons : je le rattrapais de justesse au moment où il tombait de sa chaise, en serrant dans sa main crispée une pomme à demi rongée, ou la moitié d'une banane.

En me couchant, à demi conscient, je décidais chaque soir de me réveiller à l'aurore, afin de ne pas perdre une minute du miraculeux lendemain. Mais je n'ouvrais les yeux que vers sept heures, aussi furieux et grommelant que si j'avais manqué le train.

Alors, j'appelais Paul, qui commençait par grogner lamentablement, en se retournant vers le mur ; mais il ne résistait pas à l'ouverture de la fenêtre, soudain resplendissante au claquement des volets de bois plein, tandis que le chant des cigales et les parfums de la garrigue emplissaient d'un seul coup la chambre élargie.

Nous descendions tout nus, et nos vêtements à la main.

Mon père avait adapté un long tuyau en caoutchouc au robinet de la cuisine. Il en sortait par la fenêtre, et venait aboutir à un bec de lance en cuivre, sur la terrasse.

J'arrosais Paul, puis il m'inondait. Cette façon de faire était une invention géniale de mon père, car l'abominable « toilette » était devenue un jeu : elle durait jusqu'à ce que ma mère nous criât par la fenêtre : « Assez ! Quand la citerne sera vide, nous serons obligés de partir ! »

Après cette effroyable menace, elle fermait irréparablement le robinet.

Nous avalions très vite les tartines avec le café au lait, et alors commençait la grande aventure.

Il était défendu de sortir du jardin, mais on ne nous surveillait pas. Ma mère croyait que la clôture était infranchissable : ma tante était l'esclave du cousin Pierre. Mon père allait souvent au village pour « les commissions » ou dans la colline pour herboriser ; quant à l'oncle Jules, il passait en ville trois jours par semaine, car il

n'avait que vingt jours de vacances, et il les avait répartis sur deux mois.

C'est ainsi que, livrés le plus souvent à nous-mêmes, il nous arrivait de monter jusqu'aux premières pinèdes. Mais ces explorations, le couteau à la main, et l'oreille aux aguets, se terminaient souvent par une fuite éperdue vers la maison, à cause de la rencontre inopinée d'un serpent boa, d'un lion, ou d'un ours des cavernes.

Nos jeux furent d'abord la chasse aux cigales, qui suçaient en chantant la sève des amandiers. Les premières nous échappèrent, mais nous fûmes bientôt d'une adresse si efficace que nous revenions à la maison entourés d'un halo de musique, car nous en rapportions des douzaines qui continuaient à grésiller dans nos poches tressautantes. Il y eut la capture des papillons, des sphinx à deux queues et aux grandes ailes blanches bordées de bleu, qui laissaient sur mes doigts une poudre d'argent.

Pendant plusieurs jours, nous jetâmes des chrétiens aux lions : c'est-à-dire que nous lancions des poignées de petites sauterelles dans la toile endiamantée des grandes araignées de velours noir, striées de raies jaunes : elles les habillaient de soie en quelques secondes, perçaient délicatement un trou dans la tête de la victime, et la suçaient longuement, avec un plaisir de gourmet. Ces jeux enfantins étaient entrecoupés par des orgies de gomme d'amandier, une gomme rousse comme du miel : friandise sucrée, et merveilleusement gluante, mais fortement déconseillée par l'oncle Jules, qui prétendait que cette gomme « finirait par nous coller les boyaux ».

Mon père, soucieux de l'avancement de nos études, nous conseilla de renoncer aux jeux inutiles : il nous recommanda l'observation minutieuse des mœurs des insectes, et de commencer par celles des fourmis car il voyait en elles le modèle du bon citoyen.

C'est pourquoi le lendemain matin, nous arrachâmes

longuement les herbes et la baouco autour de l'entrée principale d'une belle fourmilière. Quand la place fut bien nette, dans un rayon d'au moins deux mètres, je réussis à me glisser dans la cuisine, pendant que ma mère et ma tante cueillaient des amandes derrière la maison ; là, je volai un grand verre de pétrole, et quelques allumettes.

Les fourmis, qui ne se doutaient de rien, allaient et venaient en double colonne, comme les dockers sur la passerelle d'un navire.

Je m'assurai d'abord que personne ne pouvait nous voir, puis je versai longuement le pétrole dans l'orifice principal. Un grand désordre agita la tête de la colonne, et des dizaines de fourmis remontèrent du fond : elles couraient çà et là, éperdues, et celles qui avaient une grosse tête ouvraient et refermaient leurs fortes mandibules, en cherchant l'invisible ennemi. J'enfonçai alors dans le trou une mèche de papier : Paul réclama la gloire d'y mettre le feu, ce qu'il fit très correctement. Une flamme rouge et fumeuse s'éleva, et nos études commencèrent.

Par malheur, les fourmis se révélèrent trop aisément combustibles. Instantanément foudroyées par la chaleur, elles disparaissaient dans une étincelle. Ce petit feu d'artifice fut assez plaisant, mais bien court. De plus, après la sublimation des externes, nous attendîmes en vain la sortie des puissantes légions souterraines, et l'explosion bruyante de la reine, sur laquelle j'avais compté : mais rien ne parut, et il ne resta sous nos yeux qu'un petit entonnoir noirci par le feu, triste et solitaire comme le cratère d'un volcan éteint.

Cependant, nous fûmes assez vite consolés de cet insuccès par la capture de trois grands « pregadious », c'est-à-dire de trois mantes religieuses, qui se promenaient, toutes vertes, sur les branches vertes d'une verveine : beaux sujets pour l'observation scientifique.

Papa nous avait dit (avec une certaine joie laïque) que la mante dite « religieuse » était un animal féroce et sans pitié ;

qu'on pouvait la considérer comme le « tigre des insectes », et que l'étude de ses mœurs était des plus intéressantes.

Je décidai donc de les étudier, c'est-à-dire que, pour déclencher une bataille entre les deux plus grosses, je les présentai de fort près l'une à l'autre, les griffes en avant.

Nous pûmes alors continuer nos études par la constatation du fait que ces bestioles pouvaient vivre sans griffes, puis sans pattes, et même sans une moitié de la tête... Au bout d'un quart d'heure de ce divertissement si gracieusement enfantin, l'un des champions n'était plus qu'un buste qui, ayant dévoré la tête et le thorax de l'adversaire, s'attaquait, sans se presser, à la seconde moitié, qui remuait toujours, un peu nerveusement. Paul, qui avait le cœur bon, alla voler le petit tube de Seccotine (colle même le fer) et prétendit recoller ensemble ces deux moitiés pour en refaire un entier, à qui nous pourrions rendre solennellement la liberté. Il ne put mener à bien cette opération généreuse, car le buste réussit à s'enfuir.

Mais il nous restait, dans un bocal, le troisième tigre. Je décidai de le confronter avec des fourmis, et cette heureuse idée nous permit de jouir d'un spectacle charmant.

Renversant brusquement le bocal, j'appliquai son ouverture sur l'entrée principale d'une fourmilière en plein travail. Le tigre, étant plus long que le bocal n'était large, se tenait debout sur ses pattes de derrière, et profitait de sa tête à pivot pour regarder de tous côtés avec une curiosité de touriste. Cependant une mousse de fourmis sortit du tunnel et monta à l'assaut de ses pattes, si bien qu'il perdit son calme, et se mit à danser, tout en lançant ses deux cisailles à droite et à gauche : il ramenait à chaque geste une grappe de fourmis, qu'il portait à ses mandibules, d'où elles retombaient, coupées en deux.

Comme l'épaisseur du verre déformait la beauté du spectacle, et que la position incommode du tigre gênait ses mouvements, je crus de mon devoir d'enlever le bocal. Le

« pregadiou » retomba dans sa position naturelle, ses pinces repliées et ses six pattes sur le sol. Mais au bout de chacune d'elles, il y avait quatre fourmis qui s'accrochaient implacablement par leurs mandibules tétanisées, tandis qu'elles s'agrippaient au gravier : ainsi maîtrisé par ces lilliputiennes, le tigre ne pouvait pas plus bouger que Gulliver.

Cependant, de ses pinces restées libres, il attaquait tour à tour chacun de ces ancrages, et en ravageait le personnel. Mais avant même que les bestioles tronçonnées fussent retombées de ses mandibules, d'autres avaient pris leur place, et c'était à recommencer.

Je me demandais comment pourrait évoluer cette situation, qui paraissait stabilisée — je veux dire fixée dans un cycle immuable — lorsque je remarquai que les réflexes des pattes ravisseuses n'étaient plus ni aussi rapides, ni aussi fréquents. J'en conclus que le « pregadiou » commençait à perdre courage à cause de l'inefficacité de sa tactique et qu'il allait sans doute en changer. En effet, au bout de quelques minutes, ses attaques latérales cessèrent complètement.

Les fourmis abandonnèrent aussitôt sa nuque, son buste, son dos, et il resta debout, immobile, les pinces en prière et le torse presque droit sur les six grandes pattes qui frémissaient à peine.

Paul me dit : « Il réfléchit. »

Ces réflexions me parurent un peu longues, et la disparition des fourmis m'intriguait : je me couchai donc à plat ventre et je découvris la tragédie.

Sous la queue à trois pointes du tigre pensif, les fourmis avaient agrandi l'orifice naturel : une file y entrait, une autre en sortait, comme à la porte d'un grand magasin, à la veille de la Noël. Chacune emportait son butin, et les diligentes ménagères déménageaient l'intérieur du « pregadiou ».

Le malheureux tigre, toujours immobile, et comme attentif, par une sorte d'introspection à ce qui se passait en lui-même, n'avait pas les moyens, faute de jeux de physionomie

ou d'expression vocale, d'extérioriser sa torture ou son désespoir, et son agonie ne fut pas spectaculaire. Nous ne comprîmes qu'il était mort qu'au moment où les fourmis des ancrages lâchèrent le bout de ses pattes et commencèrent à dépecer la mince enveloppe qui l'avait contenu. Elles scièrent le cou, coupèrent le buste en tranches régulières, épluchèrent les pattes et désarticulèrent élégamment les terribles pinces, comme fait un cuisinier pour un homard. Le tout fut entraîné sous terre, et rangé, au fond de quelque magasin, dans un ordre nouveau.

Il ne resta plus sur le gravier que les belles élytres vertes, qui avaient volé glorieusement au-dessus des jungles de l'herbe, et qui terrorisaient la proie ou l'ennemi. Méprisées par les ménagères, elles avouaient tristement qu'elles n'étaient pas comestibles.

C'est ainsi que se terminèrent nos « études » sur les mœurs de la mante religieuse, et sur la « diligence » des « laborieuses » fourmis.

« Pauvre bête ! me dit Paul. Il a dû avoir une belle colique.

— C'est bien fait pour lui, dis-je. Il mange les sauterelles toutes vivantes, et même les cigales, et même les papillons. Papa te l'a dit : c'est un tigre. Et moi, la colique des tigres, je m'en fous. »

LES études entomologiques commençaient à nous lasser, lorsque nous découvrîmes notre véritable vocation.

Après le déjeuner, lorsque le soleil africain tombe en pluie de feu sur l'herbe mourante, on nous forçait à nous « reposer » une heure, à l'ombre du figuier, sur ces fauteuils pliants nommés « transatlantiques » qu'il est difficile d'ouvrir correctement, qui pincent cruellement les doigts, et qui s'effondrent parfois sous le dormeur stupéfait.

Ce repos nous était une torture, et mon père, grand pédagogue, c'est-à-dire doreur de pilules, nous le fit accepter en nous apportant quelques volumes de Fenimore Cooper et de Gustave Aymard.

Le petit Paul, les yeux tout grands, la bouche entrouverte, m'écouta lire à haute voix *Le Dernier des Mohicans*. Ce fut pour nous la révélation, confirmée par *Le Chercheur de Pistes* : nous étions des Indiens, des fils de la Forêt, chasseurs de bisons, tueurs de grizzlys, étrangleurs de serpents-boas, et scalpeurs de Visages Pâles.

Ma mère accepta de coudre — sans savoir pourquoi — un vieux tapis de table à une couverture trouée, et nous dressâmes notre wigwam dans le coin le plus sauvage du jardin.

J'avais un arc véritable, venu tout droit du Nouveau

Monde en passant par la boutique du brocanteur. Je fabriquai des flèches avec des roseaux, et, caché dans les broussailles, je les tirais férocement contre la porte des cabinets, constitués par une sorte de guérite au bout de l'allée. Puis, je volai le couteau « pointu » dans le tiroir de la cuisine : je le tenais par la lame, entre le pouce et l'index (à la façon des Indiens Comanches), et je le lançais de toutes mes forces contre le tronc d'un pin, tandis que Paul émettait un sifflement aigu, qui en faisait une arme redoutable.

Cependant nous comprîmes bientôt que la guerre étant le seul jeu vraiment intéressant, nous ne pouvions pas appartenir à la même tribu.

Je restai donc Comanche, mais il devint Pawnie, ce qui me permit de le scalper plusieurs fois par jour. En échange, vers le soir, il me tuait, avec un tomahawk de carton, et fuyait ensuite à toutes jambes, car j'excellais dans les agonies.

Des coiffures de plumes, composées par ma mère et ma tante, et des peintures de guerre faites avec de la colle, de la confiture et de la poudre de craies de couleur, achevèrent de donner à cette vie indienne une réalité obsédante.

Parfois, les deux tribus ennemies enterraient la hache de guerre, et s'unissaient pour la lutte contre les Visages Pâles, les farouches yankees venus du nord. Nous suivions des pistes imaginaires, marchant courbés dans les hautes herbes, attentifs aux brisées, aux empreintes invisibles, et j'examinais d'un air farouche un fil de laine accroché à l'aigrette d'or d'un fenouil. Quand la piste se dédoublait, nous nous séparions en silence... De temps à autre, pour maintenir la liaison, je lançais le cri de l'oiseau moqueur, — « si parfaitement imité que sa femelle s'y fût trompée » — et Paul me répondait par « l'aboiement rauque du coyote », parfaitement imité, lui aussi : mais imité — faute de coyote — de celui du chien de la boulangère, un roquet galeux qui attaquait parfois nos fonds de culotte.

D'autres fois, nous étions poursuivis par une coalition de

trappeurs, que commandait la « Longue Carabine ». Alors pour donner le change à l'ennemi, nous marchions longuement à reculons, afin d'inverser nos empreintes.

Puis, au milieu d'une clairière, j'arrêtais Paul d'un geste, et, dans un grand silence, je collais mon oreille au sol...

J'écoutais, avec une inquiétude sincère, l'approche de nos poursuivants, car au fond des lointaines savanes, j'entendais le galop de mon cœur.

Lorsque nous revenions à la maison, le jeu continuait.

Le couvert était mis sous le figuier. Dans une chaise longue, mon père lisait la moitié d'un journal, car l'oncle Jules lisait l'autre.

Nous nous présentions, graves et dignes, comme il convient à des chefs, et je disais : « Ugh ! »

Mon père répondait :

« Ugh !

— Les grands chefs blancs veulent-ils recevoir leurs frères rouges sous leur wigwam de pierre ?

— Nos frères rouges sont les bienvenus, disait mon père. Leur route a dû être longue, car leurs pieds sont poudreux.

— Nous venons de la Rivière Perdue, et nous avons marché trois lunes !

— Tous les enfants du Grand Manitou sont des frères : que les chefs partagent notre pemmican ! Nous leur demanderons seulement de respecter les coutumes sacrées des Blancs : qu'ils aillent d'abord se laver les mains ! »

LE soir, à table, sous la lampe tempête nimbée de moucherons, balançant doucement mes jambes alourdies, en face de ma mère toute belle, j'écoutais la conversation de ces vieux mâles.

Ils discutaient assez souvent de politique. Mon oncle faisait des comparaisons désobligeantes entre M. Fallières et le roi Louis XIV. Mon père ripostait en décrivant un cardinal en forme de point d'interrogation, parce que le roi l'avait enfermé dans une cage de fer ; puis, il parlait d'un certain « Lagabèle », qui ruinait le peuple.

D'autres fois, l'oncle attaquait des gens qui s'appelaient « les radicots ». Il y avait un M. Comble, qui était un radicot, et sur lequel il était difficile de se faire une opinion : mon père disait que ce radicot était un grand honnête homme, tandis que l'oncle le nommait « la fine fleur de la canaille » et offrait de signer cette déclaration sur papier timbré. Il ajoutait que ce Comble était le chef d'une bande de malfaiteurs, qui s'appelaient « les framassons ».

Mon père parlait aussitôt d'une autre bande, qui s'appelait « les jézuites » ; c'étaient d'horribles « tartruffes », qui creusaient des « galeries » sous les pieds de tout le monde. Alors, l'oncle Jules s'enflammait, et le sommait de lui rendre tout de suite « le milliard des congrégations ». Mais mon père, qui

pourtant ne tenait pas à l'argent, répondait avec force :
« Jamais ! Jamais on ne vous rendra tant de richesses,
arrachées sur des lits de morts à des agonisants terrorisés ! »

Alors, ma mère et ma tante posaient aussitôt des questions
urgentes sur le phylloxéra dans le Roussillon, ou sur la
nomination imméritée d'un instituteur dans une école supé-
rieure, et la conversation changeait brusquement de ton.

D'ailleurs, ce qu'ils disaient ne m'intéressait pas.

Ce que j'écoutais, ce que je guettais, c'était les mots : car
j'avais la passion des mots ; en secret, sur un petit carnet, j'en
faisais une collection, comme d'autres font pour les timbres.

J'adorais *grenade, fumée, bourru, vermoulu* et surtout *mani-
velle :* et je me les répétais souvent, quand j'étais seul, pour le
plaisir de les entendre.

Or, dans les discours de l'oncle, il y en avait de tout
nouveaux, et qui étaient délicieux : *damasquiné, florilège,
filigrane,* ou grandioses : *archiépiscopal, plénipotentiaire.*

Lorsque sur le fleuve de son discours je voyais passer l'un
de ces vaisseaux à trois ponts, je levais la main et je
demandais des explications, qu'il ne me refusait jamais. C'est
là que j'ai compris pour la première fois que les mots qui ont
un son noble contiennent toujours de belles images.

Mon père et mon oncle encourageaient cette manie, qui
leur paraissait de bon augure : si bien qu'un jour, et sans que
ce mot se trouvât dans une conversation (il en eût été le
premier surpris), ils me donnèrent *anticonstitutionnellement* en
me révélant que c'était le mot le plus long de la langue
française. Il fallut me l'écrire sur la note de l'épicier que
j'avais gardée dans ma poche.

Je le recopiai à grand-peine sur une page de mon carnet, et
je le lisais chaque soir dans mon lit ; ce n'est qu'au bout de
plusieurs jours que je pus maîtriser ce monstre, et je me
promis de l'exploiter, si par hasard, un jour, vers la fin des
temps, j'étais forcé de retourner à l'école.

VERS le 10 août, les vacances furent interrompues, pendant tout un après-midi, par un orage, qui engendra, comme c'était à craindre, une dictée.

L'oncle Jules, dans un fauteuil près de la porte vitrée, lisait un journal. Paul, accroupi dans un coin sombre, jouait tout seul aux dominos, c'est-à-dire qu'il les plaçait bout à bout, au hasard, après des réflexions et des soliloques. Ma mère cousait près de la fenêtre. Mon père, assis devant la table, tout en aiguisant un canif sur une pierre noire, lisait à haute voix, en répétant deux ou trois fois chaque phrase, une histoire incompréhensible.

C'était une homélie de Lamennais, qui racontait l'aventure d'une grappe de raisin.

Le Père de Famille la cueillait dans sa vigne, mais il ne la mangeait pas : il la rapportait à la Maison, pour l'offrir à la Mère de Famille. Celle-ci, très émue, la donnait en cachette à son Fils, qui, sans rien en dire à personne, la portait à sa Sœur. Mais celle-ci n'y touchait pas non plus. Elle attendait le retour du Père, qui, en retrouvant la Grappe dans son assiette, serrait toute la Famille dans ses bras, en levant les yeux au Ciel.

Le périple de cette grappe s'arrêtait là, et je me demandais qui l'avait mangée, lorsque l'oncle Jules replia son journal, et me dit sur un ton grave :

« Voilà une page que tu devrais apprendre par cœur. »

Je fus indigné par cette proposition agressive d'un travail supplémentaire, et je demandai :

« Pourquoi ?

— Voyons, dit l'oncle, tu n'as donc pas été touché par le sentiment qui anime ces humbles paysans ? »

A travers la vitre, je regardais tomber la pluie, qui vernissait en noir les branches du figuier, et je mordillais mon porte-plume.

Il insista :

« Pourquoi cette grappe a-t-elle fait le tour complet de la famille ? »

Il me regardait, de ses yeux pleins de bonté. Je voulus lui faire plaisir, et je concentrai toute mon attention sur ce problème : dans un éclair, je vis la vérité, et je m'écriai :

« C'est parce qu'elle était sulfatée ! »

L'oncle Jules me regarda fixement, serra les dents, et devint tout rouge. Il voulut parler ; l'indignation lui coupa le souffle. Il essaya successivement trois ou quatre syllabes gutturales, mais il était hors d'état de leur donner une suite qui eût précisé leur sens. Alors, il leva les bras au ciel, puis son derrière de sa chaise, et dit enfin, avec une grande violence :

« Voilà ! Voilà ! Voilà !... »

Ces trois exclamations débouchèrent le passage, et il put enfin s'écrier :

« Voilà le résultat d'une école Sans Dieu ! Les effets grandioses de l'Amour, il les attribue à la crainte du Sulfate de Cuivre ! Cet enfant, qui n'est pas un monstre, vient donc de faire spontanément une réponse monstrueuse. Mesurez, mon cher Joseph, la grandeur de vos effrayantes responsabilités !

— Voyons, Jules, dit ma mère, vous pensez bien qu'il a dit ça pour rire !

— Pour *rire* ? s'écria l'oncle. Ce serait encore pire !... Je préfère croire qu'il n'a pas bien compris ma question. »

Il se tourna vers moi.

« Ecoute-moi bien. Si tu trouvais une très belle grappe de raisin, une grappe admirable, unique, est-ce que tu ne la porterais pas à ta mère ?

— Oh oui ! dis-je, sincèrement.

— Bravo ! dit l'oncle. Voilà une parole qui vient du cœur !... »

Et il se tourna vers mon père, pour ajouter :

« Je suis heureux de constater que, malgré le matérialisme atroce que vous lui enseignez, il a trouvé dans son cœur la Loi de Dieu, et il garderait la grappe pour sa mère ! »

Je vis qu'il triomphait, et je vins au secours de mon père, car j'ajoutai :

« Mais j'en mangerais la moitié en route. »

L'oncle, mécontent, allait reprendre la parole, lorsque mon père s'écria avec force :

« Et il a raison ! Car enfin si ces gens-là avaient de si beaux sentiments, ils devaient aussi se repasser le cœur de la salade, le blanc de la poularde, et le foie du lapin ! Et comme une vertu parfaite est forcément inaltérable, cette ronde des bons morceaux a dû se poursuivre toute leur vie, pendant que ces malheureux — qui avaient tout de même besoin de se nourrir — se disputaient la tête du canard, l'os de la côtelette et le trognon du chou ! Je viens de comprendre, grâce à lui, que cette histoire est d'une stupidité verticale. La vérité, c'est que votre Lamennais était un cagot, et que pour édifier les fidèles, il est tombé, comme tous les curés, dans un absurde prêchi-prêcha. »

A cette attaque frontale, l'oncle, la moustache brusquement hérissée, allait répondre avec vigueur, lorsque ma tante Rose, qui du fond de la cuisine où elle surveillait un civet de lapin avait senti venir la bagarre, parut sur la porte. Elle brandissait le panier à salade, tandis que sa main gauche

tenait par la pointe un capuchon noir de toile cirée, et elle cria gaiement :

« Jules ! Il ne pleut presque plus ! Vite, aux escargots ! »

Sans lui laisser une seconde, elle lui mit dans les mains le panier de grillage, et lui enfonça le capuchon jusqu'aux narines, comme un éteignoir de la conversation. Il lui était difficile, en cet équipage, d'entamer une diatribe. Il essaya pourtant de rouler quelques R, et nous entendîmes :

« Vrraiment trrop trriste et trrop affrreux... Ce pauvrre enfant... »

Mais ma tante, qui l'avait fait pivoter en riant, le poussa dehors sous une pluie battante, puis elle referma la porte, et lui envoya, à travers la vitre, un baiser, dont la tendresse n'était pas feinte. Enfin, elle se retourna vers nous, soudain fâchée, et dit :

« Joseph, vous n'auriez pas dû commencer. »

L'oncle Jules, qui aimait la pluie, ne revint qu'au bout d'une heure, trempé mais joyeux.

Une belle barbe de bave pendait sous le panier à salade, l'oncle avait des épaulettes d'escargots, et le chef de la tribu — qui était énorme — orientait en vain ses cornes à la pointe du capuchon noir.

Mon père jouait de la flûte, ma mère l'écoutait en ourlant des serviettes, la petite sœur dormait sur ses avant-bras, et je faisais une partie de dominos avec Paul. L'oncle fut accablé de félicitations, et il ne fut plus question de Lamennais.

Mais le soir, à dîner, il prit une cruelle revanche.

Ma mère venait de poser sur la table le civet de lapin, nimbé du parfum des aromates. D'ordinaire, à cause de mes grands efforts scolaires, le foie m'était réservé, et dans la sauce veloutée, je le cherchais déjà des yeux.

L'oncle Jules le vit avant moi, et le piqua au bout de sa fourchette. Il le dressa dans la lumière de la lampe, l'examina, le flaira, et dit :

« Ce foie est admirablement cuit. Il est sain, il paraît

tendre et onctueux. C'est certainement un morceau de choix. Je me ferais donc un devoir de l'offrir à quelqu'un, s'il n'y avait à cette table certaine personne qui le croirait empoisonné ! »

Sur quoi, il éclata d'un rire sarcastique, et sous mes yeux, il le dévora.

VERS le 15 août, il nous fut révélé que de grands
 événements se préparaient.

Un après-midi, tandis que je plantais le poteau de torture
sur un petit tertre gazonné, Paul vint en courant m'annoncer
une étrange nouvelle :

« L'oncle Jules est en train de faire la cuisine ! »

Je fus si étonné que j'abandonnai aussitôt mon entreprise
pour aller éclaircir le mystère de l'oncle Jules-cuisinier.

Il était devant le fourneau, et surveillait une grésillante
poêle à frire : elle contenait d'épaisses pastilles blondes, qui
mijotaient en sifflotant dans de la graisse bouillante. Une
odeur écœurante emplissait la cuisine, et je décidai aussitôt
que je n'en mangerais pas.

« Oncle Jules, qu'est-ce que c'est ?

— Tu le sauras ce soir », dit-il.

Et saisissant la queue de la poêle, il donna un petit coup
sec, comme pour faire sauter des marrons.

« On les mangera ce soir ? demanda Paul.

— Non, dit l'oncle en riant. On ne les mangera pas. Ni ce
soir, ni jamais.

— Alors, pourquoi les fais-tu cuire ?

— Pour faire parler les petits garçons. Maintenant, allez
jouer dehors, parce que si vous recevez des éclaboussures de

graisse bouillante, vous aurez toute votre vie une figure de passoire. Allez, filez ! »

<center>*
* *</center>

Une fois dehors, Paul me dit :

« La cuisine, il ne sait pas la faire.

— Moi, je crois que ce n'est pas de la cuisine. Je crois que c'est un secret. On va demander à papa. »

Mais papa n'était pas là. Il était parti avec sa femme, faire une excursion.

Sans nous, ce qui me parut une trahison.

Il nous fallut attendre jusqu'au soir.

L'après-midi fut consacré à la composition d'un admirable *Chant de mort d'un chef Comanche* (paroles et musique) :

> *Adieu, prairie,*
> *La flèche ennemie*
> *A désarmé mon bras vengeur,*
> *Mais sous la torture*
> *Mon cœur reste pur (e)*
> *Et étonne le voyageur.*
> *Lâche Pawnie,*
> *Tu t'ingénies :*
> *Entends mon rire sarcastique !*
> *De tes tortures,*
> *Je n'en ai cure,*
> *C'est des piqûres de moustique !*

Il y avait sept ou huit couplets...

Je montai dans ma chambre, et je « répétai » longuement, dans le silence et la solitude.

Je m'occupai ensuite de la peinture de guerre de Paul, puis de la mienne. Enfin, couronné de plumes, les mains liées derrière le dos, je m'avançai gravement jusqu'au poteau de

torture, auquel Paul m'attacha solidement, en poussant quelques cris rauques, qui représentaient des injures pawnies. Puis il dansa cruellement autour de moi, pendant que j'entonnais le *Chant de mort*.

J'y mis une sincérité si grande, et je réussis si bien « le rire sarcastique », que mon bourreau s'éloigna prudemment, un peu inquiet.

Mais mon triomphe éclata dans le dernier couplet :

> *Adieu, mes frères*
> *Adieu, primevères !*
> *Adieu mon cheval et mes étriers !*
> *Consolez ma mère qui pleure*
> *Et dites-lui que tout à l'heure,*
> *Son fils est mort comme un guerrier !*

Je fis un trémolo si pathétique que j'en fus bouleversé moi-même, et mon visage se couvrit de larmes. Alors, je laissai retomber mon menton sur ma poitrine, je fermai les yeux, et je mourus.

J'entendis un sanglot déchirant, et je vis Paul, qui s'enfuyait en hurlant :

« Il est mort ! Il est mort ! »

C'est mon père qui vint me délivrer, et je vis bien qu'il avait envie d'ajouter à mes tortures fictives une calotte véritable. Mais j'étais fier de mon succès de cabotin, et je me proposais d'en donner une représentation après le dîner, lorsqu'en traversant la salle à manger, pour aller me laver les mains à la cuisine, j'eus une admirable surprise.

Papa et l'oncle Jules avaient mis toutes les rallonges de la table, recouverte d'une toile de sac, et sur cette immensité étaient alignées toutes sortes de merveilles. Il y avait d'abord des rangées de cartouches vides, et chaque rang avait sa couleur : rouges, jaunes, bleues, vertes.

Puis, de petits sacs de toile écrue, pas plus grands que la

main, et lourds comme des pierres. Chacun portait un grand numéro noir : 2, 4, 5, 7, 9, 10.

Il y avait ensuite une sorte de petite balance à un seul plateau et, fixé au bord de la table par une pince à vis, un étrange appareil de cuivre, muni d'une manivelle à bouton de bois. Enfin, au beau milieu, trônait le plat cuisiné par l'oncle Jules.

« Voilà, dit-il, ce que je faisais cuire ce matin : ce sont des bourres grasses.

— C'est pour quoi faire ? demanda Paul.

— C'est pour faire des cartouches ! dit mon père.

— Tu vas aller à la chasse ? demandai-je.

— Mais oui !

— Avec l'oncle Jules ?

— Mais oui !

— Tu as un fusil ?

— Mais oui !

— Et où est-il ?

— Tu le verras tout à l'heure ! Pour le moment, va te laver les mains, parce que la soupe est servie ! »

PENDANT le dîner, sous le figuier, la conversation fut passionnante.

Mon père, enfant des villes, et prisonnier des écoles, n'avait jamais tué ni poil ni plume. Mais l'oncle Jules avait chassé depuis son enfance, et il n'en faisait pas mystère.

Dès le potage, ils se mirent à parler de gibier.

« Que croyez-vous que nous allons trouver dans ces collines ? demanda mon père.

— Je me suis renseigné au village, dit l'oncle.

— On vous a sûrement donné de faux renseignements, répliqua mon père, car ces paysans sont jaloux du gibier ! »

Mon oncle fit un sourire malin.

« Bien sûr ! dit-il. Mais je n'ai pas avoué que nous allions chasser ! J'ai simplement demandé quelle sorte de gibier ils pourraient nous vendre !

— Ça, c'est de la malice ! » dit mon père.

J'admirai cette ingéniosité, mais il me sembla qu'elle allait contre nos principes.

« Et que vous ont-ils proposé ?

— D'abord, des petits oiseaux.

— Des tout-petits ? demanda ma mère, choquée.

— Eh oui ! dit l'oncle. Ces sauvages tuent tout ce qui vole.

— Pas les papillons ? dit Paul.

— Non, les papillons, c'est réservé aux garçons. Mais ils tuent même les fauvettes !

— Ce sol est bien ingrat, dit mon père. Que peut-on récolter sans eau ? Dans l'ensemble, ils sont vraiment très pauvres, et la chasse les aide à vivre. Ils vendent les gros oiseaux, et ils mangent les petits !

— Sans compter, dit l'oncle, qu'une belle petite brochette de becfigues...

— En tout cas, s'écria ma tante, je te défends bien de tuer des canaris !

— Ni les canaris, ni les perroquets ! C'est juré... Mais les culs-blancs et les ortolans...

— Les ortolans, c'est délicieux, dit ma tante...

— Et les grives ? dit l'oncle, en clignant de l'œil. Vous nous permettez les grives ?

— Oh oui ! dit ma mère. Joseph sait les faire à la broche. Nous en avons mangé l'année dernière, à la Noël.

— Moi, dit Paul avec feu, quand je vois une grive, je la mange toute ! Mais pas le bec.

— Ensuite, dit l'oncle, je crois que nous pouvons compter sur des lapins.

— Oh oui ! dis-je. Il y en a même près de la maison. Ils ont fait leur cabinet près du gros amandier. C'est plein de pètes.

— Pas de gros mots, dit ma mère sévèrement.

— Ensuite, poursuivit l'oncle, nous rencontrerons sûrement des perdrix — et qui plus est — des perdrix *rouges*.

— Toutes rouges ? dit Paul.

— Non, elles sont marron, la gorge noire, avec des pattes rouges, et de belles plumes rouges aux ailes et à la queue.

— Ça fera bien pour les chapeaux d'Indiens !

— Ensuite, dit l'oncle, on m'a parlé de lièvres !

— Pourtant, dit mon père, François m'a affirmé qu'il n'y en avait pas.

— Offrez-lui donc six francs par lièvre et vous verrez qu'il vous en apportera ! Il les vend cinq francs à l'auberge de

Pichauris ! J'espère que nos fusils nous épargneront le chagrin de les payer.

— Ça, dit mon père, ce serait beau.

— Je conviens que c'est un joli coup de fusil, mon cher Joseph. Mais il y a mieux : dans les ravins du Taoumé, il y a le Roi des Gibiers !

— Et quoi donc ?

— Devinez ! dit l'oncle.

— Des éléphants ! s'écria Paul.

— Non ! » dit l'oncle. Mais devant la déception du petit frère, il ajouta : « Je ne crois pas qu'il y ait des éléphants, mais après tout, je n'en suis pas sûr. Allons, Joseph, faites un petit effort : le gibier le plus rare, le plus beau, le plus méfiant ? Le gibier qui est le rêve du chasseur ? »

J'intervins :

« De quelle couleur c'est ?

— Brun, rouge et or.

— Des faisans ! » s'écria mon père.

Mais l'oncle, disant « non » de la tête, ajouta :

« Peuh !... Le faisan est assez beau, je vous l'accorde — mais il est bête, et au départ, il est aussi facile à tirer qu'un cerf-volant. Du point de vue du gourmet, sa chair est dure et sans goût : pour la rendre à peu près comestible, il faut la laisser se " faisander ", c'est-à-dire se pourrir ! Non, le faisan n'est pas le roi des gibiers

— Alors, dit mon père, quel est donc le roi des gibiers ? »

L'oncle se leva, les bras en croix, et dit :

« La *bartavelle* ! »

Pour prononcer ce mot, il avait élargi sa diction, tout en ouvrant des yeux émerveillés. Cependant, l'effet qu'il attendait ne se produisit pas, car mon père demanda :

« Qu'est-ce que c'est ? »

L'oncle ne fut nullement décontenancé.

« Vous voyez ! s'écria-t-il d'un ton satisfait, ce gibier est si rare que Joseph, lui-même, n'en a jamais entendu parler ! Eh

bien, la bartavelle, c'est la perdrix royale, et plus royale que perdrix, car elle est énorme et rutilante. En réalité, c'est presque un coq de bruyère. Elle vit sur les hauteurs dans les vallons rocheux — mais elle est aussi méfiante qu'un renard : la compagnie a toujours deux sentinelles, et il est très difficile de l'approcher.

— Moi, dit Paul, je sais comment il faut faire : je me coucherai à plat ventre — et je glisserai comme un serpent, sans respirer !

— Voilà une bonne idée, dit l'oncle Jules. Dès que nous verrons des bartavelles, nous viendrons te chercher.

— Vous en avez tué souvent ? demanda ma mère.

— Non, dit l'oncle d'un air modeste. J'en ai vu plusieurs fois dans les Basses-Pyrénées : je n'ai pas eu l'occasion de les tirer.

— Mais qui vous a dit qu'il y avait des bartavelles dans le pays ?

— C'est ce vieux braconnier qui s'appelle Mond des Parpaillouns. »

Je demandai :

« C'est un noble ?

— Je ne crois pas, dit mon père, ça veut dire : Edmond des Papillons. »

Ce nom me ravit, et je me promis de rendre visite au mystérieux seigneur.

« En a-t-il vu ? demanda mon père.

— Il en a tué une l'année dernière. Il l'a portée en ville. On la lui a payée DIX FRANCS.

— Mon Dieu ! dit ma mère en joignant les mains. Si vous pouviez en rapporter une par jour... Moi, ça m'arrangerait bien !

— Ça n'est pas seulement le rêve du chasseur, dit mon père. C'est aussi la chimère de la ménagère ! Ne parlez plus de bartavelles, mon cher Jules : je vais en rêver cette nuit, et ma chère femme en perd la raison !

— Ce qui m'ennuie, dit la tante Rose, c'est que, d'après la bonne, il y a aussi des sangliers.

— Des sangliers ? dit ma mère inquiète.

— Eh oui, dit l'oncle en souriant, des sangliers... Mais rassurez-vous, ils ne viendront pas jusqu'ici ! Au plus fort de l'été, quand les sources sont à sec dans la chaîne de Sainte-Victoire, ils descendent jusqu'à la petite conque du Puits du Mûrier, la seule source de la région qui ne tarisse jamais. L'année dernière, Baptistin en a tué deux !

— Mais c'est effrayant ! dit ma mère.

— Pas du tout ! dit Joseph rassurant. Le sanglier n'attaque pas l'homme. Il le fuit, au contraire, de très loin, et il faut de grandes précautions pour l'approcher.

— Comme les bartavelles ! s'écria Paul.

— A moins, dit l'oncle d'un ton grave, qu'il ne soit blessé !

— Et vous croyez qu'il peut tuer un homme ?

— Fichtrre ! s'écria l'oncle... J'avais un ami — un ami de chasse — qui s'appelait Malbousquet. C'était un ancien bûcheron, qui était devenu manchot, à la suite d'un accident de travail.

— Qu'est-ce que c'est manchot ? demanda Paul.

— Ça veut dire qu'il n'avait plus qu'un bras. Alors, comme il ne pouvait plus manier sa cognée, il s'était mis braconnier.

— Avec un seul bras ? dit Paul.

— Eh oui... avec un seul bras ! et je te garantis qu'il tirait juste ! Il ramenait tous les jours des perdrix, des lapins, des lièvres qu'il vendait en cachette au cuisinier du château. Eh bien, un jour, Malbousquet s'est trouvé nez à nez avec un sanglier — une bête pas très grosse — soixante-dix kilos exactement, car nous l'avons pesée après — eh bien, Malbousquet s'est laissé tenter. Il a tiré et il ne l'a pas manqué : mais la bête a eu la force de le charger, de le renverser, et de le mettre en pièces. Oui, en pièces, répéta mon oncle. Quand nous l'avons trouvé, nous avons d'abord

vu, au milieu du sentier, un long cordon jaune et verdâtre, qui avait bien dix mètres de long : c'était les tripes de Malbousquet. »

Ma mère et ma tante poussèrent des « oh ! » écœurés, tandis que Paul éclatait de rire et battait des mains.

« Jules, dit ma tante, tu ne devrais pas raconter ces horreurs devant les enfants.

— Au contraire ! dit mon père (qui voyait une valeur éducative dans toutes les catastrophes), c'est excellent pour leur gouverne. Il est bon qu'ils sachent que le sanglier est un animal dangereux ; si par miracle vous en voyez un, grimpez immédiatement à l'arbre le plus proche.

— Joseph, dit ma mère, tu vas me promettre que toi aussi tu monteras sur l'arbre, et sans tirer un seul coup de fusil.

— Il ferait bien voir ! s'écria l'oncle. Je vous ai dit que Malbousquet n'avait pas de chevrotines. Mais nous, nous en avons. »

Il alla chercher dans un tiroir une poignée de cartouches, qu'il posa sur la table.

« Elles sont plus longues que les autres, parce que j'ai mis double charge de poudre, dit-il. Avec ça, l'animal reste sur le carreau !... A condition, ajouta-t-il en se tournant vers mon père, de tirer au défaut de l'épaule gauche. Faites bien attention, Joseph... J'ai dit *gauche !*

— Mais, dit Paul, s'il part en courant, tu ne vois plus que ses fesses. Alors, qu'est-ce qu'il faut faire ?

— Rien de plus simple. Et ça m'étonne que tu ne l'aies pas deviné.

— On lui tire dans la fesse gauche ?

— Pas du tout, dit l'oncle. Il suffit de savoir que le sanglier aime beaucoup les truffes...

— Et alors ? demanda ma mère, très intéressée.

— Voyons, Augustine, dit l'oncle, vous vous penchez vers votre côté *gauche*, et vous criez — le plus fort possible — *vers la gauche :* " Ah ! la belle truffe ! " Alors, le sanglier séduit se

retourne, en pivotant sur *sa gauche*, et vous présente son épaule *gauche*. »

Ma mère éclata de rire avec moi. Mon père sourit et Paul déclara :

« Tu dis ça pour rire ! »

Mais il ne riait pas lui-même, car il n'était sûr de rien.

CE dîner cynégétique avait duré beaucoup plus longtemps que d'ordinaire, et il était neuf heures lorsque nous quittâmes la table, pour aller commencer la fabrication des cartouches. Je fus admis à y assister, car je fis remarquer qu'il s'agissait d'une « leçon de choses ».

« Une demi-heure, pas plus », dit ma mère ; et elle emporta Paul qui, tout en dormant, gémissait de faibles protestations.

« Et tout d'abord, dit mon oncle, examinons les armes ! »

Il alla prendre dans le buffet, derrière les assiettes, un bel étui de cuir fauve (je fus tout honteux de ne pas l'avoir découvert plus tôt), et il en tira un très joli fusil, qui paraissait tout neuf. Les canons étaient d'un beau noir mat, la gâchette était nickelée et, sur la crosse sculptée, s'allongeait un chien, noyé dans le bois verni.

Mon père prit l'arme de l'oncle, l'examina, et fit un petit sifflement d'admiration.

« C'est le cadeau de noces de mon frère aîné, dit l'oncle : un calibre seize de Verney-Carron. A percussion centrale. »

Il le reprit, fit jouer les verrous ; l'arme s'ouvrit avec un joli « clic », et il regarda la lampe à travers les canons.

« Parfaitement graissé, dit-il. Mais demain, nous reverrons ça de plus près. »

Il se tourna vers mon père, et dit :

« Où est le vôtre ?

— Dans ma chambre. »

Il sortit à grands pas.

J'ignorais qu'il possédât un fusil, et je fus indigné qu'il eût gardé un si beau secret : j'attendis son retour avec une vive impatience, essayant de deviner, par le son de ses pas, et le bruit d'une clef, en quel endroit il l'avait caché. Cet espionnage fut vain, et je l'entendis redescendre d'un pas pressé.

Il nous apportait un grand étui jaune, qu'il avait dû acheter — à mon insu — chez le brocanteur, car de longues éraflures disaient son âge, et avouaient par leur fond blanchâtre que cet objet était l'ouvrage d'un fabricant de papier mâché.

Il ouvrit cette dérisoire cartonnade, et il dit, avec un sourire un peu gêné :

« Celui-ci va faire une pauvre figure auprès d'une arme aussi moderne : mais c'est mon père qui me l'a donné. »

Ayant ainsi transformé cette antique pétoire en un respectable souvenir de famille, il tira de l'étui les trois morceaux d'un immense fusil.

L'oncle les prit, les ajusta et les verrouilla avec une rapidité magique, puis, considérant les dimensions de l'arme, il s'écria :

« Seigneur Dieu ! C'est une arquebuse ?

— Presque, dit mon père. Mais il paraît qu'il est très précis.

— Ce n'est pas impossible », dit l'oncle.

La crosse n'en était pas sculptée, et elle avait perdu son vernis ; la gâchette n'était pas nickelée, et les chiens étaient si grands qu'ils avaient l'air d'un ouvrage de ferronnerie. Je me sentis un peu humilié.

L'oncle Jules ouvrit la culasse, et l'examina d'un air pensif.

« Si ce n'est pas un calibre inconnu de l'ancien temps, ça doit être un douze !

— Oui, c'est un douze, affirma mon père. J'ai acheté des douilles du calibre douze !

— A broche, bien entendu.

— Oui, à broche. »

Il prit dans une boîte de carton deux ou trois cartouches vides, qu'il tendit à l'oncle. De leur base de cuivre, sortait un petit clou sans tête. L'oncle en glissa une dans le canon.

« Il est légèrement dilaté, dit-il, mais c'est effectivement un douze à broche... Ce système a été abandonné depuis assez longtemps, parce qu'il présente un certain danger.

— Quel danger ? demanda ma mère.

— Minime, dit l'oncle, mais danger tout de même. Voyez-vous, Augustine, c'est en frappant sur ce petit clou de cuivre que le chien met le feu à la poudre. Mais ce petit clou est *extérieur*, rien ne le protège : il peut recevoir un choc imprévu.

— Par exemple ?

— Par exemple... si une cartouche échappe aux doigts du chasseur, et si elle tombe sur la broche, elle peut éclater à vos pieds.

— Ça, ce ne serait pas mortel, dit Joseph d'un ton rassurant. Et puis, il ne m'arrivera jamais de laisser tomber une cartouche.

— Pourtant, dit ma mère à mi-voix, tu as laissé tomber trois fois la savonnette ce matin...

— D'abord, dit mon père vexé, une savonnette est un objet extrêmement glissant, parce que c'est un corps gras, ce qui n'est pas le cas d'une cartouche ; ensuite, on ne prend guère de précautions quand on saisit une savonnette : on sait bien qu'elle n'explosera pas. Enfin, il faut ajouter que j'avais les yeux fermés, puisque je me savonnais la tête — et aucun homme de bon sens ne ferme les yeux pour manipuler des cartouches. Donc, rassure-toi sur ce point.

— Joseph a raison, dit l'oncle. Et je suis à peu près sûr qu'il ne laissera pas tomber ses munitions. Mais il peut y

avoir d'autres accidents, et j'en ai vu un très singulier.

« J'étais très jeune, puisque c'était le temps des fusils à broche. Le président de la Société de Chasse, Monsieur Bénazet (il prononçait Bénazette), était si gros que de loin, la nuit, on l'aurait pris pour un demi-muid, et il avait fallu coudre ensemble deux cartouchières pour lui en faire une... Un jour, après un bon déjeuner de chasseurs, il a glissé, et il a roulé du haut en bas des escaliers, avec son immense cartouchière autour du corps : elle était garnie de cartouches à *broche*... Eh bien, on aurait dit un feu de peloton... Et j'ai le regret de vous apprendre qu'il en est mort...

— Joseph, dit ma mère toute pâle, il faut acheter un autre fusil, sinon tu n'iras pas à la chasse !

— Allons donc ! dit mon père en riant. D'abord je n'ai rien d'un demi-muid, et ensuite je ne présiderai pas un " bon déjeuner de chasseurs " dans un pays de grands vinassiers — car je suis bien sûr que l'explosion de Monsieur Bénazette a dû libérer d'abord un geyser de vin rouge !

— C'est assez probable, dit l'oncle Jules en riant. Et d'ailleurs, Augustine, je puis vous assurer qu'un tel accident est encore unique en son genre. »

Il se leva brusquement, et épaula le calibre douze.

Ma mère me cria : « Reste où tu es ! Ne bouge pas ! »

L'oncle répéta cinq ou six fois sa manœuvre, visant tour à tour la pendule, la suspension, le tournebroche. Enfin, il rendit sa sentence.

« Ce fusil est très ancien, et il pèse trois livres de trop. Mais il est bien en main et il monte bien à l'épaule. A mon avis, c'est une arme excellente ! »

Mon père fit un beau sourire, et il regardait l'assistance avec une certaine fierté, lorsque l'oncle ajouta :

« Si toutefois il n'éclate pas.

— Quoi ? dit ma mère épouvantée.

— Ne craignez rien, Augustine, nous ferons tous les essais nécessaires, et nous tirerons les premières cartouches à la

ficelle. S'il éclate, Joseph n'aura plus de fusil, mais il conservera sa main droite et ses yeux. »

Il examina de nouveau la culasse, et dit encore :

« Il se pourrait aussi que sous l'effet d'une charge un peu forte, il change de calibre, et se transforme en canardière. Enfin, nous serons fixés demain. Ce soir, préparons nos munitions ! »

Il prit une voix de commandement :

« Tout d'abord, éteignez tous les feux de la maison ! Le danger que représente cette lampe à pétrole est déjà assez grand ! »

Il se tourna vers moi pour ajouter :

« *On ne plaisante pas avec la poudre !* »

Ma mère, terrorisée, courut à la cuisine, et versa une casserole d'eau sur les dernières miettes de braise qui rougeoyaient encore dans le fourneau. Cependant, mon père vérifiait l'étanchéité de la lampe de cuivre, et la solidité de la suspension.

Ces précautions prises, l'oncle s'assit devant la table, et fit placer mon père en face de lui.

Ma tante, pour qui cette dangereuse cérémonie semblait n'avoir aucun secret, monta dans sa chambre, pour donner son biberon au petit Pierre, et n'en redescendit plus.

Ma mère s'était assise sur une chaise, à deux mètres de la table : je restai debout devant elle, entre ses genoux. Je pensais qu'ainsi mon corps la protégeait en cas d'explosion.

Alors mon oncle prit une des fioles de fer-blanc, et gratta avec précaution la bande gommée qui en assurait l'étanchéité. Je vis paraître, sortant du bouchon, un minuscule cordonnet noir : il le saisit délicatement entre le pouce et l'index, il tira, le bouchon suivit.

Alors il inclina le goulot vers la feuille de papier blanc et une pincée de poudre noire en sortit. Je m'approchai, hypnotisé... C'était donc ça, la *poudre*, la terrible substance qui avait tué tant de bêtes et tant d'hommes, qui avait fait

sauter tant de maisons, et qui avait lancé Napoléon jusqu'en Russie... On aurait dit du charbon pilé, rien de plus...

Mon oncle prit un gros dé à coudre de cuivre, fixé au bout d'un petit manche de bois noir.

« Voici la jaugette pour mesurer la charge, me dit-il. Elle est graduée en grammes et décigrammes, ce qui nous permet une précision suffisante. »

Il la remplit à ras bord, et la vida sur le plateau du trébuchet. Le plateau descendit, puis remonta lentement, et resta en équilibre.

« Elle n'est pas humide, dit-il. Elle pèse son juste poids, elle brille, elle est parfaite. »

Alors commença le remplissage des douilles, opération à laquelle mon père collabora : il enfonçait, sur la poudre, les bourres grasses cuisinées par l'oncle Jules. Puis ce fut le tour des plombs, puis d'une autre bourre, et cette dernière fut surmontée d'une rondelle de carton sur laquelle un gros chiffre noir indiquait la grosseur du plomb.

Ensuite eut lieu le sertissage : le petit appareil à manivelle rabattit le bord supérieur de la cartouche, et en fit une sorte de bourrelet, qui enferma définitivement la meurtrière combinaison.

« Le seize, demandai-je, c'est plus gros que le douze ?

— Non, dit l'oncle. C'est un peu plus petit.

— Pourquoi ?

— Oui ! dit mon père. Pourquoi les plus petits numéros sont ceux des calibres les plus gros ?

— Ce n'est pas un grand mystère, dit l'oncle Jules d'un air doctoral, mais vous faites bien de me poser la question. Un calibre seize, c'est un fusil pour lequel on peut fabriquer seize balles rondes avec une livre de plomb. Pour un calibre douze, la même livre de plomb ne fournit que douze balles rondes, et s'il existait un calibre un, il tirerait des balles d'une livre.

— Voilà une explication fort claire, dit mon père. Est-ce que tu as compris ?

— Oui, dis-je. Plus on fait de balles avec la livre, moins elles sont grosses. Et alors ça fait que le trou du fusil est plus petit quand c'est un gros numéro.

— Vous parlez bien d'une livre de cinq cents grammes ?

— Je ne crois pas, dit l'oncle. Je crois qu'il s'agit d'une livre ancienne, celle de quatre cent quatre-vingts grammes.

— A merveille ! dit mon père soudain très intéressé.

— Pourquoi ?

— Parce que je vois là une mine de problèmes pour le cours moyen : " Un chasseur qui possédait sept cent soixante grammes de plomb, a pu fondre vingt-quatre balles pour son fils. Sachant que le poids de l'ancienne livre est de quatre cent quatre-vingts grammes et que le chiffre représentant le calibre représente aussi le nombre de balles que l'on peut faire pour son arme avec une livre de plomb, quel est le calibre de son fusil ? " ».

Cette invention pédagogique m'inquiéta un peu, car je craignais qu'elle ne fût expérimentée aux dépens de mes jeux. Mais je fus assuré par la pensée que mon père paraissait trop enflammé par sa nouvelle passion pour sacrifier ses vacances à la dévastation des miennes, et la suite me prouva que j'avais raisonné juste.

La soirée, qui se termina par l'alignement d'un bataillon de cartouches multicolores, rangées comme des soldats de plomb, m'avait très vivement intéressé.

Pourtant je sentais une sorte de gêne, une insatisfaction dont je n'arrivais pas à préciser la cause.

C'est en tirant mes chaussettes que je la découvris.

L'oncle Jules avait parlé toute la soirée en savant et en professeur, tandis que mon père, lui qui était examinateur au Certificat d'Etudes, l'avait écouté d'un air attentif, d'un air ignare, comme un élève.

J'en étais honteux et humilié.

Le lendemain matin, pendant que ma mère versait du café dans mon lait, je lui fis part de mes sentiments.

« Ça te plaît, toi, que papa aille à la chasse ?

— Pas trop, me dit-elle. C'est un amusement dangereux.

— Tu as peur qu'il tombe dans l'escalier avec ses cartouches ?

— Oh non ! dit-elle. Il n'est pas si maladroit... Mais tout de même, cette poudre, c'est traître.

— Eh bien, moi, ce n'est pas pour ça que ça ne me plaît pas.

— Alors, c'est pourquoi ? »

J'hésitai un instant, que je mis à profit pour avaler une bonne gorgée de café au lait.

« Tu n'as pas vu comme l'oncle Jules est fier ? C'est toujours lui qui commande, et qui parle tout le temps !

— C'est justement pour lui apprendre, et il le fait par amitié.

— Moi, je vois bien qu'il est rudement content d'être plus fort que papa. Et ça ne me plaît pas du tout. Papa le gagne toujours, aux boules ou aux dames. Et là, je suis sûr qu'il va perdre. Je trouve que c'est bête de jouer à des jeux qu'on ne sait pas. Moi, je ne joue jamais au ballon parce que j'ai les mollets trop petits, et les autres se moqueraient de moi. Mais je joue toujours aux billes, ou aux barres, ou à la marelle, parce que je gagne presque toujours.

— Mais, gros bêta, la chasse, ce n'est pas un concours ! C'est une promenade avec un fusil, et puisque ça l'amuse ça lui fera beaucoup de bien. Même s'il ne tue pas de gibier.

— S'il ne tue rien, eh bien moi, ça me dégoûtera. Oui ça me dégoûtera. Et moi je ne l'aimerai plus. »

J'avais une envie de pleurer, que j'étouffai d'une tartine. Ma mère le vit bien, et elle vint m'embrasser.

« Tu as un peu raison, me dit-elle. C'est bien vrai qu'au commencement, papa sera moins fort que l'oncle Jules. Mais au bout d'une semaine, il sera aussi adroit que lui, et dans quinze jours, tu verras que c'est lui qui donnera des conseils ! »

Elle ne mentait pas pour me rassurer. Elle avait confiance. Elle était sûre de son Joseph. Mais moi, j'étais dévoré d'inquiétude, comme le seraient les enfants de notre vénéré Président de la République, s'il leur confiait son intention de s'engager dans le Tour de France cycliste.

LA journée du lendemain fut encore plus pénible.
Tout en nettoyant les fusils, dont les pièces étaient étalées sur la table, l'oncle Jules commença le récit de ses épopées cynégétiques.

Il disait que dans son Roussillon natal, à travers les vignes et les pinèdes, il avait abattu des dizaines de lièvres, des centaines de perdrix, des milliers de lapins, sans parler des « pièces rares ».

« Un soir, je rrentrais brredouille, et j'étais furrieux, car j'avais manqué deux lièvres coup sur coup !

— Pourquoi ? dit Paul la bouche ouverte et les yeux ronds.

— Je n'en sais fichtre rrien !... Le fait est que j'étais honteux et découragé... Mais en sortant du bosquet de Taps, j'entrre dans la vigne de Brouqueyrol, et que vois-je ?

— Oui, que vois-je ? » dit Paul d'un air d'angoisse.

Je m'écriai : « Une bartavelle !

— Non, dit mon oncle. Ça ne volait pas, et c'était bien plus gros. Que vois-je ? disais-je. Un blairreau ! un blairreau énorme, qui avait déjà dévasté toute une rrangée de rraisins de table ! J'épaule, je tirre... »

C'était toujours la même chose, et pourtant toujours nouveau.

L'oncle tirait, puis par précaution, il « doublait », et

l'animal foudroyé s'ajoutait à la liste interminable des victimes.

Mon père écoutait ces récits glorieux, mais il ne disait rien : sagement, comme un apprenti, il ramonait le canon de son fusil, avec une brosse ronde fixée au bout d'une longue baguette, pendant que je polissais mélancoliquement la gâchette et le pontet.

A midi, les armes furent remontées, huilées, astiquées, et l'oncle Jules déclara :

— On les essaiera cet après-midi.

Le feuilleton de ses exploits continua pendant tout le repas, et s'étendit jusqu'aux Pyrénées, pour le récit d'une chasse au chamois.

« Je prends ma lorgnette, et que vois-je ? »

Paul en oubliait de manger, si bien que ma mère et ma tante — après la mort de deux chamois — prièrent le récitant d'arrêter là son épopée, ce qui parut le flatter grandement.

Je profitai de cet arrêt pour introduire adroitement une question personnelle.

Depuis le début des préparatifs, je n'avais jamais douté que je serais admis à suivre les chasseurs. Mais ni mon père ni mon oncle ne l'avaient dit expressément, et je n'avais jamais osé poser la question, par crainte d'un refus catégorique : c'est pourquoi je pris un biais.

« Et le chien ? dis-je. Est-ce qu'il ne vous faudra pas un chien ?

— Il serait bon d'en avoir un, dit l'oncle. Mais comment nous procurer un chien dressé ?

— Est-ce qu'il n'y en a pas chez les marchands ?

— Oui, dit mon père. Mais ça vaut au moins cinquante francs !

— C'est de la folie ! s'écria ma mère.

— Oh que non ! dit l'oncle. Et si un bon chien ne valait que cinquante francs, croyez bien que je n'hésiterais pas ! Mais à ce prix-là, vous n'aurez qu'un bâtard quelconque, qui vous lâchera la piste d'un lièvre pour vous conduire au trou d'un rat ! Un chien dressé, ça vaut dans les quatre-vingts francs, et ça peut aller jusqu'à cinq cents !

— Et puis, dit ma tante, qu'est-ce que nous en ferions après la chasse ?

— Après la chasse, il faudrait le revendre à moitié prix ! Et d'ailleurs, ajouta l'oncle, il est très dangereux d'entretenir un chien dans la maison d'un bébé.

— C'est vrai, dit Paul. Il pourrait manger le petit cousin !

— Je ne crois pas. Mais il pourrait, sans le vouloir, lui donner des maladies.

— Une angine ! s'écria Paul. Moi je sais ce que c'est. Mais moi, ce n'est pas un chien, c'est le courant d'air ! »

Je n'insistai pas : il n'y aurait pas de chien. C'est donc qu'ils comptaient sur moi pour retrouver le gibier abattu. On ne l'avait pas dit, mais c'était évidemment sous-entendu : il n'était pas nécessaire d'obtenir une promesse solennelle, surtout devant Paul, qui avait exprimé son intention de suivre la chasse « de loin » avec du coton dans les oreilles : prétention insoutenable qui eût pu faire grand tort aux miennes.

Je me tus donc prudemment.

Après le déjeuner, les grandes personnes firent la sieste. Nous profitâmes de cet intervalle pour mettre des gouvernails aux cigales ; c'est-à-dire que dans le derrière des pauvres chanteuses, soudain muettes, nous plantions la queue d'une feuille d'amandier, puis, je les lançais en l'air. Elles volaient alors au hasard, et leurs circuits extravagants nous faisaient rire de bon cœur.

Vers les trois heures, mon père nous héla.

« Venez ici ! cria-t-il. Et restez derrière nous ! Nous allons essayer les fusils ! »

L'oncle Jules avait solidement attaché l'arquebuse à deux grosses branches parallèles, et déroulait une longue ficelle dont une extrémité commandait la gâchette. A dix pas du fusil, il s'arrêta.

Ma mère et ma tante, accourues, nous forcèrent à reculer encore plus loin.

« Attention ! dit l'oncle. J'ai mis triple charge, et je vais tirer les deux coups à la fois ! Si le fusil explose, les éclats pourraient siffler à nos oreilles ! »

Toute la famille se mit à l'abri derrière des troncs d'olivier, et chacun risquait un œil.

Seuls, les hommes restèrent à découvert, héroïques.

L'oncle tira la ficelle : une détonation puissante ébranla les airs, et mon père courut vers l'arme ligotée.

« Il a tenu le coup ! » cria-t-il. Et il coupait joyeusement les liens.

L'oncle ouvrit la culasse, et l'examina de fort près.

« C'est parfait ! déclara-t-il enfin. Ni fêlure, ni dilatation ! Augustine, je réponds maintenant de la sécurité de Joseph : ce fusil est aussi résistant qu'une pièce d'artillerie ! »

Et comme les femmes s'éloignaient, rassurées, il dit à voix basse à mon père :

« Cependant, il ne faudra pas exagérer. Je puis évidemment vous affirmer qu'avant cette épreuve cette arme *était* parfaite. Mais il arrive quelquefois que l'expérience elle-même compromette la solidité du canon... C'est un risque qu'il faut accepter. Nous allons maintenant vérifier le groupement des plombs. »

Il tira un journal de sa poche, le déplia, et partit à grands pas vers les cabinets, au bout de l'allée d'iris.

« Il a la colique ? » dit Paul.

Mais l'oncle Jules n'entra pas dans la guerite : il fixa sur la porte, au moyen de quatre punaises, le journal déployé, et revint à grands pas vers mon père.

Il chargea son fusil d'une seule cartouche. « Attention ! » dit-il.

Il épaula, visa une seconde et tira.

Paul, qui s'était bouché les oreilles, s'enfuit vers la maison.

Les deux chasseurs s'approchèrent du journal : il était criblé de trous, comme une passoire.

L'oncle Jules l'examina longuement, et parut satisfait.

« Ils sont bien groupés. J'ai tiré le canon choke. A trente mètres, c'est parfait. »

Il prit dans sa poche un autre journal, et tout en le dépliant, il dit :

« A vous, Joseph ! »

Tandis qu'il mettait la nouvelle cible en place, mon père chargea son fusil. Ma mère et ma tante, attirées par la première détonation, étaient revenues sur la terrasse. Paul, à demi caché derrière le tronc du figuier, regardait d'un œil, l'index enfoncé dans l'oreille.

L'oncle se replia au trot, et dit :

« Allez-y ! »

Mon père visa.

Je tremblais qu'il ne manquât la porte : c'eût été l'humiliation définitive, et l'obligation, à mon avis, de renoncer à la chasse.

Il tira. La détonation fut effrayante, et son épaule tressaillit violemment. Il ne parut ni ému ni surpris, et s'avança vers la cible d'un pas tranquille — je le devançai.

Le coup avait frappé le milieu de la porte, car les plombs entouraient le journal sur les quatre côtés. Je ressentis une fierté triomphale, et j'attendais que l'oncle Jules exprimât son admiration.

Il s'avança, examina la cible, se retourna et dit simplement :

« Ce n'est pas un fusil, c'est un arrosoir !

— Il l'a frappé en plein milieu ! dis-je avec force.

— Ce n'est pas mal tiré ! dit-il avec condescendance. Mais

une perdrix qui s'envole n'a pas grand-chose de commun avec une porte de cabinets. On va maintenant essayer les plombs de quatre, de cinq et de sept. »

Ils tirèrent encore trois coups de fusil chacun, toujours suivis d'examens et de commentaires de l'oncle.

Enfin, il s'écria :

« Pour les deux dernières, on va tirer les chevrotines. Serrez bien votre crosse, Joseph, car j'ai mis une charge et demie de poudre. Et vous, Mesdames, bouchez-vous les oreilles, car vous allez entendre le tonnerre ! »

Ils tirèrent en même temps ; le fracas fut étourdissant, et la porte tressaillit violemment.

Ils s'avancèrent tous les deux, souriants et satisfaits d'eux-mêmes.

« Tonton, demandai-je, est-ce que ça aurait tué un sanglier ?

— Certainement, s'écria-t-il, à condition de le toucher...

— Au défaut de l'épaule gauche !

— Exactement ! »

Il arracha les journaux superposés, et je vis, incrustées profondément dans le bois, une vingtaine de petites billes de plomb.

« C'est du bois dur, dit-il. Elles n'ont pas traversé ! Si nous avions eu des balles... »

Heureusement, ils n'en avaient pas eu, car à travers la porte massacrée, nous entendîmes une faible voix. Elle disait, incertaine :

« Est-ce que je peux sortir, maintenant ? »

C'était la « bonne ».

LA date de l'ouverture approchait, et l'on ne parlait plus que chasse à la maison.

Après la longue suite des récits épiques, l'oncle Jules en était arrivé aux explications et démonstrations techniques. A quatre heures, après la sieste, il disait :

« Joseph, je vais vous décomposer le " coup du roi ", qui est aussi le roi des coups. D'abord, écoutez-moi bien… Vous êtes caché derrière une haie, et votrre chien décrit un cercle autour de la vigne. S'il connaît son métier, les perrdrreaux vont venir droit sur vous. Alors, vous faites un pas en arrière, mais vous n'épaulez pas encore, parce que le gibier verrait votre fusil, et il aurait le temps de prendre la tangente. Dès que les volatiles paraissent dans mon champ visuel, j'épaule, je vise. Mais au moment de tirer, d'un coup sec, vous relevez le bout du canon d'une dizaine de centimètres, tout en pressant sur la gâchette, et vous baissez la tête, en faisant le dos rond.

— Pourquoi ? dit mon père.

— Parce que si votre tir est bien ajusté, vous allez recevoir en pleine figure un volatile d'un kilo lancé à soixante à l'heure. Passons maintenant à la pratique. Marcel, va me chercher mon fusil. »

Je courais à la salle à manger, et je revenais à pas lents, portant avec respect cette arme précieuse.

L'oncle ouvrait toujours la culasse, pour voir si le fusil n'était pas chargé.

Puis il allait se poster derrière la haie du jardin. Mon père, Paul et moi, nous formions un demi-cercle autour de lui. L'oncle, les sourcils froncés, l'oreille tendue, le dos voûté, essayait de voir à travers les feuilles, non pas ce pauvre chemin pierreux, mais les vignes dorées du Roussillon. Soudain, il lançait deux aboiements aigus et brefs. Puis, soufflant puissamment entre ses lèvres molles, il imitait l'envol ronflant d'une compagnie de perdreaux. Alors, il faisait le pas en arrière, et regardait intensément le ciel, au ras de la haie. Puis il épaulait vivement, donnait le petit coup sec, et criait : « Pan ! pan ! » Sur quoi, nous rentrions tous les quatre la tête dans nos épaules contractées, et nous demeurions immobiles, les yeux fermés, prêts à supporter le choc d'un « volatile d'un kilo lancé à soixante à l'heure ».

L'oncle nous délivrait en disant : « Pom ! pom... », car deux perdrix étaient tombées derrière nous. Il les cherchait un instant du regard, puis allait les ramasser l'une après l'autre — car dans ses démonstrations, il ne faisait que des « doublés ». Enfin, sifflant son chien, il retournait s'asseoir à l'ombre, du pas pesant du chasseur fatigué. Mon père, pensif, disait :

« Ça ne doit pas être bien facile.

— Oh ! il y faut de l'entraînement ! J'avoue que je n'ai jamais entendu dire qu'un débutant l'ait réussi du premier coup... Mais si vous avez des dispositions — ce que j'ignore encore — il est bien possible que l'année prochaine... Essayez-le donc tout de suite ! »

Et mon père, docile, prenait à son tour le fusil, et répétait fidèlement la pantomime de l'oncle Jules.

Parfois, le matin, il m'emmenait avec lui sur le chemin du vallon de Rapon, qui était bordé d'une haie d'arbustes. Et là nous répétions en cachette le « coup du roi » : je jouais le rôle

de la perdrix, puis, au moment de m'envoler, je lançais de toutes mes forces une pierre par-dessus la haie, et mon père essayait de la suivre, du bout de son fusil brusquement épaulé...

Ensuite — pour le tir aux lapins — je lançais dans l'herbe, sans le prévenir, une vieille boule moisie, épave d'un jeu de quilles disparu, que j'avais trouvée dans le jardin.

D'autres fois, il m'envoyait me cacher dans un buisson, et me donnait l'ordre de fermer les yeux. Là, j'attendais, les oreilles grandes ouvertes, et attentif au moindre craquement. Soudain, il posait la main sur mon épaule, et disait : « Est-ce que tu m'as entendu venir ? »

Ainsi, mon père préparait l' « Ouverture », avec une application si minutieuse et si humble que, pour la première fois de ma vie, je doutai de sa toute-puissance, et mes inquiétudes ne faisaient que grandir.

ENFIN l'aube se leva sur la veille du grand jour.

Ils essayèrent d'abord leurs tenues de chasse. Papa avait acheté une casquette bleue, qui me parut du plus bel effet, des jambières en cuir marron, et des souliers montants à semelle de corde. L'oncle Jules portait un béret basque, des bottes lacées par-devant, et une veste tout à fait spéciale, dont il faut que je dise un mot, parce que c'était un vêtement très remarquable.

A première vue, ma mère déclara :

« Ce n'est pas une veste : c'est trente poches cousues ensemble ! »

Il y en avait jusque dans le dos. Je m'aperçus plus tard que cette richesse avait ses défauts.

Lorsque l'oncle cherchait quelque chose dans ses poches, il tâtait d'abord le drap, puis la doublure, puis les deux à la fois, afin de repérer l'objet. Le plus difficile était ensuite de découvrir par quelle voie il était possible de parvenir jusqu'à lui.

C'est ainsi qu'un petit merle, oublié dans ce labyrinthe, signala sa présence, quinze jours plus tard, par une épouvantable odeur. Il fut aisément localisé par le nez de la tante Rose, et par la vue d'un triste bec jaune qui avait traversé la doublure. L'oncle sonda plusieurs ouvertures de poches, ce

qui lui permit de découvrir une oreille de lapin, de la bouillie d'escargot, et un vieux cure-dent qui se planta sous l'ongle de son index... Mais pour l'extraction du cadavre, il fallut recourir aux ciseaux.

Cependant, le jour de l'essayage, la veste fit un grand effet, et sembla promettre abondance de gibier.

La cérémonie, devant le miroir, fut assez longue, et les chasseurs semblaient s'y complaire. Mais leurs femmes les déshabillèrent pendant qu'ils en étaient encore à se mirer, et prirent en main leurs vêtements, pour en consolider les boutons.

Les fusils furent, une fois de plus, astiqués et graissés, et j'eus l'honneur d'enfoncer les cartouches dans les ceintures à godets de cuir.

Puis ils étudièrent la carte d'état-major, une loupe à la main.

« Nous monterons derrière la maison, dit l'oncle, jusqu'à Redouneou, que voici (il plantait dans la carte une épingle à tête noire) ; jusque-là, nous ne verrons pas grand-chose, peut-être des grives ou des merles...

— Ce serait déjà très intéressant, dit mon père.

— Bagatelles ! dit l'oncle. Notre gibier — ne nous faisons pas d'illusions — ce n'est évidemment pas la bartavelle, mais c'est au moins la perdrix, le lapin et le lièvre. Je crois que nous en trouverons aux Escaouprès, c'est du moins ce que m'a dit Mond des Papillons. Donc, à Redouneou, nous descendons sur les Escaouprès : nous les remonterons jusqu'au pied du Taoumé, que nous contournerons à droite pour atteindre le Puits du Mûrier. C'est là que nous déjeunerons, vers midi et demi. Ensuite... »

Mais je n'entendis pas la suite, car je réfléchissais à mon plan.

Il était maintenant indispensable de poser la question nettement, et d'obtenir la confirmation de mes certitudes,

certitudes d'ailleurs un peu ébranlées par l'attitude passive de l'entourage.

On n'avait pas parlé de mon costume... Sans doute pensait-on que le mien était bien suffisant pour un chien de chasse ?

Un matin, j'avais dit à la bonne que j'attendais impatiemment l'ouverture. Cette créature avait ri et m'avait répondu :

« Il ne faudrait pas t'imaginer qu'ils vont te mener avec eux ! »

Propos absurde d'une idiote, à laquelle je regrettai d'avoir adressé la parole. Ce qui m'inquiétait davantage, c'était qu'il me semblait sentir une certaine gêne chez mon père et qu'il avait dit plusieurs fois à table — sans aucun motif — que le sommeil était indispensable aux enfants, à tous les enfants sans exception, et qu'il était dangereux de les réveiller à quatre heures du matin. L'oncle avait abondé dans son sens, et il avait même cité des exemples de petits garçons qui étaient devenus rachitiques ou tuberculeux parce qu'on les faisait lever trop tôt tous les jours.

J'avais pensé que ces discours s'adressaient à Paul, afin de le préparer à son éviction de la chasse. Mais j'en avais gardé une impression fort peu plaisante, et comme un petit doute gênant. Je pris mon courage à deux mains.

Il fallait d'abord éloigner Paul.

Il était justement devant la porte, très occupé à gratter le ventre d'une cigale, qui chantait de plaisir, ou peut-être hurlait de douleur.

Je lui tendis le filet à papillons, et je lui révélai qu'au fond du jardin, je venais de voir un oiseau-mouche blessé, qu'il lui serait facile de capturer. Cette nouvelle l'excita grandement. Il lâcha la cigale, et dit : « Allons-y vite ! »

Je lui répondis qu'il m'était impossible de l'accompagner, parce qu'on m'imposait un bain, avec du savon.

Je pensais exciter sa pitié, et faire naître en même temps la crainte qu'on ne lui infligeât le même traitement. Je réussis

pleinement, car attiré par l'oiseau-mouche et chassé par le bain, il m'arracha le filet, et disparut sous les genêts.

Je rentrai dans la maison au moment où l'oncle Jules repliait la carte en disant :

« Douze kilomètres dans les collines, ce n'est pas excessif, mais ça fait tout de même une trotte. »

Je dis bravement :

« Moi, je porterai le déjeuner.

— Quel déjeuner ? dit l'oncle.

— Le nôtre. Je prendrai deux musettes, et je porterai le déjeuner.

— Mais où donc ? » dit mon père.

Cette question me coupa le souffle, car je vis qu'il faisait semblant de ne pas comprendre.

Je fonçai désespérément et je parlai à toute vitesse, en prenant à peine le temps de respirer.

« A la chasse, dis-je. Moi, je n'ai pas de fusil, c'est tout naturel que je porte le déjeuner. Vous, ça pourrait vous gêner. Et puis, si vous le mettez dans le carnier, il n'y aura plus de place pour mettre le gibier. Et puis, moi, quand je marche, je ne fais pas de bruit. J'ai bien étudié les Peaux-Rouges, je sais marcher comme un Comanche. La preuve, c'est que j'attrape des cigales tant que je veux. Et puis moi, je vois de loin, et l'autre jour, c'est moi qui vous ai fait voir l'épervier, et encore vous ne l'avez pas vu tout de suite. Et puis vous n'avez pas de chien, et les perdrix, quand vous les tuerez, vous ne pourrez pas les retrouver, tandis que moi, je suis petit, je me faufile dans les broussailles... Et puis comme ça, pendant que je les chercherai, vous pourrez en tuer d'autres. Et puis...

— Viens ici », dit mon père.

Il posa sa grande main sur mon épaule, et me regarda dans les yeux.

« Tu as entendu ce qu'a dit l'oncle Jules : douze kilo-

mètres dans les collines ! Tu as de bien petites pattes pour marcher si longtemps !

— Elles sont petites, mais elles sont dures, dis-je. Touche-les, c'est comme du bois. »

Il tâta mes mollets :

« C'est vrai que tu as de bons muscles...

— Et puis, je suis léger, moi. Je n'ai pas des grosses fesses comme l'oncle Jules, ça fait que je ne suis jamais fatigué !

— Ho ho ! dit l'oncle Jules, trop heureux de détourner la conversation, je n'aime pas beaucoup qu'on se permette de critiquer mes fesses ! »

Mais je n'acceptai pas la discussion, et j'enchaînai :

« Elles ne sont pas grosses, les sauterelles, et pourtant elles sautent bien plus loin que toi ! Et puis, quand l'oncle Jules avait sept ans, son père l'emmenait toujours à la chasse. Et moi, maintenant, j'ai huit ans et demi passés. Et pourtant, il a dit que son père était sévère. Alors, c'est une injustice... Et puis, si vous ne me voulez pas, moi je vais tomber malade, et déjà j'ai un peu mal au cœur ! »

Sur quoi, je courus au mur, et contre mon bras replié, je me mis à pleurer bruyamment.

Mon père ne savait que dire et il caressait mes cheveux.

Ma mère entra et, sans un mot, me prit sur ses genoux. J'étais au comble du désespoir. D'abord parce que cette ouverture m'apparaissait comme un grand départ vers l'Aventure, vers les hautes garrigues inconnues que je regardais depuis si longtemps. Et surtout, je voulais aider mon père dans son épreuve : je me glisserais dans les broussailles, et je rabattrais le gibier sur lui. S'il manquait un perdreau, je dirais : « Je l'ai vu tomber ! », et je rapporterais triomphalement quelques plumes que j'avais ramassées dans le poulailler, afin de lui donner confiance. Mais cela, je ne pouvais pas le dire, et mon amour déçu me brisait le cœur.

« Mais aussi, dit ma mère sur un ton de reproche, vous lui en avez trop parlé !

— Ce serait dangereux, dit mon père, surtout le jour de l'ouverture. Il y aura d'autres chasseurs dans la colline... Il est petit et, dans les broussailles, on pourrait le prendre pour un gibier.

— Mais moi, je les verrai, les chasseurs ! criai-je entre deux sanglots. Et alors, si je leur parle, ils comprendront que je ne suis pas un lapin !

— Eh bien, je te promets que tu viendras avec nous dans deux ou trois jours, quand je serai mieux entraîné, et que nous n'irons pas si loin.

— Non ! non ! Je veux faire l'ouverture ! »

Alors, l'oncle Jules se montra grand et généreux.

« Je me mêle peut-être de ce qui ne me regarde pas, dit-il. Mais à mon avis, Marcel a mérité de faire l'ouverture avec nous. Allons, ne pleure plus. Il portera notre déjeuner, comme il l'a proposé, et il nous suivra bien gentiment, à dix pas derrière les fusils. »

Il se tourna vers mon père.

« C'est d'accord, Joseph ?

— Si vous êtes d'accord, moi aussi. »

La reconnaissance, qui me faisait verser de nouvelles larmes, m'étouffa. Ma mère me caressa doucement la tête, et baisa mes joues mouillées. Alors, je bondis sur mon oncle, je l'escaladai, et je serrai sa grosse tête sur mon cœur battant.

« Calme-toi, calme-toi ! » disait mon père.

Après deux gros baisers bien appliqués, je descendis d'un bond : je baisai la main de mon père, et levant les bras au ciel, j'exécutai une danse sauvage terminée par un bond qui me porta sur la table, d'où j'envoyai mille baisers aux assistants.

« Seulement, dis-je ensuite, il ne faudra pas en parler à Paul, parce qu'il est trop petit. Il ne pourrait pas marcher si loin.

— Hé hé, dit mon père, tu vas donc mentir a ton frère ?

— Je ne mentirai pas, mais je ne lui dirai rien.

— Mais s'il t'en parle ? dit ma mère.

— Je lui mentirai, parce que c'est pour son bien.

— Il a raison ! » dit mon oncle.

Puis, me regardant bien dans les yeux, il ajouta :

« Tu viens de dire une parole importante, tâche de ne pas l'oublier : *il est permis de mentir aux enfants, lorsque c'est pour leur bien.* »

Il répéta : « Ne l'oublie pas. »

Mais Paul arrivait, assez penaud de ne pas avoir trouvé l'oiseau blessé, et la conversation s'arrêta brusquement.

*
**

Pendant le dîner, ma joie était si grande, que je n'arrivai pas à manger, malgré les observations de ma mère. Mais l'oncle ayant parlé de l'appétit des chasseurs comme d'un trait caractéristique de cette race, je dévorai ma côtelette, et je redemandai des pommes de terre.

« Qu'est-ce qu'il te prend ? dit mon père.

— Je prends des forces pour demain !

— Que comptes-tu faire demain ? demanda l'oncle sur un ton d'affectueuse curiosité.

— Eh bien, dis-je, l'ouverture.

— L'ouverture ? Mais ce n'est pas demain ! s'exclama-t-il... Demain, c'est dimanche ! Est-ce que tu crois qu'il est permis de tuer les bêtes du bon Dieu le jour du Seigneur ? Et la messe alors, qu'en fais-tu ? C'est vrai, ajouta-t-il, que vous êtes une famille de mécréants ! Et voilà pourquoi cet enfant a l'idée folle que l'on peut ouvrir la chasse un dimanche ! »

Je fus consterné.

« Mais alors, quand est-ce ?

— C'est lundi... après-demain. »

C'était une désolante nouvelle, car cette journée d'attente allait être un très long martyre. Que faire ? Je me résignai, de fort mauvaise grâce, mais sans mot dire. Puis l'oncle Jules

ayant annoncé qu'il tombait de sommeil, tout le monde alla se coucher.

Quand ma mère eut bordé le petit Paul, elle vint me donner le baiser du soir, et me dit :

« Demain, je vous finirai les nouveaux costumes d'Indiens, pendant que tu fabriqueras les flèches. Et pour déjeuner, il y aura de la tarte aux abricots avec de la crème fouettée. »

Je compris qu'elle me promettait ce régal pour atténuer ma déconvenue, et je lui baisai les mains tendrement.

MAIS dès qu'elle fut sortie, le petit Paul parla. Je ne le voyais pas, parce qu'elle avait soufflé sur la flamme de la bougie. Sa petite voix était calme et froide.

« Moi, je le savais qu'ils ne te mèneraient pas à l'ouverture. Moi, j'en étais sûr ! »

Je répondis hypocritement :

« Je n'ai jamais demandé à y aller. L'ouverture, ce n'est pas pour les enfants.

— Tu es un grand menteur. Moi j'ai vu tout de suite que l'oiseau-mouche, ce n'était pas vrai. Alors, je suis vite revenu, et je me suis mis sous la fenêtre, et j'ai entendu tout ce que vous avez dit, et tout ce que tu as pleuré ! Et même, tu as promis qu'il faut me dire des mensonges. Mais moi, je m'en fous bien d'aller à la chasse. Les vrais coups de fusil, ça me fait trop peur. Mais quand même, tu es un menteur, et l'oncle Jules est encore plus menteur que toi.

— Pourquoi ?

— Parce que c'est demain. Moi je le sais. Maman a fait l'omelette aux tomates cet après-midi, et puis elle l'a mise dans les carniers avec un grand saucisson et des côtelettes crues, et du pain, et la bouteille de vin. Moi j'ai tout vu. Et les carniers, ils sont cachés dans le placard de la cuisine, pour pas que tu les voies. Ils vont partir de bonne heure, et toi tu te brosseras. »

Cette révélation était accablante. Mais je refusai d'y croire.

« Alors tu oses dire que l'oncle Jules a dit des mensonges ? Moi, je l'ai vu habillé en sergent, l'oncle Jules. Et il a une décoration, l'oncle Jules.

— Moi, je te dis qu'ils y vont demain. Et puis, ne me parle plus, parce que j'ai sommeil. »

La petite voix se tut, et je restai, les yeux grands ouverts, dans le doute et la nuit.

A-t-on le droit de mentir, quand on est sergent ? Certaine ment non. La preuve : le sergent Bobillot.

Mais je me rappelai soudain que l'oncle Jules n'avait jamais été sergent, et que je venais de l'inventer dans mon désarroi. De plus, il y avait, dans son passé, la terrible histoire du parc Borély...

Quand j'avais découvert son imposture, qu'avait-il fait ? Il s'était mis à rire, tout simplement, et sans la moindre confusion.

Cependant, je cherchais des excuses à ce mensonge déjà très ancien, pour diminuer sa valeur de preuve, lorsqu'un souvenir terrible traversa mon esprit.

Dans l'après-midi même, quand j'avais eu la sottise de dire que j'allais mentir à Paul, parce que c'était pour son bien, l'oncle Jules avait saisi la balle au bond. Il m'avait hautement approuvé, pour justifier par avance sa criminelle comédie.

Je fus désespéré par cette trahison. Et mon père, qui n'avait rien dit ! Mon père, qui était le complice muet d'un complot dirigé contre son petit garçon... Et maman, ma chère maman, qui avait pensé à la consolante crème fouettée... Je m'attendris soudain sur mon triste sort, et je me mis à pleurer en silence ; au loin, la flûte d'argent de la chouette ajoutait à mon désespoir.

Puis, un doute me revint : Paul était parfois démoniaque ; n'avait-il pas inventé cette histoire pour se venger du coup de l'oiseau ?

Toute la maison paraissait dormir : je me levai sans le moindre bruit, et je mis plus d'une minute pour faire tourner le bouton de la serrure... Sous la porte des autres chambres, je ne vis pas le trait de lumière. Je descendis sur mes pieds nus : aucune marche ne craqua. Dans la cuisine, le clair de lune me permit de trouver les allumettes et une bougie. Alors, devant la porte du placard fatidique, j'hésitai un moment. Derrière cette plaque de bois mort, j'allais découvrir la scélératesse de l'oncle Jules, ou la perfidie de Paul — ce serait, de toute façon, une catastrophe sentimentale...

Je fis tourner, lentement, la clef... Je tirai... Le vantail vint à moi... J'entrai dans le vaste placard, je haussai la bougie : ils étaient là, les deux gros carniers de cuir fauve, avec leurs poches de filet... Ils étaient gonflés à crever et, de chaque côté, pointait le goulot bouché d'une bouteille... Sur une étagère, à côté des carniers, les deux cartouchières que j'avais garnies moi-même. Quelle fête se préparait ! Une grande indignation me souleva, et je pris une décision farouche : j'irais avec eux, malgré eux !

Je remontai dans ma chambre, avec la légèreté d'un chat, et je fis mon plan.

D'abord, il fallait garder les yeux ouverts. Si je m'endormais, j'étais perdu. Jamais de ma vie je n'avais pu me réveiller à quatre heures du matin. Donc, ne pas dormir.

En second lieu, préparer mes vêtements, que j'avais, selon mon habitude, jetés un peu partout... A quatre pattes, dans la nuit, je récupérai mes chaussettes, je les mis dans mes espadrilles.

Après d'assez longues recherches, je trouvai ma chemise sous le lit de Paul. Je la remis à l'endroit, ainsi que ma culotte : je les plaçai ensuite sur le pied de mon lit. Alors je me recouchai, assez fier de ma résolution prise — et j'ouvris les yeux de toutes mes forces.

Paul dormait paisiblement. Deux chouettes se répondaient maintenant à intervalles réguliers. L'une n'était pas loin de ma fenêtre, sans doute dans le gros amandier. La voix de l'autre, un peu moins grave, mais plus jolie à mon avis, montait du vallon. Je pensai que c'était la femme qui répondait à son mari.

Un mince rayon de lune passait par le trou du volet, et faisait briller le verre, sur ma table de nuit. Le trou était rond, le rayon était plat. Je me promis de demander à mon père l'explication de ce phénomène.

Tout à coup, dans le grenier, les loirs commencèrent une sarabande, qui se termina par une bagarre, avec des bonds et des cris pointus. Puis, le silence se fit, et j'entendis, à travers la cloison, le ronflement de l'oncle Jules, le ronflement paisible et régulier d'un honnête homme, ou d'un criminel endurci. « A mon avis », avait-il dit, « Marcel a mérité de faire l'ouverture avec nous ! » Le Cerf Agile avait bien raison : les Visages Pâles ont la langue double !

Et il avait eu l'audace de me mentir « pour mon bien » ! C'était donc me faire du bien, que me réduire au désespoir ? Et moi, qui l'avais serré sur mon cœur si tendrement ! Je lui vouai, solennellement, une rancune éternelle.

Je pensai ensuite à la trahison muette de mon père : je me promis cependant de garder le silence sur cet épisode navrant, et je hâtai le pas sur un sentier bordé de broussailles sans épines, qui caressaient mes mollets nus. Je portais un fusil long comme une canne à pêche, qui étincelait au soleil. Mon chien — un épagneul blanc et feu — me précédait, le nez à terre, et lançait de temps à autre un aboiement plaintif tout à fait semblable au cri musical de la chouette ; un autre chien, de loin, lui répondait. Soudain, un oiseau énorme se leva : il avait un bec de cigogne, mais c'était une bartavelle !... Elle vint droit sur moi, d'un vol rapide et puissant : le « coup du roi » ! Je fis le pas en arrière, je visai, je donnai le petit coup sec et, pan ! Dans un

nuage de plumes, la bartavelle tomba à mes pieds. Je n'eus pas le temps de la ramasser, car un autre volatile venait encore droit sur moi : dix fois, vingt fois, je réussis le « coup du roi », à la grande stupeur de l'oncle Jules, qui venait de sortir d'un fourré, avec une horrible tête de menteur. Je lui offris tout de même de la crème fouettée, et je lui abandonnai toutes mes bartavelles, en lui disant : « On a le droit de mentir aux grandes personnes, quand c'est pour leur Bien. » Après quoi, je m'étendis sous un arbre, et j'allais m'endormir, lorsque mon chien vint me parler à l'oreille. Il dit, dans un chuchotement : « Ecoute-les ! Ils partent sans toi ! »

Je m'éveillai pour tout de bon. Paul était près de mon lit, et tirait doucement mes cheveux.

« Je les ai entendus, dit-il. Ils sont passés devant la porte. Ils ont écouté. J'ai vu la lumière par le trou de la serrure. Après, ils sont descendus sur la pointe des pieds. »

Un robinet coulait dans la cuisine. J'embrassai Paul et je m'habillai en silence. La lune s'était couchée, il faisait nuit noire. A tâtons, je trouvai mes vêtements.

« Qu'est-ce que tu fais ? dit Paul.

— Je vais avec eux.

— Ils ne te veulent pas.

— Je vais les suivre de loin, à l'indienne, pendant toute la matinée… A midi, ils ont dit qu'ils mangeraient près d'un puits. Alors, à ce moment, je me ferai voir, et, s'ils veulent me renvoyer, je dirai que je vais me perdre, et alors ils n'oseront pas.

— Peut-être tu vas recevoir une bonne gifle.

— Tant pis. J'en ai reçu d'autres, et des fois pour rien du tout…

— Si tu te caches dans les broussailles, peut-être l'oncle Jules te prend pour un sanglier, et il te tue. Ça serait bien fait pour lui, seulement, toi, tu seras mort !

— Ne t'inquiète pas pour moi. »

Grâce à un emprunt discret à Fenimore Cooper, j'ajoutai :
« La balle qui me tuera n'est pas encore fondue !

— Et maman, qu'est-ce qu'il faut lui dire ?

— Est-ce qu'elle est en bas avec eux ?

— Je ne sais pas... Je ne l'ai pas entendue.

— Je lui laisserai un petit billet sur la table de la cuisine. »

Avec de grandes précautions, j'ouvris la fenêtre, sans toucher aux volets extérieurs. Je grimpai sur la barre d'appui, et je collai mon œil au trou de la lune.

Le jour pointait ; le sommet du Taoumé, au-dessus des plateaux encore sombres, était bleu et rose. En tout cas, je voyais nettement le chemin des collines : ils ne pourraient pas m'échapper.

J'attendis. Le robinet ne coulait plus.

« Et si tu rencontres un ours ? chuchota Paul.

— On n'en a jamais vu dans le pays.

— Peut-être qu'ils se cachent. Fais bien attention. Prends le couteau pointu dans le tiroir de la cuisine.

— C'est une bonne idée, je le prendrai. »

Dans le silence, nous entendîmes des pas, sur des souliers ferrés. Puis la porte s'ouvrit, et se referma.

Je courus aussitôt à la fenêtre, et j'entrebâillai très légèrement les volets. Les pas faisaient le tour de la maison : les deux traîtres parurent, et commencèrent à monter vers la lisière des pinèdes. Papa avait mis sa casquette et ses jambières de cuir. L'oncle Jules, son béret et ses bottes lacées. Ils étaient beaux, malgré leur mauvaise conscience, et ils marchaient d'un bon pas, comme s'ils me fuyaient.

J'embrassai Paul, qui se recoucha aussitôt, et je descendis au rez-de-chaussée. Rapidement, je rallumai la bougie, je déchirai une page de mon cahier.

« *Ma chère petite maman. Ils ont fini par m'emmener avec eux. Ne te fais pas de Mauvais Sang. Garde-moi de la crème fouettée. Je te fais deux mille bises.* »

Je mis ce papier bien en évidence sur la table de la cuisine. Puis je glissai dans ma musette un morceau de pain, deux barres de chocolat, une orange. Enfin, serrant le manche du couteau pointu, je m'élançai sur la piste des fusilleurs.

JE ne les voyais plus, et je n'entendais rien. Mais pour un Comanche, les retrouver ne serait qu'un jeu.

Je montai la pente en courant aussi légèrement que je pus, jusqu'à l'orée de la pinède. Je m'arrêtai, j'écoutai : il me sembla percevoir, plus haut, un bruit de pas dans les pierres. Je repris ma course, en rasant les fourrés. J'arrivai à la fin de la première pinède, au bord d'un plateau : on y avait, jadis, cultivé des vignes. Des sumacs, des romarins, des cades les avaient remplacées. Mais cette végétation n'était pas très haute, et je vis au loin la casquette et le béret. Ils avaient encore le fusil à l'épaule, et marchaient toujours d'un bon pas. Près d'un grand pin, ils s'arrêtèrent : le béret descendit sur le flanc du coteau, vers la gauche, tandis que la casquette continua tout droit. Mais elle montait et plongeait tour à tour, comme une casquette qui marche pas à pas, sur la pointe des pieds. Je compris que la chasse était commencée... Mon cœur battit plus vite... Je retins mon souffle, et j'attendis.

Une détonation puissante éclata soudain, et se répercuta longuement, en sautant d'un écho à l'autre, contre les à-pics du vallon... Je courus au pin le plus proche, et j'y grimpai, épouvanté. Je m'assis à califourchon sur une grosse branche, craignant l'apparition subite d'un sanglier blessé, celui-là

même qui avait dévidé sur dix mètres les entrailles du braconnier manchot.

Comme rien ne paraissait, je craignis alors qu'il ne fût en train d'éventrer mon père, et je priai Dieu — s'il existait — de le diriger plutôt sur mon oncle, qui croyait au Paradis et mourrait, par conséquent, plus volontiers.

Mais le béret apparut sur ma gauche, au-dessus d'un cade : il tenait en l'air, à bout de bras, un oiseau noir, de la taille d'un petit pigeon, et il criait : « C'est un beau merle ! » La casquette, émergeant d'une forêt de genêts, vint rapidement vers lui. Ils semblèrent se concerter, puis se séparèrent de nouveau.

Je me laissai glisser jusqu'au sol, et je tins conseil avec moi-même. Fallait-il descendre derrière eux au fond du vallon ? La hauteur des broussailles m'empêcherait de voir la chasse et d'autre part — comme l'avait dit mon père — je m'exposais à recevoir par erreur un coup de fusil.

Tandis que si je continuais à suivre la crête, juste au bord de la barre, mais derrière les térébinthes, je pourrais tout voir sans être vu. De plus, au cas où ils blesseraient un sanglier, je serais hors de ses atteintes, et je pourrais même achever le monstre en faisant tomber sur lui des blocs de rocher. Je filai donc à travers les kermès, qui griffaient mes mollets, les cades et les genévriers… Je fis d'abord un assez grand détour sur le plateau, puis je me glissai sous le fourré, et je parvins au bord de l'à-pic.

Ils étaient au fond d'un large vallon de roches bleues. Au milieu, le lit — à sec — d'un ruisseau des pluies. Peu d'arbres, mais des fourrés d'argéras qui leur arrivaient à la ceinture.

De mon côté, mon père marchait à mi-pente. Il tenait son fusil pointé devant lui, la crosse sous le coude, la main droite sur la gâchette, la main gauche sous le pontet. Il avançait à pas prudents, le dos voûté, enjambant les broussailles

Il était beau à voir (beau et menaçant) et je fus assez fier de

lui. Sur la pente d'en face, l'oncle suivait un chemin parallèle. De temps à autre, il s'arrêtait, ramassait une pierre, la lançait au fond du vallon, et attendait quelques secondes : je les voyais bien mieux que si j'avais été avec eux.

A la troisième pierre, un gros oiseau jaillit du fourré et fila comme une flèche vers l'arrière de la chasse. Avec une rapidité merveilleuse, l'oncle épaula, visa, tira : l'oiseau tomba comme une pierre, suivi par quelques plumes, qui descendirent lentement dans le soleil.

Mon père, au pas de course, et sautant par-dessus les épines, alla ramasser le gibier, et le montra de loin à l'oncle qui cria : « C'est une bécasse ! Mettez-la dans votre carnier, et reprenez votre ligne, à vingt mètres de la falaise. »

Cette adresse, ce sang-froid, cette maîtrise échauffèrent mon enthousiasme : l'oncle Jules venait de confirmer, en plein soleil, l'exactitude de ses récits de chasse. Je sentis fondre ma rancune, et mon désir de le scalper : un Buffalo Bill a tous les droits, et je bombai puissamment ma poitrine à la pensée que j'étais son neveu.

Ils continuèrent leur marche : mais comme ils avaient dépassé mon observatoire, je me retirai avec précaution, et sur l'immense plateau de garrigue, je décrivis un nouvel arc de cercle, afin de les dépasser à mon tour. Le soleil étincelait, à deux mètres au-dessus de l'horizon, et je courais dans l'odeur des lavandes matinales que j'écrasais au passage.

Quand il me sembla que j'étais plus loin qu'eux, je rabattis ma course vers la barre : mais tout à coup, je vis courir devant moi une sorte de poulet doré, qui avait des taches rouges à la naissance de la queue. L'émotion me paralysa : un perdreau ! C'était un perdreau !... Il filait aussi vite qu'un rat, et disparut dans un cade énorme. Aveuglément, je m'élançai à travers ces rameaux sans épines. Mais des plumes rouges couraient déjà de l'autre côté, car le poulet n'était pas seul : j'en vis deux autres, puis quatre, puis une dizaine... J'obliquai alors vers ma droite, pour les forcer à fuir vers la barre,

et cette manœuvre réussit ; mais ils ne prirent pas leur vol, comme si ma présence désarmée n'exigeait pas les grands moyens. Alors, je ramassai des pierres et je les lançai devant moi : un bruit énorme, pareil à celui d'une benne de tôle qui vide un chargement de pierres, me terrorisa ; pendant une seconde, j'attendis l'apparition d'un monstre, puis je compris que c'était l'essor de la compagnie, qui fila vers la barre, et plongea dans le vallon.

Comme j'arrivais au bord de l'à-pic, deux détonations presque simultanées retentirent. Je vis mon père, qui venait de tirer, et qui suivait du regard le vol plané des belles perdrix... Mais toutes glissaient dans l'air du matin, sans le moindre frémissement...

C'est alors que, d'une grande touffe de genêts, surgit le béret, qui était surmonté d'un fusil. Il tira posément : la première perdrix bascula sur la gauche, et tomba, décrochée du ciel. Les autres firent un crochet vers la droite : le fusil décrivit un quart de cercle, et le second coup retentit : une autre perdrix parut exploser, et s'abattit presque à la verticale. A voix basse, je criai de joie... Les deux chasseurs, après quelques recherches, ramassèrent les victimes, qui étaient à 50 mètres l'une de l'autre, et les brandirent à bout de bras. Mon père criait : « Bravo ! » Mais pendant qu'il mettait la perdrix dans son carnier, je le vis faire un petit saut sur place, et retirer fébrilement les douilles vides de son fusil : un beau lièvre, qui venait de lui passer entre les jambes, n'attendit pas la fin de l'opération et s'enfonça dans la broussaille, la queue en l'air et les oreilles droites... L'oncle Jules levait les bras au ciel :

« Malheurreux ! il fallait recharrger tout de suite ! Dès qu'on a tirré, on rrecharrge !!! »

Mon père, navré, ouvrit des bras de crucifié, et rrecharrgea trristement.

Pendant toute l'affaire, j'étais debout au bord de la barre mais les chasseurs, hypnotisés par les perdrix, ne m'avaient

pas vu. Je compris soudain mon imprudence, et quelques pas en arrière me cachèrent de nouveau.

J'étais consterné par notre échec, qui prit pour moi les proportions d'une catastrophe. Il avait manqué deux fois le « coup du roi », et ce lièvre, pour se moquer de lui, l'avait forcé à battre un petit entrechat avant de lui montrer son derrière. C'était d'un comique navrant.

Je lui cherchai aussitôt des excuses : comme il était juste sous la barre, il n'avait pas eu le temps de voir venir les perdreaux, tandis que l'oncle Jules avait pu tirer comme à l'exercice.

D'autre part, il ne connaissait pas encore son fusil et l'oncle Jules avait bien dit que c'était le plus important... Enfin, c'était sa première sortie, sa première émotion de chasse, et c'est pourquoi il n'avait pas pensé à « rrecharr-ger ». Mais en fin de compte, je fus bien forcé de reconnaître que cet épisode justifiait toutes mes craintes : je résolus de ne jamais en parler à personne, et surtout pas à lui.

Qu'allait-il se passer maintenant ? Allait-il réussir un coup honorable ? Lui, mon père, maître d'école, examinateur au Certificat, qui tirait si bien aux boules, et qui jouait souvent aux dames contre l'illustre Raphaël devant un cercle de connaisseurs, allait-il rentrer *bredouille*, tandis que l'oncle Jules serait tapissé de perdrix et de lièvres comme la devanture d'un magasin ? Non, non ! cela ne serait pas : je le suivrais toute la journée, et je lui enverrais tant de volatiles, et de lapins, et de lièvres, qu'il finirait bien par en tuer un !

J'avais fait ces réflexions, adossé à un pin où les petites cigales noires des collines, dans le parfum de la résine chaude, sciaient des roseaux bien secs, et je mâchais nerveusement une brindille de romarin. Je repris ma route, pensif, les mains dans les poches, la tête basse. Un coup de fusil, assourdi par la distance, me tira de mes réflexions. Je courus vers le bord de la barre. Les chasseurs étaient déjà loin : ils arrivaient au bout du vallon, qui débouchait sur une grande

plaine rocheuse… Je courus pour les rattraper : mais je les vis tourner sur la droite, et disparaître dans une pinède, derrière la base du Taoumé, qui se dressait maintenant devant moi.

Je décidai de descendre au fond du vallon, et de suivre leurs traces… Mais la barre avait bien cent mètres à pic, et je ne voyais aucune cheminée. Je pensai alors à revenir sur mes pas, pour retrouver le chemin qu'ils avaient pris quand je les avais quittés : mais nous avions marché plus d'une heure. Je calculai qu'il me faudrait au moins vingt minutes pour revenir — au pas de course — jusqu'à mon point de départ. J'aurais ensuite à remonter tout le vallon, où il me serait difficile de courir, à cause des genêts épineux qui s'élevaient plus haut que ma tête ; soit une bonne demi-heure. Et pendant tout ce temps, où seraient-ils allés ? Je m'assis sur une pierre, pour réfléchir à la situation.

Fallait-il donc, tout bêtement, rentrer à la maison ? J'y perdrais sans aucun doute la considération de Paul, et ma mère me consolerait avec une tendresse humiliante. Il me resterait cependant la gloire d'une tentative courageuse, et d'un retour périlleux qu'un récit pourrait embellir. Mais avais-je le droit d'abandonner Joseph, seul avec son fusil ridicule, derrière ses lunettes de myope, pour lutter contre le roi des chasseurs ? Non. Cette trahison serait pire que la sienne.

Le problème était donc de les rejoindre… N'allais-je pas me perdre dans ces solitudes ?

Mais je repoussai en ricanant cette crainte enfantine : il n'y avait qu'à garder le sang-froid de la détermination d'un vrai Comanche. Puisqu'ils avaient contourné le pic par la base, en allant de gauche à droite, je les rencontrerais forcément si je marchais tout droit devant moi. J'examinai la masse du Taoumé. Elle était considérable, et la distance à parcourir serait sans doute assez longue. Je décidai de ménager mes forces, en adoptant le trot léger des Indiens : les coudes au corps, les mains croisées sur la poitrine, les épaules en

arrière, la tête baissée. Courir sur la pointe des pieds. Un arrêt tous les cent mètres, pour écouter les bruits de la forêt, et faire trois inspirations calmes et profondes.

Avec une détermination tout à fait indienne, je pris le départ.

LA pente qui montait devant moi était maintenant à peine sensible. Le sol n'était qu'une immense dalle de calcaire bleuté, sillonnée de fentes toutes brodées de thym, de rue et d'aspic... De temps à autre, sortant de la pierre nue, un cade gothique ou un pin, dont le tronc, épais et noueux, contrastait avec la petite taille de l'arbre, qui n'était guère plus grand que moi : on voyait que cet affamé soutenait depuis des années une lutte farouche contre la dure pierre, et qu'une seule goutte de sève devait lui coûter des jours de patience. A ma gauche, le sommet du Taoumé, à force d'avoir trempé dans le ciel, était d'un bleu pâle, un bleu de lessive, et je trottais vers son épaule gauche, à travers un air vaporeux que la chaleur faisait danser. Tous les cent mètres, selon *le rite* indien, je m'arrêtais et je gonflais ma poitrine trois fois.

Au bout de vingt minutes, j'arrivai sous le pic, et le paysage changea. Le plateau rocheux était coupé par l'amorce d'un ravin sauvage : entre les blocs éboulés, de grands pins et de hautes broussailles. J'en atteignis facilement le fond, mais il me fut impossible de franchir la barre opposée : la distance m'avait trompé sur sa hauteur ; je suivis donc le pied de la falaise, sûr que j'étais d'y trouver une cheminée.

Le trot du chef indien fut alors ralenti par les rideaux de clématites et les enchevêtrements de térébinthes. Les petites feuilles du chêne-kermès, qui portent, sur leurs bords, quatre piquants symétriques, se glissaient dans mes espadrilles, dont le côté bâille un peu quand on marche sur la pointe des pieds : je m'arrêtais de temps à autre pour me déchausser, et je les vidais en battant le rocher.

A chaque instant, des oiseaux s'envolaient sous mes pas, ou sur ma tête... Autour de moi, je ne pouvais voir à plus de dix mètres. Les arbres, les fourrés, et les deux parois de la gorge me cachaient le reste de l'univers.

Je commençai à être vaguement inquiet : c'est pourquoi je pris, dans ma musette, le redoutable couteau pointu, dont je serrai fortement le manche dans mon poing.

L'air était calme, et les puissantes odeurs de la colline, comme une invisible fumée, emplissaient le fond du ravin. Le thym, l'aspic, le romarin verdissaient l'odeur dorée de la résine, dont les longues larmes immobiles brillaient dans l'ombre claire sur les écorces noires ; je marchais sans le moindre bruit dans le silence de la solitude, quand des sons effrayants éclatèrent à quelques pas de moi.

C'était une cacophonie de trompettes éperdues, de sanglots déchirants, de cris désespérés. Ces sons mystérieux étaient d'une intensité de cauchemar, et les échos successifs de la gorge les amplifiaient en les multipliant.

Je demeurai figé sur place, tout tremblant, glacé de peur. Le tintamarre s'arrêta soudain, dans un silence immobile, qui me parut plus terrible encore. A ce moment, derrière moi, en haut de la barre, la course d'un lapin fit rouler une pierre : elle tomba sur un clapier de cailloux bleus, qui formait un éventail, sur la pente raide d'une sorte de balcon. Le clapier se mit en marche, dans un bruit de grêle et de désastre, et coula jusqu'à mes talons submergés. Alors le malheureux chef comanche bondit comme une bête surprise, et se trouva tout à coup accroché au milieu d'un pin, dont je

serrai le tronc contre mon cœur, comme si c'eût été ma mère. Je respirai profondément, j'écoutai le silence. J'aurais aimé entendre une cigale — il n'y en avait pas.

Autour de moi, les ramures étaient impénétrables. Je voyais, en bas, sur les ramilles sèches, briller la lame de mon couteau.

Je me préparais à descendre sans faire de bruit, lorsque la menaçante cacophonie éclata de nouveau, plus violente que la première fois. Pris d'une peur panique, je montai presque au sommet du pin, sans pouvoir contenir de faibles gémissements... Et tout à coup je vis, sur les plus hautes branches d'un chêne mort, une dizaine d'oiseaux étincelants : leurs ailes étaient d'un bleu très vif, coupé par deux raies blanches. Le col et le croupion, d'un beige clair, précédaient une queue noire et bleue, et le bec était jaune canari. Sans motif aucun, et comme pour le plaisir, la tête rejetée en arrière, ils hurlaient, criaient, gémissaient, miaulaient, avec une puissance démoniaque. La colère fit place à la peur. Je me laissai glisser jusqu'au pied du pin. Je ramassai mon couteau, puis une excellente pierre plate, et je courus vers l'arbre de ces aliénés. Mais au bruit de ma course, toute la bande prit son vol, et transporta dans un pin, en haut de la barre, son ridicule charivari.

Je m'assis sur le gravier brûlant, sous prétexte de vider, une fois de plus, mes espadrilles, mais en réalité pour me remettre de ces émotions, et je croquai une barre de chocolat.

J'écoutai longuement la colline : je n'entendis qu'un silence de mort. Quoi ? Pas un seul chasseur le jour de l'ouverture ? Je devais apprendre plus tard que les gens du pays ne sortaient jamais ce jour-là : comme ils eussent rougi de prendre un « permis » pour chasser sur des terres qui étaient leur patrie, ils craignaient le zèle des gendarmes d'Aubagne, que l'ouverture excitait particulièrement.

Je regardai derrière moi, pour mesurer le chemin parcouru, et je vis, là-haut, dans le ciel, une montagne inconnue,

dont le sommet rocheux s'allongeait sur au moins cinq cents mètres. C'était le Taoumé, mais comme je n'avais jamais vu que sa face, je ne le reconnus pas. Ainsi le premier astronome qui verra l'autre côté de la lune cataloguera un astre nouveau.

Je fus d'abord perplexe, puis inquiet. Je regardai encore, et de tous côtés. Je ne vis aucun repère : je décidai alors de retourner à la maison, ou plutôt vers la maison : car, pour sauver la face, je ne me montrerais pas. J'attendrais, à la lisière des pinèdes, le retour des chasseurs, et je rentrerais avec eux.

Je revins donc sur mes pas, ce qui me paraissait facile : j'avais compté sans la malice des choses.

Les chemins qu'on laisse derrière soi en profitent pour changer de visage. Le sentier, qui partait vers la droite, a changé d'idée : au retour, il s'en va vers la gauche... Il descendait par une pente douce : le voilà qui monte comme un remblai, et les arbres jouent aux quatre coins.

Cependant, comme j'étais au fond d'une gorge, le doute n'était pas permis : il suffisait de faire demi-tour, et de remonter le ravin, sans tenir compte de cette sorcellerie.

Mon couteau à la main, je revins sur mes pas. En bon Comanche, je cherchai mes traces : une empreinte, une pierre déplacée, une branche brisée. Je ne vis rien, et je pensai à la merveilleuse intelligence du Petit Poucet, génial inventeur de la piste préfabriquée : il était bien trop tard pour l'imiter.

J'arrivai soudain à une sorte de carrefour : le val se divisait en trois gorges qui remontaient en pied de poule jusqu'au flanc du mystérieux sommet... Je n'avais pas vu, à la descente, les deux autres... Comment cela s'était-il fait ? Je réfléchis, tout en regardant tour à tour chacune des trois branches... Je compris tout à coup : les broussailles étaient plus hautes que moi ; à la descente, regardant tout droit devant moi, je n'avais vu que le ravin que je suivais, et qui était, comme je l'ai dit, assez tortueux. Mais où était ma

route ? J'aurais dû raisonner et comprendre que j'étais descendu dans le premier ravin à ma gauche, puisque, sur le plateau, je n'avais traversé aucun des deux autres. Mais le malheureux chef comanche acheva de perdre le Nord : il tomba assis par terre, et se mit à pleurer.

Cependant, je compris bien vite l'inutilité honteuse de ce désespoir : il fallait faire quelque chose, il fallait agir rapidement, comme un homme. Et d'abord, reprendre des forces, car, malgré l'incroyable dureté de mes mollets, je ressentais une très inquiétante fatigue.

A l'entrée de l'un des ravins, se dressait une yeuse à sept ou huit troncs, disposés en cercle, et ses ramures d'un vert sombre surgissaient d'un îlot de broussailles, où les déchirants argéras se mêlaient aux chênes-kermès. Cette masse de verdure épineuse paraissait impénétrable ; mais je baptisai mon couteau « machette », et j'entrepris de me frayer un passage.

Après un bon quart d'heure d'efforts, et mille piqûres fiévreuses, je franchis enfin le cercle défensif : je découvris, au milieu des troncs, un grand rond de « baouco ». Je m'y installai, avec un sentiment réconfortant de sécurité : j'étais invisible, et d'autre part, je notai que l'un des troncs permettait une escalade facile : avantage inappréciable en cas de sanglier blessé. Je m'étendis sur le dos dans l'herbe douce, les mains croisées sous ma nuque. Au centre de l'yeuse, il y avait un grand rond de ciel : au beau milieu, un oiseau de proie, presque immobile, surveillait le paysage.

Je pensai que ce vautour — ou ce condor — voyait en ce moment même mon père et mon oncle en train de faire griller leurs côtelettes sur de la braise de romarin, car le soleil était au zénith.

Après un repos de quelques minutes, j'ouvris ma musette, et je mangeai, de grand appétit, mon pain et mon chocolat. Mais je n'avais rien apporté pour boire, et ma gorge était bien sèche.

J'eus bonne envie de dévorer l'orange. Mais un Comanche sait prévoir le mauvais sort, et je la remis dans mon sac, car j'avais à ma disposition une autre ressource : je savais — par Gustave Aymard — qu'il suffisait de sucer un caillou pour ressentir une impression de fraîcheur délicieuse. La nature prévoyante, dans cette contrée privée de sources, n'avait pas épargné les cailloux. J'en choisis un tout rond, bien lisse, et gros comme un pois chiche, et je le plaçai, selon la technique, sous ma langue...

Le ravin de droite montait vers le ciel ; je vis qu'à deux cents mètres devant moi, il s'arrêtait devant un éboulis en pente douce, qui me permettrait de monter sans doute sur un plateau : je pourrais enfin voir l'ensemble du paysage, peut-être le village, peut-être ma maison. Je repris aussitôt confiance, et je me mis en marche d'un pas léger.

CE ravin était, comme l'autre, hérissé de broussailles, mais le cade et le romarin y dominaient. Ces plantes paraissaient beaucoup plus vieilles que celles que j'avais vues jusqu'ici ; je pus admirer un cade si large et si haut qu'il avait l'air d'une petite chapelle gothique, et des romarins bien plus grands que moi. Peu de vie, dans ce désert : une cigale des pins qui chantait assez mollement, et trois ou quatre petites mouches, d'un bleu d'azur, qui me suivirent, infatigables, en bourdonnant comme de grandes personnes.

Soudain, une ombre passa sur le taillis. Je levai la tête, et je vis le condor. Il était descendu du zénith, et il planait majestueusement : l'envergure de ses ailes me parut deux fois plus grande que celle de mes bras. Il s'éloigna, sur ma gauche. Je pensai qu'il était venu par curiosité pure, pour jeter un coup d'œil sur l'intrus qui osait pénétrer dans son royaume. Mais je le vis prendre un large virage en passant derrière moi et revenir sur ma droite : je constatai alors avec terreur qu'il décrivait un cercle dont j'étais le centre, et que ce cercle descendait peu à peu vers moi !

Alors, je pensai au vautour affamé qui suivit un jour, à travers la savane, le Chercheur de Pistes blessé, et sur le point de mourir de soif. « Ces féroces créatures suivent pendant des jours entiers le voyageur à bout de forces, et savent

attendre patiemment sa dernière chute, pour arracher des lambeaux sanglants de sa chair encore palpitante. »

Je saisis alors mon couteau — que j'avais eu l'imprudence de remettre dans ma musette — et je l'aiguisai ostensiblement sur une pierre. Il me sembla que le cercle de la mort cessait de descendre. Puis, pour montrer à la bête féroce que je n'étais pas à bout de forces, j'exécutai une danse sauvage, terminée par de grands éclats de rire sarcastiques, si bien répercutés par les échos du ravin qu'ils m'effrayèrent moi-même... Mais cet arracheur de lambeaux sanglants n'en parut pas intimidé, et reprit sa descente fatale. Je cherchai des yeux — ces yeux qu'il devait crever de son bec recourbé — un refuge : ô bonheur ! A vingt mètres sur ma droite, une ogive s'ouvrait dans la paroi rocheuse. Je dressai mon couteau la pointe en l'air, et criant des menaces d'une voix étranglée, je me dirigeai vers l'abri de la dernière chance... Je marchais tout droit devant moi, à travers les cades et les romarins, les mollets déchirés par les petits kermès, dans le gravier des garrigues qui roulait sous mes pieds... L'abri n'était plus qu'à dix pas : hélas, trop tard ! Le meurtrier venait de s'immobiliser, à vingt ou trente mètres au-dessus de ma tête : je voyais frémir ses ailes immenses, son cou était tendu vers moi... Soudain, il plongea, à la vitesse d'une pierre qui tombe. Fou de peur, et mes yeux cachés derrière mon bras, je me lançai à plat ventre sous un gros cade, avec un hurlement de désespoir. Au même instant retentit un bruit terrible, le bruit roulant d'un tombereau qui se décharge : une compagnie de perdrix s'envolait, épouvantée, à dix mètres devant moi, et je vis remonter l'oiseau de proie : d'un vol ample et puissant, il emportait dans ses serres une perdrix tressaillante, qui laissait couler dans le ciel une traînée de plumes désespérées.

Je contins à grand-peine quelques sanglots nerveux, que le Cœur Loyal eût blâmés, et quoique le danger fût passé, j'allai me réfugier dans l'abri, pour essayer d'y retrouver mon sang-froid.

C'était une crevasse en forme de tente, à peine plus haute que moi, et large d'environ deux pas. Je donnai quelques coups de pied dans la baouco qui tapissait le sol, puis, assis contre la paroi, j'examinai la situation.

Je compris d'abord que le vautour n'avait jamais eu l'intention de m'attaquer, mais qu'il suivait les perdrix : ces malheureux volatiles avaient fui longuement devant moi, sans oser prendre leur essor, à cause du meurtrier volant, qui les attendait à la sortie... Cette théorie me rassura sur la suite des événements : le vautour ne reviendrait plus.

Je me félicitai ensuite d'avoir choisi, pour calmer ma soif, un caillou bien lisse et bien rond, car je constatai que, dans mon désarroi, je l'avais avalé.

La peau de ma joue droite me « tirait ». J'y portai la main, pour la frictionner, mais ma paume y resta collée : en m'appuyant contre le pin quand les oiseaux bleus m'avaient fait peur, je l'avais enduite de résine. Je savais, par expérience, que si l'on ne disposait pas d'huile ou de beurre, il n'y avait rien à faire, qu'à supporter ces tiraillements, et cette sensation d'avoir une joue en carton. Mais quand on a choisi l'état de Comanche, d'aussi petites misères ne devraient même pas être mentionnées.

L'état de mes mollets était plus inquiétant. Ils étaient striés de longues raies rouges, qui se croisaient comme les fils d'un grillage, et un grand nombre de fines épines y étaient encore plantées. Patiemment, je les arrachai l'une après l'autre, entre deux ongles. Puis, comme tant de petites blessures me brûlaient, j'allai cueillir quelques plantes : chacun sait que les plantes des collines cicatrisent rapidement les plaies... Je dus sans doute me tromper de plantes, car après une bonne friction avec du thym et du romarin, je ressentis de si vives brûlures que je me mis à danser, en poussant des cris de douleur... Pour me réconforter, je mangeai aussitôt la moitié de l'orange, ce qui me fit le plus grand bien.

Je tentai alors de monter sur le plateau, mais l'ascension de

l'éboulis final fut plus difficile que je ne pensais, et je découvris que les éboulis ont une tendance naturelle à s'ébouler : lorsque j'arrivais presque au sommet, en avançant à quatre pattes, je repartais en arrière, sur un tapis roulant de cailloux. J'allais désespérer de mon succès final, lorsque je découvris une cheminée praticable, un peu étroite pour un homme, mais faite pour moi.

J'arrivai enfin sur le plateau. Il était immense et fort pauvrement boisé : toujours des kermès, des romarins, des cades, du thym, de la rue, des lavandes. Toujours les petits pins au tronc noué, penchés dans le sens du mistral, et les grandes dalles de pierres bleues. Je fis le tour de l'horizon : j'étais entouré de collines, cernées elles-mêmes par un cercle lointain de montagnes que je ne connaissais pas. La situation était grave.

JE décidai qu'il fallait d'abord m'orienter. Mon père m'avait dit cent fois : « Si tu regardes le levant, bien en face, le couchant est derrière toi. A ta gauche, tu as le Nord, à ta droite, le Midi. C'est simple comme bonjour ! »

Eh oui, très simple. Mais où était le levant ? Je regardai le soleil. Il avait quitté le milieu du ciel, et comme je savais que midi était passé, je fus assez content d'avoir découvert le couchant.

Je lui tournai donc le dos, j'étendis les bras, et j'affirmai à haute voix : « A ma droite le Midi. A ma gauche le Nord. »

Après quoi, je m'aperçus que, faute d'un point de repère, cette merveilleuse connaissance ne pouvait me servir à rien. Dans quelle direction était ma maison ? Ces maudits ravins m'avaient fait faire un grand nombre de détours... Je fus absolument découragé, et d'un découragement si profond et si désespéré que je décidai de jouer à autre chose.

Je commençai par lancer des pierres, à la façon des bergers, en frappant mon poignet contre ma hanche. Sur ce plateau, il y avait un choix merveilleux de cailloux minces, parfaitement plats, et de toutes les dimensions. Ils filaient dans les airs en tournant sur eux-mêmes avec une aisance prodigieuse. A mesure que je mettais au point ma technique, ils volaient de plus en plus loin. Le dixième frappa un cade,

d'où surgit un admirable lézard vert, qui était aussi long que
mon bras... Il fila comme une longue émeraude et disparut
dans un bouquet de genévriers... Je courus, une pierre dans
chaque main. Pour effrayer le lézard, je lançai la première.
Au même instant, je vis jaillir de la verdure compacte une
extraordinaire créature, grosse comme un rat des champs,
qui fit un bond d'au moins cinq mètres, pour retomber sur
une grande table de roches : elle n'y resta pas le quart d'une
seconde, mais j'eus le temps de voir qu'elle était faite comme
un minuscule kangourou : ses pattes de derrière, d'une
longueur démesurée, étaient noires et lisses comme des pattes
de poule, tandis que son corps était habillé d'une fourrure
beige, et surmonté de petites oreilles droites. Je reconnus une
gerboise, car l'oncle Jules m'en avait fait la description. Elle
jaillit de nouveau, légère comme un oiseau, et gagna en trois
bonds une forêt en miniature de chênes-kermès. J'essayai en
vain de l'y poursuivre : elle n'était plus nulle part, mais
pendant que je la cherchais, je découvris une sorte de hutte
conique, faite de pierres plates, et très ingénieusement
disposées. Chaque rang circulaire avançait vers le centre, de
la largeur d'un doigt, si bien qu'au sommet, les cercles
diminués à chaque étage finissaient par se rejoindre. Le
dernier laissait un vide grand comme une assiette, qui était
couvert d'une belle pierre plate. La vue de ce refuge me
rappela ma triste situation : le soleil descendait vers l'hori-
zon, et cette hutte de berger me sauverait peut-être la vie...

Je n'y entrai pas tout de suite : chacun sait que dans la
prairie, une cabane abandonnée cache parfois le Sioux ou
l'Apache, dont le tomahawk est dressé dans l'ombre, prêt à
fendre le crâne du voyageur trop confiant... D'autre part, je
pouvais y trouver un serpent, des araignées venimeuses ou le
scorpion géant des sables, qui vous saute au visage en
sifflant...

A travers le trou qui servait d'entrée, je plongeai un
rameau de pin, que j'agitai dans tous les sens, en proférant

quelques menaces. Le silence me répondit. Avisant une meurtrière, j'examinai l'intérieur. Il n'y avait rien, si ce n'est une couche d'herbes sèches, sur laquelle un chasseur avait dû dormir.

Je me glissai dans la hutte, que je trouvai fraîche et sûre. Là, du moins, je pourrais passer la nuit à l'abri des fauves nocturnes, tels que le puma ou le léopard, mais je constatai avec inquiétude que le trou d'entrée n'avait pas de porte !... J'eus aussitôt l'idée de réunir un bon nombre de pierres plates et de le boucher par un petit mur, quand l'heure serait venue de me réfugier dans ma forteresse. J'abandonnai donc mon rôle de trappeur, et mon astuce de Comanche, et j'eus aussitôt la courageuse patience de Robinson.

Première déconvenue : il n'y avait pas une seule pierre plate autour de la hutte. Où donc le berger avait-il trouvé celles qui lui avaient servi ? Je compris dans un éclair de génie qu'il les avait prises là où il n'en restait plus. Je n'avais qu'à chercher plus loin : ce que je fis, avec succès...

Pendant que je transportais ces matériaux — qui m'écorchaient les mains — je pensais : « Pour le moment, personne n'a d'inquiétude. Les chasseurs me croient à la maison, et ma mère me croit avec eux... Mais quand ils vont rentrer, quelle catastrophe ! Maman va peut-être s'évanouir ! En tout cas, elle va pleurer. »

Sur quoi je me mis à pleurer moi-même, tout en serrant sur mon ventre écrasé une pierre parfaitement plate, mais qui pesait autant que moi.

J'aurais bien voulu, comme Robinson, « adresser au Ciel une fervente prière », pour obtenir l'appui de la Providence. Mais des prières, je n'en savais pas. Et puis, la Providence — qui n'existe pas, mais qui sait tout — n'avait que fort peu de raisons de s'intéresser à moi.

Cependant, j'avais entendu dire : « Aide-toi, le Ciel t'aidera. » Je pensai donc que mon courage valait une prière et je continuai, tout en pleurant, mes transports. « Ce qui est

sûr », pensai-je, « c'est qu'ils vont se mettre à ma recherche... Ils alerteront les paysans, et quand la nuit sera tombée, je vais voir monter vers moi un long rang de torches " de bois résineux ". Ce qu'il faudrait, ce serait que je puisse allumer un feu, " sur le plus haut rocher de la montagne " ».

Par malheur, je n'avais pas d'allumettes. Quant au procédé indien, qui réussit, sans la moindre difficulté, à faire flamber de la mousse sèche par le simple frottement de deux morceaux de bois, j'avais essayé plusieurs fois de le mettre en pratique : même avec l'aide de Paul — qui s'époumonait à souffler — je n'avais jamais pu obtenir la moindre étincelle : j'avais considéré mon insuccès comme définitif, parce que dû au manque d'un bois spécialement américain, ou d'une espèce particulière de mousse. La nuit serait donc noire et terrible, peut-être la dernière de ma vie ?

Voilà où m'avaient mené ma désobéissance et la félonie de l'oncle Jules.

Alors me revint en mémoire une phrase que mon père répétait souvent, et qu'il m'avait fait copier plusieurs fois quand il me donnait des leçons d'écriture (cursive, ronde, bâtarde) : « Il n'est pas besoin d'espérer pour entreprendre ni de réussir pour persévérer. »

Il m'en avait longuement expliqué le sens, et m'avait dit que c'était la plus belle phrase de la langue française.

Je la répétai plusieurs fois, et comme par une formule magique, je sentis que je devenais un petit homme. J'eus honte d'avoir pleuré, honte d'avoir désespéré.

Je m'étais perdu dans la colline : la belle affaire ! Depuis mon départ de la maison, j'avais presque toujours monté des pentes assez raides. Je n'avais qu'à redescendre, et je trouverais certainement un village, ou du moins une route civilisée.

Je mangeai gravement la seconde moitié de l'orange, puis, les mollets brûlants et les pieds meurtris, je m'élançai au pas de course sur la faible pente du plateau.

Je me répétais la phrase magique, et je bondissais par-dessus les cades et les genévriers. Sur ma droite, le soleil commençait à rougeoyer, derrière des écharpes de nuages, comme sur les boîtes de confiseries que donnent les tantes à la Noël.

Je courus ainsi plus d'un quart d'heure, d'abord léger comme une gerboise, puis comme une chèvre, puis comme un veau, et je m'arrêtai pour reprendre haleine. En me retournant, je constatai que j'avais parcouru au moins un kilomètre, et que je ne voyais plus les trois ravins, engloutis dans l'immense plateau.

En revanche, du côté du couchant, il me sembla distinguer la rive opposée d'un vallon. Je m'approchai d'un pas de promeneur, pour économiser mes forces avant de reprendre ma course.

Oui, c'était bien un vallon, qui se creusait à mesure que je m'approchais. Peut-être était-ce celui du matin ?

Les deux mains en avant, j'écartais les térébinthes, et les genêts, qui étaient aussi grands que moi... J'étais encore à cinquante pas du bord de la barre, lorsqu'une détonation retentit, puis, deux secondes plus tard, une autre ! Le son venait d'en bas : je m'élançai, bouleversé de joie, lorsqu'un vol de très gros oiseaux, jaillissant du vallon, piqua droit sur moi... Mais le chef de la troupe chavira soudain, ferma ses ailes et, traversant un grand genévrier, vint frapper lourdement le sol. Je me penchais pour le saisir, quand je fus à demi assommé par un choc violent qui me jeta sur les genoux : un autre oiseau venait de me tomber sur le crâne, et je fus un instant ébloui. Je frottai vigoureusement ma tête bourdonnante : je vis ma main rouge de sang. Je crus que c'était le mien, et j'allais fondre en larmes, lorsque je constatai que les volatiles étaient eux-mêmes ensanglantés, ce qui me rassura aussitôt.

Je les pris tous deux par les pattes, qui tremblaient encore du frémissement de l'agonie.

C'étaient des perdrix, mais leur poids me surprit : elles étaient aussi grandes que des coqs de basse-cour, et j'avais beau hausser les bras, leurs becs rouges touchaient encore le gravier.

Alors, mon cœur sauta dans ma poitrine : des bartavelles ! des perdrix royales ! Je les emportai vers le bord de la barre — c'était peut-être un doublé de l'oncle Jules ?

Mais, même si ce n'était pas lui, le chasseur qui devait les chercher me ferait sûrement grand accueil, et me ramènerait à la maison : j'étais sauvé !

Comme je traversais péniblement un fourré d'argéras, j'entendis une voix sonore, qui faisait rouler les R aux échos : c'était celle de l'oncle Jules, voix du salut, voix de la Providence !

A travers les branches, je le vis. Le vallon, assez large et peu boisé, n'était pas très profond. L'oncle Jules venait de la rive d'en face, et il criait, sur un ton de mauvaise humeur :

« Mais non, Joseph, mais non ! Il ne fallait pas tirrer ! Elles venaient vers moi ! C'est vos coups de fusil pour rrien qui les ont détournées ! »

J'entendis alors la voix de mon père, que je ne pouvais pas voir, car il devait être sous la barre :

« J'étais à bonne portée, et je crois bien que j'en ai touché une !

— Allons donc, répliqua l'oncle Jules avec mépris. Vous auriez pu peut-être en toucher une, si vous les aviez laissé passer ! Mais vous avez eu la prétention de faire le " coup du roi " et en doublé ! Vous en avez déjà manqué un ce matin, sur des perdrix qui voulaient se suicider, et vous l'essayez encore sur des bartavelles, et des bartavelles qui venaient vers moi !

— J'avoue que je me suis un peu pressé, dit mon père, d'une voix coupable... Mais pourtant...

— Pourtant, dit l'oncle d'un ton tranchant, vous avez bel et bien manqué des perdrix royales, aussi grandes que des

cerfs-volants, avec un arrosoir qui couvrirait un drap de lit. Le plus triste, c'est que cette occasion unique, nous ne la retrouverons jamais ! Et si vous m'aviez laissé faire, elles seraient dans notre carnier !

— Je le reconnais, j'ai eu tort, dit mon père. Pourtant, j'ai vu voler des plumes...

— Moi aussi, ricana l'oncle Jules, j'ai vu voler de belles plumes, qui emportaient les bartavelles à soixante à l'heure, jusqu'en haut de la barre, où elles doivent se foutre de nous ! »

Je m'étais approché, et je voyais le pauvre Joseph. Sous sa casquette de travers, il mâchonnait nerveusement une tige de romarin, et hochait une triste figure. Alors, je bondis sur la pointe d'un cap de roches, qui s'avançait au-dessus du vallon et, le corps tendu comme un arc, je criai de toutes mes forces : « Il les a tuées ! Toutes les deux ! Il les a tuées ! »

Et dans mes petits poings sanglants d'où pendaient quatre ailes dorées, je haussais vers le ciel la gloire de mon père en face du soleil couchant.

LE porteur d'une bonne nouvelle, fût-il un criminel, n'est jamais mal reçu.

Mon père me regardait d'en bas, avec un radieux sourire. Il ne dit pas autre chose que : « Toutes les deux, Jules, toutes les deux ! »

Puis, prenant soudain conscience de la situation il s'écria : « Qu'est-ce que tu fais là ? »

Mais sa voix n'exprimait qu'une surprise heureuse.

Je lançai les oiseaux, l'un après l'autre, aux pieds du vainqueur, et je me laissai glisser dans une cheminée. En touchant le sol du vallon, je fis un petit bond de côté, car une grêle de cailloux m'avait suivi.

Cependant, mon père admirait ses oiseaux, et d'une main tremblante il cherchait la place des coups mortels.

L'oncle Jules me demanda sévèrement :

« Qu'est-ce que tu faisais, si loin de la maison, à six heures du soir ? Tu ne sais pas que tu pouvais te perdre ?

— Et justement, je me suis perdu, dis-je... Je vais tout vous raconter. Mais d'abord, il faut me faire boire : je meurs de soif depuis ce matin...

— Comment ? s'écria mon père. Tu n'as pas déjeuné à la maison ?

— Non Je vous ai suivis de loin. Je t'expliquerai, mais

fais-moi boire. J'ai la langue gonflée... Ça m'empêche de parler...

— Il n'y a plus que du vin blanc », dit l'oncle.

Et il emplit un petit gobelet.

« Juste une gorgée, dit mon père. Tu boiras à la maison... »

J'obéis, puis je racontai mon odyssée. Je leur appris, avec fierté, que c'était moi qui leur avais rabattu les premières perdrix.

« J'avais compris, dit l'oncle, qu'il y avait quelqu'un là-haut. Mais je croyais que c'était un chasseur... Ta désobéissance nous a donc servi à quelque chose, je ne t'approuve pas, mais je dois le reconnaître.

— Et les bartavelles ! dit mon père qui soufflait dans leurs plumes pour admirer leur chair. Sans lui, nous ne les aurions jamais retrouvées, ni même cherchées. Et moi, je rentrais bredouille et déshonoré !

— Je vous aurais attribué les merles, dit généreusement mon oncle.

— Ce n'aurait été qu'un mensonge !

— Bah ! dit l'oncle Jules, un mensonge de chasseur, ça ne mérite pas d'être avoué en confession ! »

Nous étions assis tous les trois sur de grosses pierres.

« Qu'est-ce que tu as sur la figure ? demanda brusquement mon père, comme s'il sortait d'un rêve.

— Ce n'est rien : c'est de la résine. »

Alors, je racontai mon départ silencieux, le billet laissé pour ma mère, mon intention de les rejoindre au Puits du Mûrier, et le terrible épisode du condor. Mon oncle rapetissa l'oiseau féroce aux proportions d'un épervier, et déclara qu'à l'âge de dix ans, il en avait tué deux à coups de pierre.

Ecœuré, je ne parlai pas de mes craintes, de ma solitude, ni de mon désespoir, et je décidai de réserver ce récit pathétique à ma sensible mère, et à Paul l'attentif.

D'ailleurs, mon père m'écoutait à peine, à cause des

bartavelles : il essuyait le sang qui coulait de leur bec et lissait les longues plumes rouges.

L'oncle se leva soudain.

« Mon cher Joseph, dit-il, je crois qu'il est temps de rentrer : pour ce premier jour, j'en ai plein les pattes ! »

Moi aussi, j'en avais plein les pattes, et j'eus de la peine à me mettre debout.

Mon père me regarda avec tendresse, et caressa mes cheveux ; puis il déchargea son fusil, et me le tendit :

« Prends ça », me dit-il.

C'était une grande récompense, et je pris avec respect l'arme triomphale.

Il ouvrit ensuite son carnier, qui contenait déjà plusieurs pièces de gibier.

« Il n'y a pas la place de les mettre là-dedans, décréta-t-il. Et puis, il serait bien dommage de les abîmer. »

Avec deux bouts de ficelle, il les suspendit par le cou à sa cartouchière, l'une à sa droite, l'autre à sa gauche. Enfin il me présenta son dos, et se baissa, les mains aux genoux.

« Grimpe, crapaud ! »

Le grand fusil en bandoulière, je m'installai sur ses épaules. L'oncle Jules passa devant nous, l'œil et l'oreille aux aguets, pour un dernier exploit possible.

« Peut-être un lièvre », avait-il dit.

Je tremblais qu'il ne réussît, car ce lièvre eût terni l'éclat des bartavelles : mais on ne vit pas la moindre oreille et, au moment où je m'y attendais le moins, en sortant d'une pinède, je découvris un peu plus bas le toit de notre maison. Sur le bord du chemin, les oliviers de mes cigales... Je riais de plaisir, en tenant à poignée les cheveux bouclés de mon père... Comme nous passions devant l'olivier du lierre, un très petit Sioux en sortit brusquement ; il était couronné de plumes, et portait un carquois dans le dos : il nous tira, d'un air farouche, deux coups de pistolet, et s'enfuit vers la maison, en hurlant :

« Maman ! ils ont tué des canards ! »

Sur quoi, ma mère et ma tante, qui cousaient sous le figuier, se levèrent et vinrent vers nous, suivies de « la bonne », et ce fut notre entrée triomphale.

Les trois femmes poussaient de petites exclamations de joie et d'admiration.

Pendant que je descendais du sommet de mon père, Paul, fort adroitement, avait détaché une bartavelle, qu'il porta dans ses bras vers les trois femmes.

Alors la bonne, les mains jointes, et les yeux au ciel, s'écria, pâmée :

« O bonne Mère ! La Perdrix du Roi ! »

Cependant, l'oncle Jules jetait à grand bruit sur la table de la terrasse deux poignées de merles et de grives, cinq ou six perdrix, et deux lapins. Sur quoi mon père vida à son tour son carnier, qui contenait trois perdrix et la bécasse, et il dit :

« Regardez, Rose, c'est Jules qui a tué tout ça !

— Et toi ? demanda ma mère déçue. Tu as tout manqué ?

— Moi, dit-il modestement, je n'ai tué que les bartavelles. »

Et je vis bien qu'ils se réjouissaient dans leur cœur.

Je courus à « la glacière » — une caisse à savon qui contenait un bloc de glace — pour boire frais. J'y trouvai, à côté de la carafe transpirante, deux compotiers pleins de crème fouettée, et je courus embrasser ma mère, qui insista pour me débarbouiller : après quatre savonnages, il fallut de l'huile d'olive (encore me resta-t-il pendant huit jours, sur la joue droite, une grande tache brunâtre, assez répugnante et collante, mais de couleur tout à fait Sioux). Puis, ayant vu le triste état de mes mollets, elle m'installa sur une chaise longue, flamba une aiguille au bout d'une allumette, et commença à extraire les petites épines qui me chatouillaient cruellement. Tandis que Paul suivait de très près l'opération, en poussant à ma place des cris de douleur, je me

laissais faire, inerte et glorieux, comme un guerrier qui revient du combat.

Cependant mon père contait en détail les exploits de l'oncle Jules : son flair de chien de chasse, sa marche silencieuse, la sûreté de son jugement, l'extraordinaire rapidité de son tir et sa meurtrière justesse... L'oncle écoutait, devant sa femme ravie, et ma mère admirative. Au bout de cinq ou six strophes, il fut complètement débartavellisé, et il se mit à chanter la gloire de Joseph : sa nervosité, ses premières maladresses, ses efforts pour se dominer, sa résistance à la fatigue, et enfin, sa merveilleuse inspiration, couronnement d'une belle journée ; il termina par une phrase qui fit briller les yeux noirs de ma mère :

« Un " coup du roi " doublé sur des perdrix royales, exécuté par un débutant, je peux dire qu'on n'a jamais vu ça ! »

Je voulus parler à mon tour, et dire ma propre louange, puisque les chasseurs m'oubliaient : mais tout à coup mes yeux se fermèrent, et je sentis que les doigts de ma mère ouvraient ma main, crispée sur le bras de la chaise longue, puis elle m'emporta vers la maison. J'essayai de protester, au nom de la crème fouettée, mais je n'articulai que de faibles grognements, et la rencontre d'une bondissante gerboise, grande comme un lièvre, et toute blanche, m'entraîna en quatre bonds vers les ravins ombreux du sommeil.

LE lendemain matin, ma mère, sur un coin de la table de la cuisine, rédigeait la « liste » des commissions, c'est-à-dire des achats que mon père devait faire au village.

« Crapaud, me dit-il, prends ta musette, tu vas venir avec moi. La liste est longue, et je serai chargé ! Ce n'est pas pour le poids, c'est pour le volume. J'ai l'intention de prendre mon fusil ; j'ai repéré un épervier qui tourne souvent au-dessus du poulailler de Madame Toffi. Si nous le voyons ce matin, nous lui dirons deux mots en passant ! »

La liste finie, il la lut à haute voix. Cependant ma mère avait sorti les bartavelles du garde-manger et les posa sur la table :

« Que veux-tu faire ? demanda-t-il d'un air inquiet.

— Je vais les plumer, et les vider, et nous les rôtirons ce soir.

— Malheureuse ! Ce n'est pas de la volaille, c'est du *gibier* ! Et quel gibier ! Nous ne les mangerons que demain, car aujourd'hui ce serait un crime ! D'ailleurs, dit-il, il me vient une idée. J'ai bonne envie de les soumettre à l'expertise de Mond des Parpaillouns. Il ne faut jamais perdre une occasion de s'instruire, et ce vieux braconnier en sait certainement plus long que bien des naturalistes. »

Il accrocha les deux oiseaux à sa ceinture, puis il prit son fusil et le mit à la bretelle.

Nous partîmes fort gaiement. Je portais les trois musettes vides, et il marchait devant moi, explorant du regard les oliveraies en escalier qui bordaient la route. Nous vîmes quelques bandes de moineaux, mais le Tueur de Bartavelles dédaigna ces oisillons.

J'étais tout heureux d'être avec lui, et grandement fier de son exploit — mais je m'efforçais de ne pas montrer cette vanité ; je craignais une réprimande.

Un jour, M. Arnaud, qui était un pêcheur passionné, avait pris — à la ligne — une énorme « rascasse » : il avait apporté à l'école une photographie de son exploit.

A cette époque, une photographie était un document remarquable, qui perpétuait le souvenir de la première enfance, du service militaire, d'un mariage ou d'un voyage à l'étranger.

Or, sur une sorte de carte postale, on avait vu M. Arnaud souriant, la poitrine bombée, une gaule dans sa main gauche, le bras droit levé vers le ciel, et tenant — par la queue — l'épineux poisson.

A table, mon père décrivit ce tableau triomphal, et il avait conclu :

« Qu'il soit content d'avoir pris une belle pièce, je veux bien l'admettre, mais se faire photographier *avec un poisson !* Quel manque de dignité ! De tous les vices, la vanité est décidément le plus ridicule ! »

Il ne l'avait pas dit avec violence, mais avec un sourire de pitié, qui avait ruiné mon admiration pour M. Arnaud : c'est pourquoi je considérais que notre visite à Mond des Parpaillouns n'avait d'autre but que scientifique.

Nous arrivâmes devant la petite ferme basse qu'habitait le célèbre Mond. Elle était précédée d'un champ inculte, où deux douzaines d'oliviers, fous de liberté, avaient l'air d'énormes broussailles, car Mond ne les taillait jamais.

Il était à cheval sur un banc, devant sa porte, sous le

mûrier, et trempait, dans un seau de glu, de minces baguettes de bois. Il leva la tête : son épaisse tignasse de cheveux gris se prolongeait en une barbe de crin, blanche d'un côté, mais jaunie de l'autre par un mégot qui pendait au coin de sa bouche.

Ses yeux étaient noirs et perçants, ses mains velues marbrées de taches jaunes.

Il vit les bartavelles, se leva et s'avança, la bouche entrouverte.

« O bonne Mère ! s'écria-t-il, qui c'est qui vous a vendu ça ? »

Mon père fit un petit sourire.

« Ça ne m'a coûté que deux coups de fusil.

— Un doublé ? dit Mond incrédule. Un doublé de bartavelles ?

— Eh oui », dit mon père, et, du bout de l'index, il lissa sa moustache noire.

« Et où ça ?

— Au vallon de Lancelot, juste sous la barre, du côté de Passe-Temps. »

Mond avait pris les deux oiseaux, et les soupesait.

« Le plus étonnant, dit-il, c'est que vous les ayez retrouvées.

— Pourquoi ?

— Parce que ces bêtes-là, même mortes en l'air, ça vole encore cinq ou six cents mètres.

— Le petit était sur la barre. C'est lui qui les a vues tomber.

— Bravo, Pitchounet, me dit Mond. Un de ces jours, je te mènerai chasser avec moi. »

Il énonça, comme une règle de vie :

« Quand on n'a pas de chien, il faut avoir des enfants ! »

Alors, mon père posa mille questions sur les bartavelles, leur origine, leurs mœurs, la difficulté de leur approche, la rapidité de leur vol.

De ces questions, et des réponses du vieux Mond, il ressortit clairement qu'un doublé de bartavelles était un exploit sinon impossible, du moins très rare, et digne d'un « grand fusil ».

Dès que cette vérité fut établie, nous quittâmes Mond — qui commençait à nous raconter ses propres réussites, avec une vanité qui me fit penser à celle de M. Arnaud — et nous descendîmes au village.

Mon père remit « la liste » à l'épicier, dans la petite boutique où se trouvaient déjà cinq ou six clientes. Mais l'épicier, la liste en main, ne regarda que les volatiles et s'écria : « Des coqs de bruyère ! »

Mon père le détrompa, et lui dit quelques mots sur l'existence et les coutumes des bartavelles. L'épicier proposa de les peser : ce que mon père accepta de bonne grâce. L'opération eut lieu sous les yeux des commères assemblées.

La plus grosse atteignit 1 530 grammes, l'autre 1 260, car l'épicier voulut de la précision. Une vieille dame proprette (c'était la bonne de M. le Curé) conseilla de les bourrer de pèbre d'aï, avant de les mettre à la broche et de ne pas les rapprocher du feu dès le début de l'opération : le tourne-broche ne devait s'avancer que par étapes, trois au minimum. Pour prix de ces précieux conseils, elle demanda la permission de prendre une plume de la queue, qui fut ainsi volée à la coiffure d'un chef pawnie, et tous les nouveaux arrivants regardaient avec respect le chasseur capable d'un si beau meurtre.

Nous laissâmes la liste à l'épicier, qui se chargea de tout préparer, et mon père me dit : « Il faut que j'interroge Monsieur Vincent. »

M. Vincent était archiviste à la Préfecture et c'était un ami de l'oncle Jules : il passait ses vacances au village, où il était né.

Mais dans la rue, nous rencontrâmes le facteur, qui chassait lui-même sur les terres d'Allauch. C'est lui qui nous

arrêta, et je fus tout surpris de le voir masser le cou des bartavelles, entre son pouce et son index.

« Entre nous, dit-il à mi-voix, vous les avez prises au piège ?

— Jamais de la vie ! dit mon père. C'est un doublé, que j'ai eu la chance de réussir au " coup du roi ". »

Mais le facteur était « jaloux de la chasse », et il tâtait toujours le cou des volatiles, dans l'espoir d'y découvrir quelque fracture. Alors mon père, soufflant à rebrousse-plumes, lui montra les mortelles blessures qu'il examina d'un air soupçonneux. Il fallut ensuite lui dire le calibre du fusil, le numéro des plombs, la distance, l'heure et le lieu. Enfin, il triompha de sa jalousie, et consentit à homologuer l'exploit.

« Monsieur, dit-il, je vous tire mon képi. Ces bêtes-là, je les poursuis depuis deux ans : j'y ai tiré cinq fois, et je n'en ai eu que quatre plumes ! Permettez-moi de vous serrer la main ! »

Cependant, les enfants du village s'étaient assemblés, et disaient tout haut leur admiration.

En arrivant sur la placette, nous tombâmes sur M. le Curé. Il lisait son bréviaire près de la fontaine, tout en attendant, au son de sa cruche, qu'elle débordât.

L'arrivée de notre groupe lui fit lever la tête, et comme « ces gens profitent de tout », il fit à mon père un grand beau sourire, et dit, d'une voix agréable :

« Monsieur, si ces perdrix royales ne viennent pas de quelque marchand, permettez-moi de vous faire mon compliment ! »

C'était la première fois que je voyais mon père en face de l'ennemi sournois. A ma grande surprise, il lui répondit fort poliment :

« Elles viennent du vallon de Lancelot, Monsieur le Curé.

— J'en ai rarement vu d'aussi belles, dit M. le Curé, et j'incline à penser que le grand saint Hubert était avec vous !

— Le grand saint Hubert, et mon calibre douze !

— Et aussi votre *adresse !* dit M. le Curé... Vous avez là un vieux mâle, et une poule de deux ans... Mon père était un grand chasseur, et c'est pourquoi je m'y connais assez bien. Cette perdrix n'est pas la *Caccabis Rufa*, qui est beaucoup plus petite. C'est la *Caccabis Saxatilis*, c'est-à-dire la perdrix des roches, qu'on appelle aussi la perdrix grecque, et en Provence, la bartavelle.

— D'où vient ce nom ? demanda mon père.

— Eh bien, dit le prêtre, je vais vous paraître bien savant, mais je dois vous avouer que mon érudition est de fraîche date. Un paysan m'ayant parlé hier de bartavelles, j'ai eu la curiosité de chercher l'étymologie du mot. Et j'en suis heureux, puisque cette question vous intéresse. Mon dictionnaire dit que c'est un mot français dérivé d'un vieux mot provençal, bartavélo, qui signifie une serrure grossière. L'oiseau serait ainsi nommé à cause de son cri, qui est, paraît-il, un peu grinçant. Mais à mon très humble avis, cette explication n'est pas tout à fait satisfaisante. Je vais en parler à Monsieur le chanoine de la Major, qui déjeune demain au presbytère, et s'il me dit quelque chose d'intéressant, j'aurai plaisir à vous le faire savoir. Excusez-moi, ma cruche est pleine, et la cloche m'appelle. »

Il souleva fort poliment sa barrette, mon père souleva sa casquette, M. le Curé prit sa cruche et s'en alla.

Toujours suivis par les enfants, nous allâmes chez M. Vincent : on nous répondit qu'il était en ville, et qu'il ne rentrerait que le lendemain ; cependant, mon père le rechercha dans tout le village, et il alla même au cercle, pour demander aux joueurs de boules s'ils ne l'avaient pas vu, mais ils virent les bartavelles qu'on ne songea pas à leur cacher : ils en interrompirent leur partie, ils admirèrent, soupesèrent, et posèrent cent questions. Mon père fit deux cents réponses, et leur apprit qu'il ne s'agissait nullement de la *Caccabis Rufa*, mais *Saxatilis*.

Enfin, il voulut bien, à la demande générale, exécuter une

démonstration du « coup du roi », en insistant sur le fait qu'il fallait garder le canon « choke » pour le second coup. Ces explications techniques, qui auraient pu durer jusqu'au soir, furent heureusement arrêtées par l'horloge de l'église, qui sonna midi dans les airs.

Comme nous allions chercher nos musettes chez l'épicier, nous rencontrâmes encore une fois M. le Curé. Il portait un appareil photographique qui avait la forme, les dimensions et l'élégance d'un pavé.

Il s'avança, tout souriant, et dit :

« Si cela ne vous dérange pas, je voudrais bien conserver un souvenir de cette admirable réussite.

— Un coup de chance, dit mon père modestement, ne mérite peut-être pas un si grand honneur.

— Mais si, mais si ! Je me ferai un plaisir de vous envoyer un tirage de cette image, qui sera un souvenir agréable des grandes vacances de cette année. »

Mon père se prêta docilement aux exigences du photographe : il me montra qu'il en souffrait, mais qu'il n'osait pas être impoli. Il posa donc à terre la crosse de son fusil, appuya la main gauche sur le bout du canon, et de son bras droit entoura mes épaules. M. le Curé nous regarda un instant, les yeux clignés : puis il s'avança, et fit tourner les bartavelles — toujours pendues à la cartouchière — pour mettre en évidence leur ventre moucheté.

Enfin il recula de quatre pas, appliqua l'appareil sur sa ceinture, baissa la tête et s'écria :

« Ne bougeons plus ! »

J'entendis un déclic aussi fort que celui d'une serrure, et M. le Curé compta :

« Un, deux, trois ! Merci !

— Nous habitons aux Bellons, dit mon père, à la Bastide Neuve.

— Je sais, je sais ! » dit M. le Curé.

Puis il ajouta, sur un ton un peu pathétique :

« Comme je n'ai pas l'occasion de vous voir souvent — je confierai le tirage que je vous destine à Monsieur votre beau-frère, qui est le plus éminent de nos paroissiens. Au revoir, et encore une fois, tous mes compliments ! »

Il s'en alla, poli, amical, souriant, si sympathique que j'avais envie de le suivre, ce qui me fit comprendre quel danger ces fausses apparences représentaient pour la société.

Quand nous eûmes tourné le coin de la place, mon père me dit :

« Nous sommes dans un petit village : il eût été maladroit de refuser . c'était peut-être ce qu'il espérait, pour nous accuser, ensuite, de sectarisme. Mais nous avons été plus malins que lui ! »

NOUS reprîmes d'un bon pas le chemin montant du retour.

Les oiseaux dansaient toujours à la ceinture de mon père, et comme ils étaient pendus par le cou, je lui dis qu'il avait tué des bartavelles, mais que nous finirions par manger des cygnes.

On les mit à la broche le lendemain — ce fut un repas historique, et presque solennel.

Il fut marqué cependant par un incident pénible : l'oncle Jules, dont l'appétit paysan faisait l'admiration de la famille, se cassa une dent — en porcelaine — sur un plomb n° 7, resté invisible dans la tendresse d'un croupion. Mais il retrouva un beau sourire lorsque mon père déclara que le curé du village était un savant, et, de plus, un homme fort sympathique, dont la conversation l'avait charmé.

Le lendemain, comme nous partions pour la chasse, je vis que, renonçant à sa casquette, il avait mis un vieux chapeau de feutre marron, « à cause », dit-il, « du soleil qui, parfois, en traversant ses lunettes, l'éblouissait ». Mais je remarquai — sans rien dire — que la coiffe du feutre était entourée d'un ruban — qu'on ne trouve pas sur une casquette — et que, dans ce ruban, étaient fichées deux jolies plumes rouges, symbole et souvenir du double « coup du roi ».

Depuis ce jour-là au village, quand on parlait de mon père, on disait :

« Vous savez bien, ce Monsieur des Bellons ?

— Celui qui a la grosse moustache ?

— Non ! l'autre ! le Chasseur ! Celui des Bartavelles ! »

**
*

Le dimanche suivant, comme l'oncle revenait de la messe, il tira de sa poche une enveloppe jaune.

« Voilà, dit-il, de la part de Monsieur le Curé. »

Toute la famille accourut : l'enveloppe contenait trois épreuves de notre photographie.

C'était une réussite : les bartavelles étaient énormes et Joseph brillait dans toute sa gloire ; il ne montrait ni surprise ni vanité, mais la tranquille assurance d'un chasseur blasé, à son centième doublé de bartavelles.

Pour moi, le soleil m'avait imposé une petite grimace, que je ne trouvai pas jolie : mais ma mère et ma tante y virent un charme de plus, en chantèrent longuement leur admiration totale.

Quant à l'oncle Jules il dit gentiment :

« Si vous n'y voyez pas d'inconvénient, mon cher Joseph, j'aimerais bien garder la troisième épreuve, car Monsieur le Curé m'a dit qu'il l'avait tirée à mon intention...

— Si cette bagatelle peut vous faire plaisir... dit mon père.

— Oh oui ! dit tante Rose avec enthousiasme. Je la ferai mettre sous verre, et nous la placerons dans la salle à manger ! »

Je fus fier à la pensée que nous serions éclairés tous les soirs par la luxueuse lumière du Gaz. Quant au cher Joseph, il ne montrait aucune confusion. Le menton de ma mère appuyé sur son épaule, il regarda longuement l'image de son apothéose, tout en justifiant la durée de cet examen par des considérations techniques. Il nous apprit d'abord que c'était

du papier au citrate d'argent, et que ce citrate a la propriété singulière de noircir quand il est touché par la lumière ; puis, tenant l'image à bout de bras, il déclara que l'éclairage était excellent, quoique la hauteur du soleil de midi lui eût un peu allongé le nez, ce qui « n'avait d'ailleurs aucune espèce d'importance ». Ensuite, quittant ses lunettes, il examina la photographie de très près, sous tous les angles, et il proclama que la mise au point était parfaite, ce qui prouvait que M. le Curé connaissait fort bien son affaire.

Enfin, en me caressant les cheveux, il déclara :

« Puisque nous avons deux épreuves, j'ai bien envie d'en envoyer une à mon père, pour lui montrer comme Marcel a grandi... »

Le petit Paul battit des mains, et moi j'éclatai de rire. Oui, il était tout fier de son exploit ; oui, il enverrait une épreuve à son père, et il montrerait l'autre à toute l'école, comme avait fait M. Arnaud.

J'avais surpris mon cher surhomme en flagrant délit d'humanité : je sentis que je l'en aimais davantage.

Alors, je chantai la farandole, et je me mis à danser au soleil...

Le Château de ma mère

APRÈS l'époquée cynégétique des bartavelles, je fus d'emblée admis au rang des chasseurs, mais en qualité de rabatteur, et de chien rapporteur.

Tous les matins, vers quatre heures, mon père ouvrait la porte de ma chambre, et chuchotait : « Veux-tu venir ? »

Ni les ronflements puissants de l'oncle Jules, ni les hurlements du cousin Pierre, qui réclamait son biberon vers les deux heures du matin, n'avaient la force de traverser mon sommeil, mais le chuchotement de mon père me jetait à bas de mon lit.

Je m'habillais dans la nuit en silence, pour ne pas réveiller notre petit Paul, et je descendais à la cuisine, où l'oncle Jules, les yeux bouffis et l'air un peu hagard des grandes personnes qui s'éveillent, faisait chauffer le café pendant que mon père remplissait les carniers et que je garnissais les cartouchières.

Nous sortions sans faire de bruit. L'oncle Jules refermait la porte à double tour, et il allait mettre la clef sur la fenêtre de la cuisine, dont il repoussait les volets.

L'aube était fraîche. Quelques planètes apeurées clignotaient, toutes pâles. Sur les barres du plan de l'Aigle, le bord de la nuit amincie était brodé de brumes blanches, et dans la pinède du Petit-Œil, une chouette mélancolique faisait ses adieux aux étoiles.

Nous montions, tout le long de l'aurore, jusqu'aux pierres rouges de Redouneou. Mais nous y passions sans bruit, parce que Baptistin, le fils de François, y « faisait le poste » aux ortolans, à grand renfort de vergettes et de glu : il en avait souvent jusque dans les cheveux.

Nous arrivions ensuite, marchant dans l'ombre en file indienne, au « jas de Baptiste ». C'était une antique bergerie où notre ami François dormait quelquefois avec ses chèvres : là, sur la longue plaine qui montait vers le Taoumé, les rayons rouges du soleil nouveau faisaient peu à peu surgir les pins, les cades, les messugues, et comme un navire qui sort de la brume, la haute proue du pic solitaire se dressait soudain devant nous.

Les chasseurs descendaient au vallon : tantôt à gauche, dans les Escaouprès, tantôt à droite, sur La Garette et Passe-Temps.

Pour moi, je suivais le bord du plateau, à trente ou quarante mètres de la barre. Je rabattais sur eux toute chose volante, et quand il m'arrivait de lever un lièvre, je courais vers l'à-pic, et je faisais de grands signaux, comme un marin du temps jadis : alors ils montaient en hâte me rejoindre, et nous traquions sans pitié l'oreillard.

Jamais, non, jamais nous ne revîmes une bartavelle. Pourtant, sans en parler, nous les cherchions partout, et surtout dans le ravin sacré de la sublime chasse... Nous en approchions en rampant, à plat ventre sous les kermès et les argéras, ce qui nous permit souvent de surprendre des perdrix, des lièvres, et même un blaireau, que l'oncle Jules foudroya presque à bout portant ; mais les perdrix royales s'étaient envolées dans une légende, où elles sont restées depuis : sans aucun doute par peur de Joseph, dont l'auréole en fut agrandie.

Installé sur cette gloire, il était devenu redoutable : le succès fait souvent le talent. Persuadé que, désormais, il ne pouvait manquer le « coup du roi », il le réussissait en toute

occasion, et avec une si parfaite aisance que l'oncle Jules finit par dire :

« Ce n'est pas le " coup du roi ", c'est le " coup de Joseph " ! »

Mais lui-même restait inégalable pour « tirer en cul » (disait-il) tous les fuyards — lièvres, lapins, perdrix et merles — qui ne fuyaient pas sans raison, et qui tombaient foudroyés au moment même où je les croyais hors d'atteinte.

Nous rapportions tant de gibier que l'oncle Jules en fit commerce, et qu'il en paya — aux applaudissements de toute la famille — les quatre-vingts francs du loyer.

J'avais ma part dans ce triomphe. Parfois, le soir, à table, mon oncle disait :

« Ce gamin-là vaut mieux qu'un chien. Il trotte sans arrêt, de l'aube au crépuscule. Il ne fait pas le moindre bruit, et il devine tous les gîtes ! Aujourd'hui, il nous a lancé une compagnie de perdrix, une bécasse, et cinq ou six merles. Il ne lui manque plus que d'aboyer... »

Alors Paul aboyait admirablement, après avoir craché sa viande dans son assiette.

Pendant que tante Rose le grondait, ma mère me regardait, rêveuse.

Elle se demandait s'il était raisonnable, avec de si petits mollets, de faire, chaque jour, tant de pas.

UN matin, vers neuf heures, je trottais légèrement sur le
plateau qui domine le Puits du Mûrier.

Au fond du vallon, l'oncle était à l'affût dans un grand
lierre, et mon père se cachait derrière un rideau de cléma-
tites, sous une yeuse, à flanc de coteau.

Avec un long bâton de cade — ce bois si dur qui paraît
tendre dans la main, parce qu'il est onctueux et lisse — je
battais les touffes d'argéras, mais les perdrix n'étaient pas là,
ni le lièvre volant de la Baume-Sourne.

Cependant, je faisais consciencieusement mon métier de
chien, lorsque je remarquai, au bord de la barre, une sorte de
stèle, faite de cinq ou six grosses pierres entassées par la main
de l'homme. Je m'approchai, et je vis, au pied de la stèle, un
oiseau mort. Son cou était serré entre deux arceaux de laiton
d'un piège à ressort.

L'oiseau était plus gros qu'une grive, il avait un joli plumet
sur la tête. Je me baissais pour le ramasser, lorsqu'une voix
fraîche cria derrière moi :

« Hé ! l'ami ! »

Je vis un garçon de mon âge, qui me regardait sévèrement.

« Il ne faut pas toucher les pièges des autres, dit-il. Un
piège, c'est sacré !

— Je n'allais pas le prendre, dis-je. Je voulais voir l'oiseau. »

Il s'approcha : c'était un petit paysan. Il était brun, avec un fin visage provençal, des yeux noirs, et de longs cils de fille. Il portait, sous un vieux gilet de laine grise, une chemise brune à manches longues qu'il avait roulées jusqu'au-dessus des coudes, une culotte courte, et des espadrilles de corde comme les miennes, mais il n'avait pas de chaussettes.

« Quand on trouve un gibier dans un piège, dit-il, on a le droit de le prendre, mais il faut retendre le piège, et le remettre à sa place. »

Il dégagea l'oiseau, et dit :

« C'est une bédouïde. »

Il le mit dans sa musette, et prit dans la poche de son gilet un petit tube de roseau que fermait un bouchon mal taillé ; puis, il en fit couler dans sa main gauche une grosse fourmi ailée. Avec une dextérité que j'admirai, il reboucha le tube, saisit la fourmi entre le pouce et l'index de la main droite, tandis que, par une légère pression, sa main gauche forçait à s'ouvrir les extrémités de la petite pince en fil de métal qui était attachée au centre de l'engin. Ces extrémités étaient recourbées en demi-cercle, et formaient, en se refermant, un minuscule anneau. Il y plaça la fine taille de la fourmi, qui resta ainsi captive ; les racines de ses ailes l'empêchaient de reculer, et son gros ventre d'avancer.

Je demandai :

« Où c'est que tu prends ces fourmis ?

— Ça, dit-il, c'est des " aludes ". Il y en a dans toutes les fourmilières, mais elles ne sortent jamais. Il faut creuser plus d'un mètre avec une pioche : ou alors, il faut attendre la première pluie du mois de septembre. Dès que le soleil revient, elles s'envolent d'un seul coup... En mettant un sac mouillé sur le trou, c'est facile... »

Il avait retendu le piège, et il le replaça au pied de la stèle.

Très vivement intéressé, je regardai l'opération, et j'en notai tous les détails. Il se releva enfin, et me demanda :

« Qui tu es ? »

Pour me donner confiance, il ajouta :

« Moi, je suis Lili, des Bellons.

— Moi aussi, dis-je, je suis des Bellons. »

Il se mit à rire :

« Oh ! que non, tu n'es pas des Bellons ! Tu es de la ville.
C'est pas toi, Marcel ?

— Oui, dis-je, flatté. Tu me connais ?

— Je t'avais jamais vu, dit-il. Mais c'est mon père qui
vous a porté les meubles. Ça fait qu'il m'a parlé de toi. Ton
père, c'est le calibre douze, celui des bartavelles ? »

Je fus ému de fierté.

« Oui, dis-je. C'est lui.

— Tu me raconteras ?

— Quoi ?

— Les bartavelles. Tu me diras où c'était, comment il a
fait, et tout le reste ?

— Oh ! oui...

— Tout à l'heure, dit-il, quand j'aurai fini ma tournée...
Quel âge tu as ?

— Neuf ans.

— Moi j'ai huit ans, dit-il. Tu mets des pièges ?

— Non. Je ne saurais pas.

— Si tu veux, je t'apprendrai.

— Oh oui ! dis-je avec enthousiasme.

— Viens : je fais la tournée des miens.

— Je ne peux pas maintenant. Je fais la battue pour mon
père et mon oncle : ils sont cachés en bas du vallon. Il faut
que je leur envoie les perdreaux.

— Les perdreaux, ça sera pas aujourd'hui... Ici, d'habi-
tude, il y en a trois compagnies. Mais ce matin, les bûcherons
sont passés et ils leur ont fait peur. Deux compagnies sont
parties vers La Garette, et la troisième est descendue sur
Passe-Temps... Nous pourrons peut-être leur envoyer la
grosse lièvre ; elle doit être par là : j'ai vu un pétoulié. »

Il voulait dire une nappe de crottes.

Nous commençâmes donc la tournée des pièges, tout en battant les broussailles.

Mon nouvel ami ramassa plusieurs culs-blancs, que les Français appellent « motteux », encore deux bedouïdes (il m'expliqua que c'était un « genre d'alouette ») et trois « darnagas ».

« Les gens de la ville leur disent " bec croisé ". Mais nous on leur dit " darnagas ", parce que c'est un oiseau imbécile... S'il y en a un seul dans le pays, et un seul piège, tu peux être sûr que le darnagas trouvera le piège, et qu'il se fera étrangler... C'est très bon à manger, ajouta-t-il. Tiens ! Encore un couillon de limbert ! »

Il courut vers une autre stèle et ramassa un magnifique lézard. Il était d'un vert éclatant, semé sur les flancs de très petits points d'or, et, sur le dos, de lunules bleues, d'un bleu de pastel. Lili dégagea ce beau cadavre, et le jeta dans les buissons, où je courus le ramasser.

« Tu me le donnes ? »

Il se mit à rire.

« Et qu'est-ce que tu veux que j'en fasse ?... On dit que les anciens les mangeaient, et à ce qu'il paraît que c'est très bon. Mais nous, on ne mange pas les bêtes froides. Je suis sûr que ça empoisonne... »

Je mis le beau lézard dans ma musette, mais je le jetai dix mètres plus loin, car le piège suivant en avait pris un autre, qui était presque aussi long que mon bras, et encore plus brillant que le premier. Lili proféra quelques jurons en provençal, et supplia la Sainte Vierge de le protéger contre ces « limberts ».

« Mais pourquoi ? dis-je.

— Tu ne vois pas qu'ils me bouchent mes pièges ? Quand un lézard est pris, un oiseau ne peut plus se prendre, et ça fait un piège de moins ! »

Ce fut ensuite le tour des rats. Ils avaient « bouché » deux

pièges. C'étaient de gros rats bleus, à la fourrure très douce : Lili se fâcha de nouveau, puis il ajouta :

« Ceux-là, mon grand-père en faisait des civets. C'est des bêtes propres, ça vit au grand air, ça mange des glands, des racines, des prunelles... Au fond, c'est aussi propre qu'un lapin. Seulement, c'est des rats, et alors... »

Il fit une petite moue de dégoût.

Les derniers engins avaient pris quatre darnagas, et une pie.

« Ho, ho ! s'écria Lili. Une agasse ! Qu'est-ce qu'elle est venue faire ici ? Et elle se prend à un piège tout nu ! Ça devait être la fadade de sa famille, parce que... »

Il s'arrêta net, mit un doigt sur sa bouche, puis désigna au loin un fourré d'argéras.

« Il y a quelque chose qui bouge là-dedans. Faisons le tour, et pas de bruit. »

Il s'élança d'un pas souple et muet, comme un vrai Comanche qu'il était sans le savoir. Je le suivis. Mais il me fit signe de décrire un arc de cercle plus grand, sur la gauche. Il marchait dans la direction des argéras, sans se presser, mais je courus pour exécuter la manœuvre d'encerclement.

A dix pas, il lança une pierre, et sauta en l'air à plusieurs reprises, les bras écartés, en poussant des cris sauvages. Je l'imitai. Tout à coup, il s'élança : je vis sortir du fourré un lièvre énorme, qui bondissait les oreilles droites, si grand qu'on voyait le jour sous son ventre... Je réussis à couper sa route : il obliqua vers la barre, et plongea dans une cheminée. Accourus au bord du plateau, nous le vîmes descendre tout droit et filer sous les fourrés du vallon : nous attendîmes le cœur battant. Deux détonations retentirent coup sur coup. Puis deux autres.

« Le douze a tiré le second, dit Lili. On va les aider à trouver le lièvre. »

Lili descendit, avec l'aisance d'un singe, par la cheminée.

« Ça a l'air d'un mauvais passage, dit-il. Mais c'est aussi bon qu'un escalier. »

Je le suivis. Il parut apprécier mon agilité en fin connaisseur.

« Pour quelqu'un de la ville, tu te débrouilles bien. »

AU bas des roches, nous prîmes le pas de course sur la pente.

A côté du puits, sous de très grands pins, il y avait une petite clairière à l'ombre. Là, mon père et l'oncle regardaient le lièvre étendu ; ils se tournèrent vers nous, assez fiers. Je demandai, un peu timidement :

« Qui l'a tué ?

— Tous les deux, dit l'oncle. Je l'ai touché deux fois, mais il courait toujours, et il a fallu les deux coups de ton père pour qu'il reste sur place... Ces bêtes-là, ça porte facilement le coup de fusil. »

Il le dit comme s'il s'agissait de porter une jaquette, ou un chapeau melon.

Il regarda ensuite mon nouvel ami :

« Ha ha ! nous avons de la compagnie !

— Je le connais ! dit mon père. Tu es bien le fils de François ?

— Oui, dit Lili. Vous m'avez vu à la maison, pour Pâques.

— Et il paraît que tu es un fameux chasseur. C'est ton père qui me l'a dit.

— Oh ! dit Lili rougissant. Je mets des pièges pour les oiseaux...

— Tu en prends beaucoup ? »

Il regarda d'abord autour de nous d'un rapide coup d'œil circulaire, puis il vida sa musette sur l'herbe, et je fus confondu d'admiration : il y avait une trentaine d'oiseaux.

« Tu sais, ce n'est pas bien difficile, dit-il. Le tout, c'est d'avoir des " aludes ". Je sais un saule, en bas, au Vala... Si tu es libre, demain matin, nous irons en chercher, parce qu'il ne m'en reste pas beaucoup. »

L'oncle examinait le tableau de chasse du petit bonhomme.

« Ho, ho ! dit-il, en le menaçant gentiment de l'index. Tu es donc un vrai braconnier ? »

Il répondit d'un air surpris :

« Moi ? Je suis des Bellons ! »

Mon père lui demanda le sens de cette réponse.

« Ça veut dire que ces collines c'est le bien des gens d'ici. Ça fait qu'on n'est pas des braconniers ! »

Son point de vue était fort simple : tous les braconniers de La Treille étaient des chasseurs, tandis que les chasseurs d'Allauch ou de la ville étaient des braconniers.

Nous déjeunâmes sur l'herbe. La conversation de Lili nous intéressa vivement, car il connaissait chaque vallon, chaque ravin, chaque sentier, chaque pierre de ces collines. De plus, il savait les heures et les mœurs du gibier : mais sur ce chapitre, il me parut un peu réticent : il ne fit que répondre aux questions de l'oncle Jules, parfois d'une manière assez évasive et avec un petit sourire malin.

Mon père dit :

« Ce qui manque le plus dans ce pays, ce sont les sources... A part le Puits du Mûrier, est-ce qu'il y en a d'autres ?

— Bien sûr ! » dit Lili. Mais il n'ajouta rien.

« Il y a la baume de Passe-Temps, dit l'oncle. Elle est sur la carte d'état-major.

— Il y a aussi celle des Escaouprès, dit Lili. C'est là que mon père fait boire ses chèvres.

— C'est celle que nous avons vue l'autre jour, dit l'oncle.

— Il y en a certainement d'autres, dit mon père. Il est impossible que, dans un massif aussi vaste, les eaux de la pluie ne ressortent pas quelque part.

— Il ne pleut peut-être pas assez, dit l'oncle Jules.

— Détrompez-vous, s'écria mon père. Il tombe à Paris 0 m 45 de pluie par an. Ici, il en tombe 0 m 60 ! »

Je regardai Lili avec fierté, et je fis un petit clin d'œil qui soulignait l'omniscience paternelle. Mais il ne parut pas comprendre la valeur de ce qui venait d'être dit.

« Etant donné que le sol des plateaux est fait de tables rocheuses imperméables, poursuivit mon père, il me semble tout à fait certain qu'un ruissellement important doit se rassembler dans les vallons, en poches souterraines, et il est fort probable que certaines de ces poches affleurent et suintent dans les endroits les plus creux. Tu connais sûrement d'autres sources ?

— J'en connais sept, dit Lili.

— Et où sont-elles ? »

Le petit paysan parut un peu embarrassé, mais il répondit clairement.

« C'est défendu de le dire. »

Mon père fut aussi étonné que moi.

« Pourquoi donc ? »

Lili rougit, avala sa salive, et déclara :

« Parce qu'une source, ça ne se dit pas !

— Qu'est-ce que c'est que cette doctrine ? s'écria l'oncle.

— Evidemment, dit mon père, dans ce pays de la soif, une source, c'est un trésor.

— Et puis, dit Lili, candide, s'ils savaient les sources, ils pourraient y boire !

— Qui donc ?

— Ceux d'Allauch ou bien de Peypin. Et alors, ils viendraient chasser ici tous les jours ! »

Il s'anima brusquement :

« Et puis, il y aurait tous ces imbéciles qui font les excursions... Depuis qu'on leur a " dit " la source du Petit-Homme, de temps en temps ils viennent au moins vingt... D'abord ça dérange les perdreaux — et puis, ils ont volé les raisins de la vigne de Chabert — et puis, des fois, quand ils ont bien bu, ils pissent dans la source. Une fois ils avaient mis un écriteau : " Nous avons pissé dans la source ! "

— Pourquoi ? » dit mon oncle.

Lili répondit, sur un ton tout à fait naturel :

« Parce que Chabert leur avait tiré un coup de fusil.

— Un vrai coup de fusil ? dis-je.

— Oui, mais de loin, avec du petit plomb... Il n'a qu'un cerisier, et les autres lui volaient ses cerises ! dit Lili avec indignation. Mon père a dit qu'il aurait dû tirer à chevrotines !

— Voilà des mœurs un peu sauvages ! s'écria mon oncle.

— C'est eux les sauvages ! dit Lili avec force. Il y a deux ans, pour faire cuire la côtelette, ils ont mis le feu à la pinède du jas de Moulet ! Heureusement, c'était une petite pinède, et il n'y avait rien à côté ! Mais s'ils faisaient ça dans Passe-Temps, imaginez-vous un peu !

— Evidemment, dit mon père, les gens de la ville sont dangereux, parce qu'ils ne savent pas...

— Quand on ne sait pas, dit Lili, on n'a qu'à rester à la maison. »

Il mangeait de grand cœur l'omelette aux tomates.

« Mais nous, nous ne sommes pas des excursionnistes. Nous ne salissons pas les sources, et tu pourrais nous dire où elles sont.

— Je voudrais bien, dit Lili. Mais c'est défendu. Même dans les familles, ça ne se dit pas...

— Dans les familles, dit mon père, ça, c'est encore plus fort.

— Il exagère peut-être un peu, dit l'oncle.

— Oh ! non ! c'est la vérité ! Il y en a une que mon grand père connaissait : il n'a jamais voulu la dire à personne...

— Alors, comment le sais-tu ?

— C'est parce que nous avons un petit champ, au fond de Passe-Temps. Des fois on allait labourer, pour le blé noir. Alors, à midi, au moment de manger, le papet disait : " Ne regardez pas où je vais ! " Et il partait avec une bouteille vide. »

Je demandai :

« Et vous ne regardiez pas ?

— O Bonne Mère ! Il aurait tué tout le monde ! Alors, nous autres on mangeait assis par terre, sans tourner l'œil de son côté. Et au bout d'un moment, il revenait avec une bouteille d'eau glacée. »

Mon père demanda :

« Et jamais, jamais vous n'avez rien su ?

— A ce qu'il paraît que quand il est mort, il a essayé de dire le secret... Il a appelé mon père, et il lui a fait : " François, la source... la source... " Et toc, il est mort... Il avait attendu trop longtemps. Et nous avons eu beau la chercher, nous l'avons jamais trouvée. Ça fait que c'est une source perdue...

— Voilà un gaspillage stupide, dit l'oncle.

— Eh oui, dit Lili, mélancolique. Mais quand même, peut-être elle fait boire les oiseaux ? »

AVEC l'amitié de Lili, une nouvelle vie commença pour moi. Après le café au lait matinal, quand je sortais à l'aube avec les chasseurs, nous le trouvions assis par terre, sous le figuier, déjà très occupé à la préparation de ses pièges.

Il en possédait trois douzaines, et mon père m'en avait acheté vingt-quatre au bazar d'Aubagne, qui les vendait hypocritement sous le nom de « pièges à rats ».

J'avais vivement insisté pour obtenir quelques engins d'un plus grand modèle, spécialement conçus pour l'étranglement des perdreaux.

« Non, me dit-il. Il serait déloyal de piéger un si beau gibier. »

Je contestai alors la loyauté de son arquebuse, qui foudroyait par surprise ces volatiles stupéfaits.

« Tandis que contre un piège, une perdrix peut se défendre, parce qu'elle est intelligente, elle est rusée, elle a quand même une chance de s'en tirer...

— Oui, peut-être, dit-il. Mais tout de même, le piège n'est pas une arme noble... Et puis, j'ai une autre raison : le ressort de ces engins est vraiment trop puissant. Tu risquerais de te casser un doigt ! »

Je lui prouvai aussitôt que je savais les manier avec une

aisance parfaite, qu'il fut forcé de reconnaître ; et comme
j'insistais encore, il finit par dire à mi-voix :

« Et puis, ils sont trop chers. »

Je feignis de ne pas avoir entendu et je m'élançai, en
poussant un cri de joie, vers un lance-pierres raisonnable qui
s'offrait au prix de trois sous.

Les « pièges à rats », qui n'étaient pas plus grands qu'une
soucoupe, se révélèrent d'une efficacité redoutable : ils
sautaient au cou de l'oiseau avec une nervosité si grande
qu'un gros merle n'y échappait pas.

Tout en rabattant le gibier vers nos chasseurs, nous
placions nos engins sur le sol, au bord des barres, ou sur une
branche fourchue, que nous brisions pour la mettre à plat, au
cœur même d'un térébinthe que Lili appelait « pételin ».

Cet arbre, qui pousse si bien dans les poèmes bucoliques,
fait des grappes de graines rouges et bleues, dont tous les
oiseaux sont friands : un piège dans un térébinthe, c'est la
capture assurée d'un cul-rousset, d'un merle, d'un pinson
vert, d'une grive...

Nous les placions en montant vers les sommets, pendant
toute la matinée, puis notre quatuor s'arrêtait pour déjeuner
près d'une source, sous l'ombre claire d'un pin.

Les carniers étaient toujours bien garnis, mais nous
dévorions jusqu'aux miettes. Pendant que nous mangions
l'omelette aux tomates — délicieuse quand elle est froide —
les côtelettes grésillaient sur une braise de romarin. Parfois
l'oncle Jules, la bouche pleine, saisissait brusquement son
fusil, et tirait vers le ciel, à travers les branches, sur quelque
chose que personne n'avait vu : et tout à coup tombait une
palombe, un loriot, un épervier...

Quand il ne restait plus rien d'autre que les os des
côtelettes et la croûte du fromage, les chasseurs, étendus sur
un lit de baouco, faisaient la sieste, un mouchoir sur le
visage, à cause des petites mouches, tandis que nous remon-

tions vers les barres, pour la première visite de la « tendue »

Nous avions une mémoire infaillible des lieux, des arbres, des arbustes, des pierres. D'assez loin, je voyais tout de suite qu'un piège n'était plus à sa place : je m'élançais avec l'émotion d'un trappeur qui s'attend à trouver le cadavre d'une zibeline ou d'un renard argenté.

Presque toujours, je découvrais sous l'arbre, ou près de la stèle, l'oiseau étranglé, le piège au cou. Mais quand nous ne trouvions rien, alors l'émotion était à son comble, pareille à celle d'un joueur à la loterie qui vient d'entendre proclamer les trois premiers chiffres de son numéro, et qui attend le tirage du quatrième.

Plus loin est le piège, plus grosse est la proie qui l'entraîna. Nous battions les broussailles, en cercles concentriques, autour du lieu du guet-apens.

Souvent, c'était un beau merle, une lourde grive des Alpes, un ramier, une caille, un geai...

D'autres fois, nous ne retrouvions pas l'engin emporté par quelque épervier avec la proie qu'il avait prise et dont l'agonie aux ailes battantes avait attiré le voleur.

D'autres fois, enfin, c'était une déception ridicule : un gros rat, un « limbert » énorme, une grande scolopendre couleur de miel. Un jour même, après de longues recherches pleines d'espoir, nous découvrîmes une chouette blanche : très haute sur ses pattes jaunes, toutes ses plumes hérissées, elle dansait le piège au cou. A demi suffoquée et chuchotant des maléfices, elle nous accueillit d'un air mécontent, en ouvrant immensément ses yeux emplumés. Comme je m'approchais, un peu inquiet, elle fit tout à coup un bond étrange, car elle lança ses pattes en avant jusqu'à la hauteur du piège, qu'elle saisit à pleines serres, en retombant sur son croupion. Elle eût certainement réussi à se dégager, si elle n'avait pris qu'une seule des branches de laiton. Mais elle serrait les deux à la fois, sur son cou fragile et déjà meurtri : la mort toute proche lui ouvrit le bec ; alors rassemblant ses dernières

forces, elle repoussa violemment l'engin, et d'un seul coup, s'arracha la tête.

Cette boule de plumes, projetée au ciel, dut croire un instant qu'elle s'envolait, mais elle retomba sur le gravier, le bec en l'air, les yeux encore agrandis de surprise.

Lorsque, bien plus tard, au lycée, M. Laplane nous enseigna que la chouette était l'oiseau de Minerve, et qu'elle représentait la sagesse, je fis un si grand éclat de rire qu'il me fallut copier, jusqu'au gérondif, quatre verbes qui, de plus, étaient déponents.

APRÈS la première tournée, il fallait attendre jusqu'à cinq ou six heures, pour laisser à nos pièges le temps de « travailler ».

Alors, pendant l'après-midi, nous allions explorer des crevasses, cueillir le pèbre d'aï des Escaouprès, ou la lavande du Taoumé. Mais bien souvent, étendus sous un pin entouré des broussailles — car, comme les bêtes sauvages, nous voulions voir sans être vus —, nous bavardions, à voix basse, pendant des heures.

Lili savait tout ; le temps qu'il ferait, les sources cachées, les ravins où l'on trouve des champignons, des salades sauvages, des pins-amandiers, des prunelles, des arbousiers ; il connaissait, au fond d'un hallier, quelques pieds de vigne qui avaient échappé au phylloxéra, et qui mûrissaient dans la solitude des grappes aigrelettes, mais délicieuses. Avec un roseau il faisait une flûte à trois trous. Il prenait une branche bien sèche de clématite, il en coupait un morceau entre les nœuds, et grâce aux mille canaux invisibles qui suivaient le fil du bois, on pouvait la fumer comme un cigare.

Il me présenta au vieux jujubier de la Pondrane, au sorbier

du Gour de Roubaud, aux quatre figuiers de Précatory, aux arbousiers de La Garette, puis, au sommet de la Tête-Rouge, il me montra la Chantepierre.

C'était, juste au bord de la barre, une petite chandelle de roche, percée de trous et de canaux. Toute seule, dans le silence ensoleillé, elle chantait selon les vents.

Etendus sur le ventre dans la baouco et le thym, chacun d'un côté de la pierre, nous la serrions dans nos bras ; et l'oreille collée à la roche polie, nous écoutions, les yeux fermés.

Un petit mistral la faisait rire ; mais s'il se mettait en colère, elle miaulait comme un chat perdu. Elle n'aimait pas le vent de la pluie, qu'elle annonçait par des soupirs, puis des murmures d'inquiétude. Ensuite un vieux cor de chasse très triste sonnait longtemps au fond d'une forêt mouillée.

Lorsque soufflait le vent des Demoiselles, alors c'était vraiment de la musique. On entendait des chœurs de dames habillées comme des marquises, qui se faisaient des révérences. Ensuite une flûte de verre, une flûte fine et pointue accompagnait, là-haut, dans les nuages, la voix d'une petite fille qui chantait au bord d'un ruisseau.

Mon cher Lili ne voyait rien, et quand la petite fille chantait, il croyait que c'était une grive, ou quelquefois un ortolan. Mais ce n'était pas de sa faute si son oreille était aveugle, et je l'admirais toujours autant.

En échange de tant de secrets, je lui racontais la ville : les magasins où l'on trouve de tout, les expositions de jouets à la Noël, les retraites aux flambeaux du 141ᵉ, et la féerie de Magic-City, où j'étais monté sur les montagnes russes : j'imitais le roulement des roues de fonte sur les rails, les cris stridents des passagères, et Lili criait avec moi...

D'autre part, j'avais constaté que, dans son ignorance, il me considérait comme un savant : je m'efforçai de justifier cette opinion — si opposée à celle de mon père — par des

prouesses de calcul mental, d'ailleurs soigneusement préparées : c'est à lui que je dois d'avoir appris la table de multiplication jusqu'à treize fois treize.

Je lui fis ensuite cadeau de quelques mots de ma collection, en commençant par les plus courts : *javelle, empeigne, ponction, jachère,* et je pris à pleines mains des orties, pour l'éblouir avec *vésicule.* Puis, je plaçai *vestimentaire, radicelle, désinvolture,* et l'admirable *plénipotentiaire,* titre que je décernai (bien à tort) au brigadier de gendarmerie.

Enfin, je lui donnai un jour, calligraphié sur un bout de papier : *anticonstitutionnellement.* Quand il eut réussi à le lire, il m'en fit de grands compliments, tout en reconnaissant « qu'il ne s'en servirait pas souvent » : ce qui ne me vexa en aucune façon. Mon but n'était pas d'augmenter son vocabulaire, mais son admiration, qui s'allongeait avec les mots.

Cependant, nos conversations revenaient toujours à la chasse : je lui répétais les histoires de l'oncle Jules, et souvent, les bras croisés, adossé contre un pin, et mordillant une ombelle de fenouil, il me disait gravement : « Raconte-moi encore les bartavelles... »

JE n'avais jamais été si heureux de ma vie, mais parfois le remords me suivait dans la colline : j'avais abandonné le petit Paul. Il ne se plaignait pas, mais je le plaignais, en imaginant sa solitude. C'est pourquoi je décidai un jour de l'emmener avec nous.

La veille, je prévins les chasseurs que Lili et moi ne partirions pas de bonne heure, mais beaucoup plus tard, à cause de Paul, et que nous les rejoindrions à la baume de Passe-Temps, où nous devions déjeuner.

Ils parurent déçus de cette défection, et tentèrent — en vain — de me faire changer d'avis.

Sans rien dire, je savourai mon triomphe : eux qui avaient refusé de me convier à l'ouverture, voilà qu'ils regrettaient mon absence, et que je devenais indispensable... Ainsi doivent se réjouir les Américains, quand nous les appelons à notre secours, après avoir chassé leurs ancêtres sous des prétextes politiques ou religieux.

Le matin, vers six heures, nous emmenâmes Paul, encore mal éveillé, mais assez joyeux de l'aventure, et il marcha bravement entre nous.

En arrivant au Petit-Œil, nous trouvâmes, pris au premier piège, un pinson.

Paul le dégagea aussitôt, le regarda un instant, et fondit en larmes, en criant d'une voix étranglée :

« Il est mort ! il est mort !

— Mais bien sûr, dit Lili. Les pièges, ça les tue !

— Je ne veux pas, je ne veux pas ! il faut le démourir !... »

Il essaya de souffler dans le bec de l'oiseau, puis le lança en l'air pour aider son essor... Mais le pauvre pinson retomba lourdement, comme s'il n'avait jamais eu d'ailes... Alors le petit Paul ramassa des pierres, et se mit à nous les lancer dans un tel état de rage que je dus le prendre dans mes bras, et le rapporter à la maison.

Je fis part à ma mère du regret que j'avais de l'abandonner.

« Ne t'inquiète pas pour lui, me dit-elle. Il adore sa petite sœur, et il a beaucoup de patience avec elle : il s'en occupe toute la journée. N'est-ce pas, Paul ?

— Oh ! oui, maman ! »

Il s'en occupait, en effet.

Dans les fins cheveux frisés, il accrochait une poignée de cigales et les insectes captifs vrombissaient autour de la tête enfantine, qui riait, pâle de terreur ; ou bien, il l'installait, à deux mètres du sol, dans la fourche d'un olivier, et feignait ensuite de l'abandonner à son triste sort ; un jour, comme elle avait peur de descendre, elle grimpa jusqu'aux plus hautes branches, et ma mère épouvantée vit de loin ce petit visage au-dessus du feuillage d'argent... Elle courut chercher l'échelle double, et réussit à la capturer, avec l'aide de la tante Rose, comme font parfois les pompiers pour les petits chats aventureux. Paul affirma « qu'elle lui avait échappé », et la petite sœur fut désormais considérée comme un singe capable des pires escalades.

D'autres fois, il lui glissait dans le dos de la bourre de « gratte-cul », qui est la baie de l'églantier, et que l'on nomme ainsi pour de bonnes raisons : elle y gagna la réputation de pleurnicher sans savoir pourquoi.

Il la calmait en la gavant de gomme d'amandier, et lui fit même manger une pastille de réglisse qui ne sortait pas d'une pharmacie, mais d'un lapin. Il me confia cet exploit le soir même, car il craignait de l'avoir empoisonnée.

Je lui avouai alors que je lui avais moi-même offert des olives noires encore tièdes, ramassées dans le sillage d'un troupeau de chèvres et qu'il s'en était fort bien trouvé. Il fut charmé par cet aveu rassurant, et continua sans regret ses farces fraternelles.

Mais, comme le grand Shakespeare devait me l'enseigner plus tard, *crime will out,* c'est-à-dire que les crimes ne restent jamais ignorés, si bien qu'un soir, après la chasse, je le trouvai dans notre chambre, sanglotant sur son oreiller.

Il avait, en ce jour fatal, inventé un nouveau jeu dont les règles étaient très simples...

Il pinçait fortement la fesse dodue de la petite sœur, qui poussait aussitôt des cris perçants.

Alors Paul courait, comme éperdu, vers la maison : « Maman ! Viens vite ! Une guêpe l'a piquée ! »

Maman accourut deux fois avec du coton et de l'ammoniaque, et chercha à extraire, entre deux ongles, un aiguillon qui n'existait pas, ce qui redoubla les hurlements de la petite sœur, pour la plus grande joie du sensible Paul.

Mais il commit la grande erreur de renouveler une fois de trop sa plaisanterie fraternelle.

Ma mère, qui avait conçu des doutes, le prit sur le fait : il reçut une gifle magistrale suivie de quelques coups de martinet, qu'il accepta sans broncher : mais la remontrance pathétique qui suivit lui brisa le cœur, et à sept heures du soir, il en était encore inconsolable. A table, il se priva lui-même de dessert, tandis que la petite sœur martyrisée et reconnaissante lui offrait en pleurant de tendresse sa propre part de crème au caramel...

Ayant ainsi appris qu'il ne s'ennuyait pas une seconde, je triomphai fort aisément de mes remords, et je le laissai à ses jeux criminels.

UN matin, nous partîmes sous un ciel bas, posé sur les crêtes, et à peine rougeâtre vers l'est. Une petite brise fraîche, qui venait de la mer, poussait lentement de sombres nuages : mon père m'avait forcé à mettre, sur ma chemise, un blouson à manches, et sur ma tête, une casquette.

Lili arriva, sous un béret.

L'oncle regarda le ciel, et décréta :

« Il ne pleuvra pas et ce temps est parfait pour la chasse ! »

Lili me fit un clin d'œil, et me dit à voix basse :

« S'il fallait qu'il boive tout ce qui va tomber, il pisserait jusqu'à la Noël ! »

Cette expression me parut admirable, et Lili me confia, avec une certaine fierté, qu'il la tenait de son grand frère Baptistin.

La matinée se passa comme à l'ordinaire, mais vers dix heures, une ondée nous surprit près des barres du Taoumé. Elle dura une dizaine de minutes, que nous passâmes sous les rameaux épais d'un grand pin : mon père mit à profit ce repos pour nous enseigner qu'il ne fallait en aucun cas se mettre à l'abri sous un arbre. Il n'y eut pas de coup de tonnerre et nous pûmes bientôt gagner la Baume-Sourne, où nous déjeunâmes.

Nous avions tendu en chemin une cinquantaine de pièges,

et les chasseurs avaient abattu quatre lapins et six perdrix.

Le temps s'était éclairci, et l'oncle affirma :

« Le ciel s'est purgé. C'est fini. »

Lili, encore une fois, me fit un clin d'œil mais ne répéta pas la belle phrase.

Après avoir battu en vain le vallon du Jardinier, les hommes nous quittèrent et prirent la route de Passe-Temps pendant que nous remontions vers nos terrains de chasse.

Tout en grimpant le long des éboulis, Lili me dit :

« Nous ne sommes pas pressés. Plus les pièges restent, mieux ça vaut. »

Nous allâmes nous étendre, les mains sous la nuque, au pied d'un vieux sorbier qui se dressait au centre d'un massif d'aubépine.

« Je ne serais pas étonné, dit-il, si nous prenons quelques sayres ce soir, parce qu'aujourd'hui, c'est l'automne. »

Je fus stupéfait.

Dans les pays du centre et du nord de la France, dès les premiers jours de septembre, une petite brise un peu trop fraîche va soudain cueillir au passage une jolie feuille d'un jaune éclatant qui tourne et glisse et virevolte, aussi gracieuse qu'un oiseau... Elle précède de bien peu la démission de la forêt, qui devient rousse, puis maigre et noire, car toutes les feuilles se sont envolées à la suite des hirondelles, quand l'automne a sonné dans sa trompette d'or.

Mais dans mon pays de Provence, la pinède et l'oliveraie ne jaunissent que pour mourir, et les premières pluies de septembre, qui lavent à neuf le vert des ramures, ressuscitent le mois d'avril. Sur les plateaux de la garrigue, le thym, le romarin, le cade et le kermès gardent leurs feuilles éternelles autour de l'aspic toujours bleu, et c'est en silence au fond des vallons que l'automne furtif se glisse : il profite d'une pluie nocturne pour jaunir la petite vigne, ou quatre pêchers que l'on croit malades, et pour mieux cacher sa venue il fait

rougir les naïves arbouses qui l'ont toujours pris pour le printemps.

C'est ainsi que les jours des vacances, toujours semblables à eux-mêmes, ne faisaient pas avancer le temps, et l'été déjà mort n'avait pas une ride.

Je regardai autour de moi, sans rien comprendre.

« Qui t'a dit que c'est l'automne ?

— Dans quatre jours, c'est saint Michel, et les sayres vont arriver. Ce n'est pas encore le grand passage — parce que, le grand passage, c'est la semaine prochaine, au mois d'octobre... »

Le dernier mot me serra le cœur. Octobre ! LA REN-TRÉE DES CLASSES !

Je refusai d'y penser, je repoussai de toutes mes forces la douloureuse idée : je vivais alors dans un état d'esprit que je ne compris que plus tard, lorsque mon maître Aimé Saco-man nous expliqua l'idéalisme subjectif de Fichte. Comme le philosophe allemand, je croyais que le monde extérieur était ma création personnelle, et qu'il m'était possible, par un effort de ma volonté, d'en supprimer, comme par une rature, les événements désagréables. C'est à cause de cette croyance innée, et toujours démentie par les faits, que les enfants font de si violentes colères, lorsque l'événement dont ils se croient maîtres les contredit impudemment.

Je tentai donc de supprimer le mois d'octobre. Il se trouvait dans l'avenir, et offrait donc moins de résistance qu'un fait du présent. J'y réussis d'autant mieux que je fus aidé dans mon entreprise par un grondement lointain, qui arrêta net la conversation.

Lili se leva et tendit l'oreille : le grondement roula de nouveau, là-bas, sur Allauch, de l'autre côté du Taoumé.

« Ça y est, dit Lili. Tu vas voir dans une heure !... C'est encore loin, mais ça vient. »

En sortant des églantiers, je vis que le ciel s'était assombri.

« Et qu'est-ce que nous allons faire ? Si nous retournions à la Baume-Sourne ?

— Ce n'est pas la peine. Je sais un endroit, presque au bout du Taoumé, où on ne se mouillera pas, et on verra tout. Viens. »

Il se mit en route.

A cet instant même, un roulement de tonnerre — déjà un peu plus rapproché — fit trembler sourdement le paysage. Il se tourna vers moi.

« N'aie pas peur. Nous avons le temps. »

Mais il pressa le pas.

Nous escaladâmes deux cheminées, tandis que le ciel devenait crépusculaire. Comme nous arrivions sur l'épaule du pic, je vis s'avancer un immense rideau violet, qu'un éclair rouge déchira brusquement, mais sans bruit.

Nous franchîmes une troisième cheminée qui était presque verticale, et nous arrivâmes sur l'avant-dernière terrasse, que surmontait de quelques mètres le plateau terminal.

Dans la barre, à cinquante pas de nous, s'ouvrait au ras du sol une crevasse triangulaire, dont la base n'avait pas un mètre de large.

Nous y entrâmes. Cette sorte de grotte, qui s'élargissait au départ, devenait plus étroite en s'enfonçant dans la roche et la nuit.

Rassemblant quelques pierres plates, il installa une sorte de banquette face au paysage. Puis, il mit ses mains en porte-voix et cria vers les nuages :

« Maintenant, ça peut commencer ! »

Mais ça ne commença pas.

A nos pieds, sous les plateaux des trois terrasses, plongeait le vallon du Jardinier, dont la pinède s'étendait jusqu'aux deux hautes parois rocheuses des gorges de Passe-Temps, qui plongeaient à leur tour entre deux plateaux désertiques.

A droite, et presque à notre hauteur, c'était la plaine en pente du Taoumé, où nos pièges étaient tendus.

A gauche du Jardinier, la barre, bordée de pins et de chênes verts, marquait le bord du ciel.

Ce paysage, que j'avais toujours vu trembler sous le soleil, dans l'air dansant des chaudes journées, était maintenant figé, comme une immense crèche de carton.

Des nuages violets passaient sur nos têtes, et la lumière bleuâtre baissait de minute en minute, comme celle d'une lampe qui meurt.

Je n'avais pas peur, mais je sentais une inquiétude étrange, une angoisse profonde, animale.

Les parfums de la colline — et surtout celui des lavandes — étaient devenus des odeurs, et montaient du sol, presque visibles.

Plusieurs lapins passèrent, aussi pressés que devant des chiens, puis des perdrix grandes ouvertes surgirent sans bruit du vallon, et se posèrent à trente pas sur notre gauche, sous le surplomb de la barre grise.

Alors, dans le silence solennel des collines, les pins immobiles se mirent à chanter.

C'était un murmure lointain, une rumeur trop faible pour inquiéter les échos, mais frissonnante, continue, magique.

Nous ne bougions pas, nous ne parlions pas. Du côté de Baume-Sourne, un épervier cria sur les barres, un cri aigu, saccadé, puis prolongé comme un appel ; devant moi, sur le rocher gris, les premières gouttes tombèrent.

Très écartées les unes des autres, elles éclataient en taches violettes, aussi grandes que des pièces de deux sous. Puis, elles se rapprochèrent dans l'espace et dans le temps, et la roche brilla comme un trottoir mouillé. Enfin, tout à coup, un éclair rapide, suivi d'un coup de foudre sec et vibrant, creva les nuages qui s'effondrèrent sur la garrigue dans un immense crépitement.

Lili éclata de rire : je vis qu'il était pâle, et je sentis que

je l'étais aussi, mais nous respirions déjà plus librement.

La pluie verticale cachait maintenant le paysage, dont il ne restait qu'un demi-cercle, fermé par un rideau de perles blanches. De temps à autre, un éclair si rapide qu'il paraissait immobile illuminait le plafond noir, et de noires silhouettes d'arbres traversaient le rideau de verre. Il faisait froid.

« Je me demande, dis-je, où est mon père.

— Ils ont dû arriver à la grotte de Passe-Temps, ou à la petite baume de Zive. »

Il réfléchit quelques secondes, et dit soudain :

« Si tu me jures de ne jamais en parler à personne, je vais te faire voir quelque chose. Mais il faut que tu jures croix de bois, croix de fer. »

C'était un serment solennel, qui n'était exigé que dans les grandes occasions. Je vis que Lili avait pris un air grave, et qu'il attendait. Je me levai, j'étendis la main droite, et au bruit de la pluie, je prononçai d'une voix claire la formule :

Croix de bois, croix de fer,
Si je mens, je vais en enfer.

Après dix secondes de silence — qui donnèrent toute sa valeur à la cérémonie — il se leva :

« Bon, dit-il. Maintenant, viens. On va aller de l'autre côté.

— Quel autre côté ?

— Cette grotte, ça traverse. C'est un passage sous le Taoumé.

— Tu y es déjà passé ?

— Souvent.

— Tu ne me l'avais jamais dit.

— Parce que c'est un grand secret. Il y en a que trois qui le savent : Baptistin, mon père, et moi. Avec toi, ça fait quatre.

— Tu crois que c'est si important ?

— Tu penses ! A cause des gendarmes ! Quand on les voit

d'un côté du Taoumé, on passe de l'autre. Eux, ils ne savent pas le passage — et avant qu'ils aient fait le tour, tu es loin! Tu as juré : tu ne peux plus le dire à personne!

— Pas même à mon père?

— Il a son permis, il n'a pas besoin de savoir ça. »

Au fond de la grotte la crevasse devenait plus étroite, et elle partait sur la gauche. Lili s'y glissa, l'épaule en avant.

« N'aie pas peur. Après, c'est plus large. »

Je le suivis.

Le couloir montait, puis redescendait, puis s'en allait à droite, puis à gauche. On n'entendait plus la pluie, mais les grondements du tonnerre faisaient trembler la roche autour de nous.

Au dernier tournant, une lueur parut. Le tunnel débouchait sur l'autre versant, et les Escaouprès devaient être à nos pieds, mais une nappe de brume les couvrait entièrement. De plus, des nuages venaient vers nous, en rouleaux gris : ils déferlèrent comme une marée montante, et nous fûmes bientôt noyés : on ne voyait pas à dix pas.

La cave où nous étions était plus large que la première, des stalactites pendaient du plafond, et le seuil en était à deux mètres du sol.

La pluie tombait maintenant avec rage, drue, rapide, pesante, et tout à coup les éclairs se succédèrent sans arrêt : chaque coup de tonnerre ne faisait que renforcer la fin du précédent, dont le début nous revenait déjà par les échos durement secoués.

Devant le seuil de la grotte, un pétélin vibrait au choc des gouttes, et perdait peu à peu ses feuilles luisantes. A droite et à gauche, nous entendions couler des ruisseaux, qui roulaient des graviers et des pierres, et bouillonnaient au bas de petites chutes invisibles.

Nous étions parfaitement à l'abri, et nous narguions les forces de l'orage, lorsque la foudre, sanglante et hurlante,

frappa la barre tout près de nous et fit tomber tout un pan de roche.

Alors nous entendîmes craquer les troncs d'arbres que les blocs bondissants brisaient au passage, avant d'éclater, comme des coups de mine, sur le fond lointain du vallon.

Cette fois-là, je tremblai de peur, et je reculai vers le fond du couloir.

« C'est beau ! » me dit Lili.

Mais je vis bien qu'il n'était pas rassuré ; il vint s'asseoir près de moi, et il reprit :

« C'est beau, mais c'est couillon.

— Est-ce que ça va durer longtemps ?

— Peut-être une heure, mais pas plus. »

Des filets d'eau commencèrent à tomber des fentes de la voûte ogivale, dont le sommet se perdait dans la nuit, puis un jet d'eau nous força à changer de place.

« Ce qui est malheureux, dit Lili, c'est qu'on va perdre une douzaine de pièges... Et les autres, il va falloir bien les faire sécher près du feu, et les graisser, parce que... »

Il s'arrêta net, et regarda fixement derrière moi. Du bout des lèvres, il murmura :

« Baisse-toi doucement, et ramasse deux grosses pierres ! »

Soudain terrorisé, et rentrant la tête dans mes épaules, je restai immobile. Mais je le vis se baisser lentement, les yeux toujours fixés sur quelque chose qui se trouvait derrière moi et plus haut que moi... Je me baissai à mon tour, lentement... Il avait pris deux pierres aussi grosses que mon poing : je fis de même.

« Tourne-toi doucement », chuchota-t-il.

Je fis tourner ma tête et mon buste : je vis, là-haut, briller dans l'ombre deux yeux phosphorescents.

Je dis dans un souffle :

« C'est un vampire ?

— Non. C'est le grand-duc. »

En regardant de toutes mes forces, je finis par distinguer le contour de l'oiseau.

Perché sur une saillie de la roche, il avait bien deux pieds de haut. Les eaux l'avaient chassé de son nid, qui devait être quelque part dans le plafond.

« S'il nous attaque, attention aux yeux ! » chuchota Lili.

L'épouvante m'envahit soudain.

« Partons, dis-je, partons ! il vaut mieux être mouillé qu'aveugle ! »

Je sautai dans la brume : il me suivit.

J'AVAIS perdu ma casquette : la pluie crépitait sur ma tête nue, mes cheveux coulèrent sur mes yeux.

« Reste contre la barre, cria Lili. D'abord on se mouillera moins, et puis, on ne risque pas de se perdre. »

En effet, je voyais à peine à quatre pas devant moi.

J'avais pensé que notre connaissance des lieux serait suffisante pour nous guider par la vue d'un seul arbre, d'un seul bloc de rocher, d'un seul buisson. Mais la brume n'était pas seulement un rideau qui estompe les formes : parce qu'elle n'était pas homogène, elle les transformait. Elle nous laissait voir le fantôme d'un petit pin tordu, mais elle effaçait entièrement la silhouette d'un grand chêne qui était à côté : puis le petit pin disparaissait à son tour, et la moitié du chêne surgissait, inconnue. Nous avancions dans un paysage qui changeait sans cesse, et sans la présence de la barre, que nous touchions de nos mains, nous n'eussions pu que nous asseoir sous ce déluge, et attendre.

Par bonheur, le ciel se calmait peu à peu : l'orage était parti vers Garlaban, et la violence de la pluie diminuait. Elle tombait maintenant régulière, toute droite, installée...

Cependant, la barre qui nous guidait se termina soudain par l'éperon du Taoumé. Nous la quittâmes avec beaucoup d'appréhension, comme un bébé lâche la rampe de l'escalier.

Lili passa devant moi...

Les yeux à terre, il trouva le sentier, que les ruisseaux de l'orage avaient pourtant défiguré. D'ailleurs, un vieux cade, qui dressait dans la brume deux branches mortes tordues, fut formel : nous étions sur le bon chemin et nous repartîmes au trot.

Nos espadrilles, gonflées d'eau, gargouillaient à chaque pas. Mes cheveux trempés glaçaient mon front. Mon blouson et ma chemise collaient à ma peau.

Dans le silence revenu, nous entendîmes au loin une sorte de grondement assez faible, mais continu. Lili s'arrêta, et prêta l'oreille.

« Ça, dit-il, c'est les Escaouprès qui coulent. Mais on ne peut dire de quel côté ça vient. »

Nous écoutâmes attentivement : ça venait de tous les côtés, à cause des échos assourdis par la pluie.

Lili, pensif, déclara :

« C'est peut-être aussi bien La Garette, ou peut-être le Pas du Loup... Si on ne court pas, on va prendre froid ! »

Il s'élança, les coudes au corps, et je le suivis, redoutant de perdre de vue la petite silhouette dansante qui traînait des écharpes de brume.

Mais après dix minutes de course, il s'arrêta brusquement, et se tourna vers moi.

« Ça descend de plus en plus, dit-il. Nous ne devons pas être loin du jas de Baptiste.

— On n'a pas vu les trois pételins.

— Tu sais, aujourd'hui, on ne voit pas tout.

— Il y en a un qui barre le sentier. Même avec le brouillard, nous ne l'aurions pas manqué !

— Je n'ai pas fait attention, dit-il.

— Mais moi, j'ai fait attention !...

— Alors, ils sont peut-être un peu plus bas. »

Il reprit sa course. Mille ruisselets coulaient à petit bruit. Un grand oiseau noir, les ailes ouvertes, passa sur nos têtes, à

dix mètres. Je me rendis compte que nous avions perdu le sentier depuis longtemps. Il le comprit aussi, et s'arrêta de nouveau.

« Je me demande, dit-il, je me demande... »

Il ne savait plus que faire, car il se mit à insulter le brouillard, la pluie, et les dieux, avec de terribles injures provençales.

« Attends ! lui dis-je tout à coup. J'ai une idée. Ne fais pas de bruit. »

Je me tournai vers ma droite, et les deux mains en portevoix, je lançai un long cri d'appel, puis j'écoutai.

Un faible écho répéta le cri, puis un autre, plus faible encore.

« Celui-là, dis-je, je crois que c'est celui de la barre des Escaouprès, presque sous Tête-Rouge. »

Je criai alors devant moi. Rien ne répondit. Je me tournai vers ma gauche, et nous criâmes tous les deux à la fois.

Un écho plus sonore fut suivi de deux autres : c'était la voix de Passe-Temps.

« Je sais où nous sommes, dis-je. Nous avons pris un peu trop à gauche, et si nous continuons par là, nous allons tomber au bord des barres de La Garette. Suis-moi. »

Je partis, infléchissant ma course vers la droite... Le soir épaississait la brume : mais j'appelais les échos familiers, et je demandais conseil à celui des Escaouprès, qui, par pitié, se rapprocha de nous.

Enfin, mes pieds reconnurent une série de pierres rondes, qui roulèrent sous mes semelles.

Alors, je sortis du sentier sur ma droite, et je crus distinguer une longue masse sombre.

J'avançai, les mains en avant, et soudain je saisis à poignée les feuilles charnues d'un figuier... C'était celui du jas de Baptiste, et la vieille odeur de la bergerie, que l'orage ressuscitait, nous fit savoir que nous étions sauvés. La pluie le comprit : elle s'arrêta.

Alors, nous fûmes heureux et fiers de cette aventure qui allait permettre de beaux récits. Mais comme nous descendions d'un pas rapide le raidillon du Redouneou, j'entendis, loin derrière nous, l'appel d'un oiseau.

« C'est un vanneau, dit Lili. Ils ne s'arrêtent pas ici. C'est les vanneaux qui s'en vont... »

Ils surgirent, en V, à peine visibles, dans la brume qui les faisait voler très bas, et passèrent sur nos têtes, en suivant ce cri plaintif... Ils partaient vers d'autres vacances.

NOUS arrivâmes, comme toujours, sur le derrière de la maison.

Une faible lumière tremblait au premier étage, et faisait luire des poussières d'eau à travers la brume légère : ma mère dressait dans le crépuscule le phare dérisoire d'une lampe à pétrole, dont la dernière goutte de pluie avait fêlé le verre brûlant.

Un grand feu ronflait dans l'âtre : mon père et mon oncle, en pantoufles et peignoirs, bavardaient avec François tandis que leurs costumes de chasse, sur les épaules de plusieurs chaises, séchaient devant les flammes.

« Tu vois bien qu'ils ne sont pas perdus ! s'écria joyeusement mon père.

— Oh ! Ça ne risquait rien », dit François.

Ma mère toucha mon blouson, puis celui de Lili, et poussa des cris d'inquiétude.

« Ils sont trempés ! Trempés comme s'ils étaient tombés à la mer !

— Ça leur fait du bien, dit François avec un calme parfait... Les enfants, ça ne craint pas l'eau, surtout que c'est de l'eau du ciel ! »

La tante Rose descendit l'escalier en courant, comme pour un incendie. Elle était chargée de hardes et de serviettes. En

un tournemain, nous fûmes nus devant le feu, à la grande joie de Paul, et à la grande confusion de Lili : avec la pudeur des petits paysans, il se cachait de son mieux derrière les vestes de chasse. Mais la tante s'en empara sans la moindre hésitation, et le frictionna avec une serviette éponge, en le tournant et le retournant comme s'il se fût agi d'un objet. Ma mère me traitait de même, et François, qui regardait l'opération, déclara :

« Ils sont aussi rouges que des gratte-culs ! »

Et il dit encore :

« Ça leur fait du bien ! »

Lili fut rhabillé avec mon vieux costume à col de marin, ce qui lui donna tout de suite grand air, pendant que j'étais enveloppé — plutôt que vêtu — dans un tricot de mon père, qui me descendait aux genoux, tandis que des bas de laine de ma mère me montaient jusqu'aux hanches.

On nous installa ensuite devant le feu, et je racontai notre odyssée. Le point culminant fut l'attaque du grand-duc, que je ne pouvais évidemment pas laisser immobile contre le rocher : il s'élança donc sur nous, les yeux en feu, les serres en avant, et tournoya autour de nos têtes. Tandis que je battais des ailes, Lili poussa les cris aigus du monstre. La tante Rose écoutait la bouche ouverte, ma mère secouait la tête, Paul protégeait ses yeux avec ses deux mains. Notre succès fut si complet que j'eus peur moi-même, et que bien souvent dans mes rêves — même quelques années plus tard — cette bête agressive est revenue me crever les yeux.

L'oncle Jules raconta ensuite avec un calme héroïque la dangereuse épopée des chasseurs.

Surpris par l'orage au fond des gorges, ils avaient d'abord échappé par miracle à la chute de rochers énormes qui tombaient sans cesse devant eux et derrière eux, puis à la foudre, qui avait fendu en deux le gros noyer de la Petite Baume ; enfin, trempés, épuisés, et poursuivis par un torrent qui grossissait de minute en minute, ils n'avaient dû leur

salut qu'à un sprint désespéré, dont l'oncle Jules avoua qu'il se serait cru incapable.

Son histoire ne fit pas grand effet ; on ne tremble pas pour des chasseurs à moustaches.

François, en se levant, dit simplement :

« Que voulez-vous ! C'est la saison !... Maintenant, le beau temps est passé... Enfin, c'est d'accord pour dimanche. Allez, au revoir, la compagnie ! »

Il sortit, emmenant Lili, qui garda mon vieux costume pour l'admiration de sa mère.

A table, je mangeais de grand appétit, lorsque l'oncle Jules dit une phrase toute simple, à laquelle je n'accordai d'abord aucune attention.

« Je pense, dit-il, que nos paquets ne seront pas une bien lourde charge sur la carriole de François. Il sera donc possible d'y installer Rose, le bébé, Augustine, et la petite. Et même peut-être Paul. Qu'est-ce que tu en dis, petit Paul ? »

Mais le petit Paul n'en put rien dire : je vis sa lèvre inférieure s'allonger, se gonfler, puis se recourber vers son menton. Je connaissais bien ce signe, que parfois je comparais gracieusement au rebord du pot de chambre de la petite sœur. Comme d'ordinaire, ce symptôme fut suivi d'un sanglot étouffé, puis deux grosses larmes jaillirent de ses yeux bleus.

« Qu'est-ce qu'il a ? »

Ma mère le prit aussitôt sur ses genoux, et le berça, pendant qu'il fondait en larmes et reniflements.

« Mais voyons, gros bêta, disait ma mère, tu sais bien que ça ne pouvait pas durer toujours ! Et puis, nous reviendrons bientôt... Ce n'est pas bien loin, la Noël ! »

Je pressentis un malheur.

« Qu'est-ce qu'elle dit ?

— Elle dit, répondit l'oncle, que les vacances sont finies ! »

Et il se versa paisiblement un verre de vin.

Je demandai, d'une voix étranglée :

« C'est fini quand ?

— Il faut partir après-demain matin, dit mon père. Aujourd'hui, c'est vendredi.

— Ce *fut* vendredi, dit l'oncle. Et nous partons dimanche matin.

— Tu sais bien que lundi, c'est la rentrée des classes ! » dit la tante.

Je fus un instant sans comprendre, et je les regardai avec stupeur.

« Voyons, dit ma mère, ce n'est pas une surprise ! On en parle depuis huit jours ! »

C'est vrai qu'ils en avaient parlé, mais je n'avais pas voulu entendre. Je savais que cette catastrophe arriverait fatalement, comme les gens savent qu'ils mourront un jour : mais ils se disent : « Ce n'est pas encore le moment d'examiner à fond ce problème. Nous y penserons en temps et lieu. »

Le temps était venu : le choc me coupait la parole, et presque la respiration. Mon père le vit, et me parla gentiment.

« Voyons, mon garçon, voyons ! Tu as eu deux très grands mois de vacances...

— Ce qui est déjà abusif ! interrompit l'oncle. Si tu étais Président de la République, tu n'en aurais pas eu autant ! »

Cet ingénieux argument ne me toucha guère, car j'avais décidé de n'aspirer à ces hautes fonctions qu'après mon service militaire.

« Tu as devant toi, reprit mon père, une année qui comptera dans ta vie : n'oublie pas qu'en juillet prochain, tu vas te présenter à l'examen des Bourses, pour entrer au lycée au mois d'octobre suivant !

— Tu sais que c'est très important ! dit ma mère. Tu dis

toujours que tu veux être millionnaire. Si tu n'e
lycée, tu ne le seras jamais ! »

Elle croyait très fermement que la richesse était
de prix d'excellence qui récompensait infaillibl
travail et l'instruction.

« Et puis, au lycée, dit l'oncle, tu apprendras le lat
te promets que ça va te passionner ! Moi, du latin, j'en
même pendant les vacances, pour le plaisir ! »

Ces propos étranges, et qui concernaient les siècles fu
ne masquaient point la tragique réalité : les vacances éta
finies, et je sentis mon menton qui tremblait.

« J'espère que tu ne vas pas pleurer ! » dit mon père.

Je l'espérais aussi, et je fis un grand effort, l'effort d'un
Comanche au poteau de torture ; mon désespoir devint une
révolte : je contre-attaquai.

« Après tout, dis-je, tout ça, c'est votre affaire. Mais moi,
ce qui m'inquiète le plus, c'est que maman ne pourra jamais
redescendre à pied jusqu'à La Barasse.

— Puisque c'est là ton grand souci, dit mon père, je vais te
tranquilliser tout de suite. Dimanche matin, comme l'oncle
Jules vient de le dire, les femmes et les enfants monteront sur
la charrette de François, qui les déposera au pied de La
Treille, au départ de l'omnibus.

— Quel omnibus ?

— Celui qui vient le dimanche, et qui nous conduira
jusqu'au tramway. »

Cette mention d'un omnibus dominical que nous n'avions
jamais vu confirmait l'existence d'un plan soigneusement
établi : ils avaient pensé à tout.

« Et les figues ? dis-je brusquement.

— Quelles figues ?

— Celles de la terrasse. Il en reste plus de la moitié, et
elles ne seront mûres que dans huit jours. Qui les mangera ?

— Peut-être nous, si nous revenons passer quelques jours
ici pour la Toussaint, dans six semaines.

— Entre les moineaux, les grives et les bûcherons, il n'en restera pas une ! Et toutes les bouteilles de vin qui sont dans la cave, elles vont être gaspillées ?

— Au contraire, dit l'oncle Jules. Le vin se bonifie en vieillissant. »

Cette affirmation triomphale démonta mon attaque, qui changea d'axe aussitôt.

« Ça c'est vrai, dis-je. Mais est-ce que vous pensez au jardin ? Papa a planté des tomates ; on n'en a pas encore mangé une ! Et les poireaux, alors ? Ils ne sont pas plus gros que mon petit doigt !

— Je me suis peut-être trompé dans mes calculs agricoles, dit mon père. Mais le grand coupable, c'est la sécheresse. Il n'a pas plu une seule fois, jusqu'à aujourd'hui.

— Eh bien, maintenant, dis-je, il va pleuvoir, et tout ça va devenir énorme ! Ça, c'est vraiment malheureux !

— Rassure-toi, dit mon père. Nous aurons le grand plaisir de manger ces légumes à la maison, parce que François m'a promis de s'en occuper ; en venant au marché, il nous en apportera de pleins cageots ! »

Ainsi, je cherchais mille prétextes absurdes, j'essayais de prouver qu'un départ aussi brutal n'était pas réalisable, comme s'il eût été possible de retarder la rentrée des classes. Mais je sentais bien la pauvreté de mes arguments, et le désespoir me gagnait, lorsque j'eus une idée de génie...

« Moi, dis-je, je sais bien qu'il faut que j'aille en classe, et même ça me fait plaisir d'y aller.

— A la bonne heure ! dit l'oncle Jules en se levant.

— Tu deviens raisonnable ! dit mon père.

— Seulement, moi, je pense que l'air de la ville, pour maman, ça ne vaut rien. C'est toi qui l'as dit. Oui, oui, tu l'as dit. Tandis qu'ici, regarde comme elle est belle ! Et la petite sœur, c'est la même chose. Maintenant, elle grimpe aux arbres, et elle lance des pierres ! Alors, il n'y a qu'à faire comme l'oncle Jules !

— Et qu'est-ce qu'il fait, l'oncle Jules ?

— Eh bien, il va en ville presque tous les jours avec sa bicyclette, et il revient le soir ! Il n'a qu'à te prêter sa machine, et moi tu me mettras sur le guidon ou bien sur ton dos. Et maman restera ici avec la petite sœur, et avec Paul ! D'abord, Paul, à l'école, il ne fait rien. Et puis, tu as vu comme il a pleuré ! Si on l'emmène en ville, il va pleurer tout le temps ! Moi, je le connais, Paul... »

Mon père se leva et dit :

« Ce n'est peut-être pas une mauvaise idée : mais maintenant, il se fait tard. Nous en reparlerons demain.

— C'est ça, dit l'oncle. Maintenant, il faut aller nous coucher, pour partir de très bonne heure, parce que demain, pour notre dernière sortie, nous avons la permission d'aller dans les bois de Pichauris : c'est la plus belle chasse gardée du pays ! »

Mon père prit dans ses bras Paul endormi, et nous montâmes l'escalier derrière lui. A voix basse, je dis à ma mère :

« Tu ne crois pas que c'est une bonne idée ?

— C'est une idée merveilleuse, me dit-elle... Mais ce serait bien fatigant pour ton père !

— Eh bien, peut-être on ne viendrait pas tous les jours. Peut-être le mercredi et le samedi...

— J'aurais sûrement peur de rester seule les autres jours !

— Mais non, tu n'auras pas peur ! D'abord, je demanderai à Lili de venir coucher ici...

— Ça, ça arrange tout ! dit l'oncle Jules. Si Lili accepte, nous sommes sauvés.

— Il a déjà tiré des coups de fusil ! dis-je. Parfaitement, avec le fusil de son frère.

— Eh bien, dit ma mère, va d'abord dormir, tu en as grand besoin... Je vais en parler à ton père, et nous arrangerons tout ça demain. »

UN air frais me réveilla : Paul venait d'ouvrir la fenêtre, et il faisait à peine jour. Je crus que c'était la lumière grise de l'aube : mais j'entendis gazouiller la gouttière, et le son musical de l'eau dégringolante dans les échos de la citerne...

Il était au moins huit heures, et mon père ne m'avait pas appelé : la pluie avait noyé la dernière chasse.

Paul me dit :

« Quand ça s'arrêtera, j'irai aux escargots. »

Je sautai à bas du lit.

« Tu sais qu'on s'en va demain ? »

J'espérais éveiller chez lui un désespoir spectaculaire que j'aurais pu utiliser.

Il ne me répondit pas, car il était très occupé à lacer ses souliers.

« On n'ira plus à la chasse, il n'y aura plus de fourmis, plus de pregadiou, plus de cigales.

— Elles sont toutes mortes ! dit Paul. Tous les jours, je n'en trouve plus.

— En ville, il n'y a pas d'arbres, pas de jardin, il faut aller en classe...

— Oh ! oui ! dit-il avec joie. En classe, il y a Fusier. Il est beau, Fusier. Moi je l'aime. Je vais tout lui raconter. Je lui donnerai de la gomme...

— Et alors, lui dis-je sur un ton sévère, ça te fait plaisir que les vacances soient finies ?

— Oh ! oui ! dit-il. Et puis, à la maison, j'ai ma boîte de soldats !

— Alors, pourquoi tu pleurais hier soir ? »

Il ouvrit ses grands yeux bleus, et dit :

« Je sais pas. »

Je fus écœuré par ce renoncement, mais je ne perdis pas courage, et je descendis à la salle à manger. J'y trouvai une foule de gens et d'objets.

Dans deux caisses de bois blanc, mon père rangeait des souliers, des ustensiles, des livres. Ma mère pliait sur la table des lingeries, la tante bourrait des valises, l'oncle ficelait des ballots, la petite sœur, sur une haute chaise, suçait son pouce, et la « bonne », à quatre pattes, ramassait les prunes d'un panier qu'elle venait de renverser.

« Ah ! te voilà ! dit mon père. La dernière chasse est ratée. Il faut en prendre son parti...

— C'est une petite déception, dit l'oncle. Je souhaite que la vie ne te réserve rien de pire ! »

Ma mère, sur la table encombrée, me servit le café au lait, et de belles tartines. Je m'installai :

« Papa, dis-je, tu as pensé à mon idée ?

— Quelle idée ?

— Que maman reste ici avec Paul — et que nous deux... »

L'oncle Jules m'interrompit :

« Mon cher petit, ça ne tient pas debout.

— Mais puisque toi, tu le faisais ? Tu ne veux pas nous prêter ta bicyclette ?

— Je vous la prêterais volontiers si ton projet était réalisable. Mais tu n'as pas pensé que moi, je quittais le bureau à cinq heures, et que j'arrivais ici à sept heures et demie ! C'était en été, il faisait grand jour ! Ton père sortira de l'école à six heures ; et à six heures, maintenant, il fait

nuit ! Vous ne pouvez pas faire ce voyage tous les jours, en pleine nuit !

— Mais avec une lanterne ? Moi, je la tiendrais, la lanterne...

— Allons donc ! dit mon père. Tu vois bien le temps qu'il fait ! Il va pleuvoir de plus en plus souvent — et ce ne sera guère la peine de faire tant de kilomètres pour rester enfermé au coin du feu. »

Il prit tout à coup un ton sévère :

« Et puis, il n'y a pas besoin de te donner tant d'explications. Les vacances sont finies, il faut rentrer en classe, et nous partons demain. »

Il se mit à clouer le couvercle de la caisse ; je vis bien qu'il clouait le cercueil des vacances, et que rien n'y changerait rien.

D'un air indifférent, j'allai jusqu'à la fenêtre, et je collai mon visage contre les carreaux. Les gouttes de pluie coulaient lentement sur la vitre ; sur ma figure, lentement coulaient mes larmes...

Il y eut un long silence, puis ma mère dit :

« Ton café au lait va être froid. »

Sans me retourner, je répondis :

« Je n'ai pas faim. »

Elle insista :

« Tu n'as rien mangé hier au soir. Allons, viens t'asseoir ici. »

Je ne répondis pas. Comme elle venait vers moi, mon père — d'une voix de gendarme — dit :

« Laisse-le. S'il n'a pas faim, la nourriture pourrait le rendre malade. Ne prenons pas cette responsabilité. Après tout, le serpent boa ne mange qu'une fois par mois. »

Et il planta, dans le silence, quatre clous : la guerre était déclarée.

Je restai à ma place, devant la fenêtre, sans les regarder.

J'entendais des phrases comme celle-ci :

« Après tout, on a eu de belles vacances, mais on n'est pas mécontent de rrentrrer chez soi ! »

Et cette autre, proférée par mon père lui-même :

« C'est peut-être un vice chez moi, mais il me tarde de retrouver mes gosses et mon tableau noir ! »

Et les bartavelles, qu'est-ce qu'il en faisait, ce maniaque ?

Quant à la tante Rose, elle déclara tout net :

« Moi, ici, ce qui me manque, c'est le Gaz. Franchement, je languissais de partir, à cause du Gaz ! »

Comment une femme si charmante et — en apparence — si raisonnable, pouvait-elle proférer de pareilles extravagances, et préférer cette sifflotante puanteur à la brise résineuse des collines ?

L'oncle Jules, pourtant, la dépassa dans l'ignominie, car il dit :

« Eh bien, moi, ce qui m'a manqué, ce sont des cabinets confortables, sans fourmis, sans araignées, sans scorpions, et munis d'une chasse d'eau. »

Voilà donc à quoi il pensait, ce grand buveur de vin, avec ses grosses fesses : parmi le thym, le romarin et les lavandes, au chant des grillons et des cigales, sous le ciel d'un bleu vif où naviguaient les provençales, il n'avait pensé qu'à ça ! Et il l'avouait !

J'étais au comble de l'indignation, mais je constatai avec fierté que seule ma mère ne blasphémait pas mes chères collines : elle avait au contraire un petit air de mélancolie si tendre que j'allai lui baiser furtivement la main.

Puis, je m'installai dans un coin sombre, pour réfléchir.

Ne serait-il pas possible de gagner huit jours, ou peut-être deux semaines en feignant une grave maladie ? Après une fièvre typhoïde, les parents vous envoient à la campagne : c'était arrivé à mon ami Viguier, il était resté trois mois dans les Basses-Alpes, chez sa tante. Quelle était la marche à suivre pour avoir une fièvre typhoïde, ou du moins pour le faire croire ?

L'invisible mal à la tête, l'incontrôlable mal au cœur, l'air dolent, les paupières lourdes sont toujours d'un effet certain. Mais si la chose est grave, alors paraît le thermomètre, et j'avais souffert plusieurs fois de ses impitoyables démentis. Par bonheur, je savais qu'on l'avait oublié à Marseille dans le tiroir de la table de nuit... Mais je compris tout de suite qu'à la première alerte, on m'emporterait vers lui, et sans doute le jour même.

Et si je me cassais une jambe? Oui, pour tout de bon! On m'avait montré un bûcheron qui s'était coupé deux doigts d'un coup de hache pour ne pas aller à la caserne, et ça avait très bien réussi. Je ne voulais rien me couper, parce que ça saigne horriblement, et puis ça ne repousse plus. Tandis qu'un os cassé, ça ne se voit pas, et ça se recolle très bien. Cacinelli, à l'école, avait eu la jambe cassée par un coup de pied de cheval; ça ne se voyait pas du tout, et il courait aussi vite qu'avant! Mais cette idée géniale ne résista pas à l'examen : si je ne pouvais pas marcher, on m'emporterait dans la charrette de François : il me faudrait rester un mois sur une chaise longue et (Canicelli me l'avait dit) avec la jambe « toute bâtie », et « tirée jour et nuit par un poids de cent kilos » !

Non, pas de jambe cassée.

Mais alors, que faire? Fallait-il se résigner à quitter — pour une éternité — mon cher Lili?

Et justement, le voilà qui montait la petite côte, protégé de la pluie par un sac plié en capuchon! Je repris tout de suite courage, et j'ouvris la porte bien grande avant qu'il ne fût arrivé.

IL choqua longuement ses souliers contre la pierre du seuil, pour en faire tomber la boue, et il salua poliment l'assistance, qui lui répondit gaiement tout en continuant ses odieux préparatifs.

Lili vint à moi, et dit :

« Il faudrait aller chercher nos pièges... Si on attend demain, ceux d'Allauch nous les auront peut-être pris !

— Tu veux sortir sous cette pluie ? dit ma mère stupéfaite. Tu as envie d'attraper une fluxion de poitrine ? »

C'était alors la maladie redoutable entre toutes. Mais j'étais trop heureux de quitter cette salle, où je ne pouvais pas parler librement. Aussi j'insistai.

« Ecoute, maman, je vais mettre ma pèlerine avec le capuchon, et Lili prendra celle de Paul.

— Vous savez, madame, dit Lili, la pluie se calme un peu, et il n'y a pas de vent... »

Mon père intervint :

« C'est le dernier jour, dit-il. Il n'y a qu'à les habiller chaudement, avec des journaux sur la poitrine. Et des souliers au lieu d'espadrilles. Après tout, ils ne sont pas en sucre, et le temps a l'air de s'arranger.

— Si ça recommence comme hier ? dit ma mère, inquiète.

— Hier, nous sommes très bien revenus, et pourtant

il y avait le brouillard. Aujourd'hui, il n'y en a pas ! »

Elle nous habilla. Entre mon gilet de flanelle et ma chemise, elle glissa plusieurs numéros du *Petit Provençal*, pliés en quatre. Elle en mit aussi dans mon dos. Il fallut ensuite enfiler deux tricots l'un sur l'autre, puis une blouse, soigneusement boutonnée, puis la pèlerine de drap. Enfin, elle m'enfonça un béret jusqu'aux oreilles, et rabattit par-dessus le capuchon pointu des nains de Blanche-Neige et des sergents de ville.

Pendant ce temps, ma tante Rose fagotait Lili de la même façon. La pèlerine de Paul était bien courte, mais elle protégeait au moins sa tête et ses épaules.

Comme nous sortions de la maison, la pluie s'arrêta et un rayon de soleil fusa tout à coup sur les oliviers brillants.

« Marchons vite ! dis-je. Ils vont aller à la chasse, il faudra encore faire les chiens, et aujourd'hui ça ne me plaît pas. Puisqu'ils veulent partir demain ils n'ont qu'à chasser tout seuls. »

Nous fûmes bientôt en sécurité sous les pinèdes. Deux minutes plus tard, on entendit un long cri d'appel : c'était la voix de l'oncle Jules, qui n'eut d'autre réponse que celle de l'écho.

Malgré le mauvais temps, nos pièges avaient eu un grand succès, et quand nous arrivâmes à Font-Bréguette, les musettes étaient bourrées de culs-blancs et d'alouettes à plumet...

Cette réussite, qui prouvait l'absurdité et la cruauté de mon départ du lendemain, ne fit qu'aggraver mon chagrin.

Comme nous arrivions sur la plus haute terrasse du Taoumé, où étaient tendus les derniers pièges, Lili, pensif, dit à mi-voix :

« Quand même, c'est bien malheureux... On a des aludes pour tout l'hiver... »

Je le savais, que nous avions des aludes. Je le savais amèrement. Je ne répondis rien.

Il s'élança soudain vers le bord de la barre, où se dressait un beau genévrier, se baissa et leva à bout de bras un oiseau que je pris pour un petit pigeon, il cria :

« La première sayre ! »

Je m'approchai.

C'était la grande grive des Alpes, celle que mon père avait un jour appelée « litorne ».

Sa tête était d'un gris bleuté et, de sa gorge rousse, un éventail de mouchetures noires descendait sur le ventre blanc... Elle pesait dans ma main. Pendant que je la regardais tristement, Lili dit :

« Ecoute... »

Dans les pins, autour de nous, j'entendis les appels d'un grand nombre d'oiseaux : cela ressemblait au cri de la pie, mais sans l'éclatante vulgarité, sans la bruyante insolence de l'oiseau-voleur. C'était au contraire une voix gutturale et tendre, une voix un peu triste, la petite chanson de l'automne... Ces sayres arrivaient pour me voir partir.

« Demain, dit Lili, je vais préparer les pièges à grives de Baptistin, et je tendrai demain soir. Et je te promets que lundi matin il me faudra deux biasses pour les rapporter. »

Je dis sèchement :

« Lundi matin, tu seras à l'école ! »

— Oh ! que non ! Quand je vais dire à ma mère que les sayres sont arrivées, et que je peux en prendre pour quinze ou vingt francs par jour, elle ne sera pas assez bête pour m'envoyer à l'école ! Jusqu'à vendredi — et peut-être l'autre lundi — je suis bien tranquille ! »

Alors, je l'imaginai tout seul, sur la garrigue ensoleillée, battant les broussailles et les cades, pendant que je serais assis sous le plafond bas d'une classe, en face d'un tableau noir plein de carrés et de losanges...

Ma gorge se serra soudain, et je fus pris d'un accès de rage et de désespoir.

Je criai, je pleurai, je trépignai, je hoquetai, et je me roulai

sur le gravier, tandis que *Le Petit Provençal* bruissait sur ma poitrine et dans mon dos. Je criai, d'une voix aiguë :

« Non ! non ! je ne partirai pas ! Non ! Je ne veux pas y aller ! Je n'irai pas ! Non ! je n'irai pas ! »

Le vol de sayres plongea dans le vallon, et Lili, bouleversé par ce désespoir, me prit dans ses bras, froissant entre ces cœurs désespérés seize épaisseurs de *Petit Provençal*.

« Te rends pas malade ! disait-il. Il ne faut pas te tourner les sangs ! Ecoute-moi, écoute-moi... »

Je l'écoutai, mais il n'avait rien à me dire, que son amitié.

Honteux de ma faiblesse, je fis soudain un grand effort, et je dis clairement :

« Si l'on veut me forcer à retourner en ville, je me laisserai mourir de faim. D'ailleurs, j'ai déjà commencé : je n'ai rien mangé ce matin. »

Cette révélation troubla Lili.

« Rien du tout ?

— Rien.

— J'ai des pommes, dit-il en fouillant sa biasse.

— Non. Je n'en veux pas. Je ne veux rien. »

Ce refus était si farouche qu'il n'insista pas.

Après un assez long silence, je déclarai :

« Ma décision est prise. Ils n'ont qu'à partir, si ça leur plaît. Moi, je reste ici. »

Pour marquer le caractère définitif de cette résolution, j'allai m'asseoir sur une grosse pierre, et je croisai les bras sur ma poitrine. Lili me regardait, perplexe.

« Et comment vas-tu faire ?

— Ho ho ! dis-je, c'est bien facile. Demain matin — ou peut-être cette nuit — je fais mon balluchon, et je vais me cacher dans la petite grotte sous le Taoumé. »

Il ouvrit de grands yeux.

« Tu le ferais ?

— Tu ne me connais pas !

— Ils vont te chercher tout de suite !

« — Ils ne me trouveront pas !

— Alors, ils iront le dire aux gendarmes et au garde-champêtre d'Allauch.

— Puisque personne ne connaît cette cachette — c'est toi qui me l'as dit — ils ne me trouveront pas non plus. Et d'abord, je vais faire une lettre pour mon père, et je la laisserai sur mon lit. Je lui dirai de ne pas me chercher, parce que je suis *introuvable*, et que s'il prévient les gendarmes, moi, je me jetterai du haut d'une barre. Je le connais. Il me comprendra, et il ne dira rien à personne.

— Quand même, il va se faire un brave mauvais sang !

— Il s'en ferait bien plus s'il me voyait mourir à la maison. »

Cet argument me persuada moi-même et confirma irrévocablement ma décision mais Lili, après réflexion, déclara :

« J'aimerais bien, moi, que tu restes. Mais dans la colline, où c'est que tu vas chercher ta vie ?

— Premièrement, je vais emporter des provisions. A la maison, il y a du chocolat, et une boîte entière de galettes. Et puis, je crois bien que tu as entendu parler d'un ermite, qui est resté plus de vingt ans dans la baume de Passe-Temps. Eh bien, je ferai comme lui : je chercherai des asperges, des escargots, des champignons, et je planterai des pois chiches !

— Tu ne sais pas les faire cuire.

— J'apprendrai. Et puis j'irai à La Pondrane, et je chiperai les prunes de Roumieu : il ne va jamais les cueillir... Je ferai sécher des figues, des amandes, des sorbes, je ramasserai des mûres, des prunelles... »

Il n'avait pas l'air très convaincu, et je m'énervai un peu :

« On voit bien que tu ne lis jamais rien ! Tandis que moi, j'ai lu des vingtaines de livres ! Et je peux te dire qu'il y a beaucoup de gens qui se débrouillent très bien dans les forêts vierges... Et pourtant, c'est plein d'araignées venimeuses qui ne tiendraient pas dans une soupière, et qui te sautent à la figure, et des serpents boas qui pendent des arbres, et des

vampires qui te sucent le sang pendant que tu dors, et des Indiens féroces qui te cherchent pour te rapetisser la tête. Tandis qu'ici, il n'y a pas d'Indiens, pas de bêtes sauvages... »

J'hésitai un peu, puis je dis :

« A part les sangliers, peut-être ?

— Non, dit Lili. Pas en hiver.

— Pourquoi ?

— C'est la soif qui les fait venir. En hiver, ils ont de l'eau, alors ils restent dans la montagne, du côté de Sainte-Victoire... »

C'était une grande et rassurante nouvelle, car les boyaux dévidés du pauvre manchot s'allongeaient quelquefois sur les sentiers de mon sommeil.

« Ce qui va être dur, dit Lili, ce sera pour dormir la nuit.

— Je me ferai un lit de baouco, par terre, dans un coin de la grotte. C'est aussi bien qu'un matelas... Et puis, je t'apprendrai qu'on s'habitue à tout. Toi, naturellement, tu ne connais pas Robinson Crusoé, mais moi, je le connais très bien. C'était un marin. Il savait nager comme un poisson, mais il ne savait pas courir du tout, parce que, sur les bateaux, il n'y a pas de place... Eh bien, quand il a fait naufrage dans une île, au bout de trois mois, il courait si vite qu'il attrapait des chèvres sauvages !

— Ho ho ! dit Lili avec force, ce type-là, je ne le connais pas, mais les chèvres, je les connais ! Si c'est lui qui a raconté ça, tu peux être sûr que c'est un beau menteur !

— Puisque je te dis que c'est imprimé, dans un livre qu'on donne pour le prix ! »

C'était sans réplique : il dut se replier, mais il le fit sans perdre la face :

« Si c'était des chèvres pleines, alors, je ne dis pas non. Mais toi, si tu t'amuses à attraper les chèvres de mon père...

— Mais non ! dis-je. Je voulais te faire un exemple comme quoi on s'habitue à tout ! Si un jour j'attrape une

chèvre de ton père, je lui tire un verre de lait, et puis je la lâche !

— Ça, dit Lili, c'est possible et personne ne s'en apercevra. »

La conversation continua ainsi jusqu'à midi.

Peu à peu, il se laissait persuader, à mesure que je m'installais sous ses yeux dans ma nouvelle vie.

Il déclara d'abord qu'il compléterait mon stock de provisions, en volant un sac de pommes de terre dans le cellier de sa mère, et au moins deux saucissons. Il me promit ensuite de garder pour moi, chaque jour, la moitié de son pain, et sa barre de chocolat. Puis, comme c'était un esprit pratique, il tourna sa pensée vers l'argent.

« Et d'abord, dit-il, nous allons prendre des douzaines de grives ! Je n'en apporterai que la moitié à la maison, et nous irons vendre le reste à l'auberge de Pichauris ! Un franc les " tordre ", et deux francs les sayres ! Avec ça, tu pourras acheter du pain à Aubagne !

— Et je vendrai aussi des escargots au marché !

— Et le fenouil ? s'écria-t-il. Il y a l'herboriste de La Valentine qui l'achète trois sous le kilo !

— J'en ferai de petits fagots, et tu iras les lui porter !

— Et avec tout cet argent, nous achèterons des pièges à lapin !

— Et du fil de fer mince pour faire des collets ! Si nous prenons un lièvre, ça fera au moins cinq francs !

— Et de la glu pour prendre les grives vivantes ! Une grive vivante, ça vaut six francs ! »

Comme je me levais pour le retour, un immense vol d'étourneaux, après un virage plongeant, s'abattit sur la pinède. Dans les cimes soudain grouillantes, plusieurs centaines d'oiseaux venaient de se poser. J'étais stupéfait et ravi.

« Chaque année, dit Lili, ils restent ici au moins quinze jours, et quand ils ont choisi un arbre, ils y reviennent

chaque soir. Avec cinquante verguettes, tu te rends compte de ce qu'on aurait pris aujourd'hui ?

— L'oncle Jules m'a dit qu'on pouvait les apprivoiser...

— Bien sûr, dit Lili. Mon frère en avait un. Et il parlait, mais il ne parlait que patois !

— Oh ! mais moi, dis-je, je leur apprendrai le français.

— Ça, dit Lili, ce n'est pas sûr, parce que c'est des oiseaux de la campagne... »

Nous descendîmes à grands pas, en faisant mille projets.

Je me voyais errant sur les barres du Taoumé, les cheveux au vent, les mains dans les poches, portant sur mon épaule un étourneau fidèle, qui me mordillerait tendrement l'oreille, et me ferait la conversation.

LES chasseurs étaient partis pour Pichauris, assez dépités de notre défection. Lili déjeuna à la maison, avec ma tante, ma mère, la petite sœur et Paul.

Il était grave, j'affectais une gaieté bruyante, ce qui fit grand plaisir à ma chère maman. Je la regardais avec tendresse, mais j'étais parfaitement décidé à la quitter la nuit suivante.

Je me suis souvent demandé comment j'avais pu prendre sans l'ombre d'un remords, et sans la moindre inquiétude, une résolution pareille : je ne le comprends qu'aujourd'hui.

Jusqu'à la triste puberté, le monde des enfants n'est pas le nôtre : ils possèdent le don merveilleux d'ubiquité.

Chaque jour, pendant que je déjeunais à la table de famille, je courais aussi dans la colline, et je dégageais d'un piège un merle encore chaud.

Ce buisson, ce merle, et ce piège étaient pour moi aussi réels que cette toile cirée, ce café au lait, ce portrait de M. Fallières qui souriait vaguement sur le mur.

Lorsque mon père me demandait soudain : « Où es-tu ? »

je revenais dans la salle à manger, mais sans tomber du haut d'un rêve : ces deux mondes étaient de plain-pied.

Je répondais aussitôt : « Je suis ici ! » sur le ton d'une protestation.

C'était vrai, et pendant un moment, je jouais à vivre avec eux ; mais le bourdonnement d'une mouche créait aussitôt le ravin de Lancelot, où trois petites mouches bleues m'avaient suivi si longtemps, et la mémoire des enfants est si puissante que, dans ce souvenir soudain réalisé, je découvrais mille détails nouveaux que je croyais n'avoir pas remarqués, comme le bœuf qui rumine trouve dans l'herbe remâchée le goût de graines et de fleurs qu'il a broutées sans le savoir.

Ainsi, j'avais l'habitude de quitter ma chère famille, car je vivais le plus souvent sans elle, et loin d'elle. Mon expédition ne serait pas une nouveauté scandaleuse, et le seul changement à la vie quotidienne serait l'éloignement de mon corps.

Mais eux, que feraient-ils pendant ce temps-là ? Je n'y pensais que vaguement, car je n'étais pas certain qu'ils pussent exister en mon absence ; ou alors, s'ils persistaient à vivre, ce devait être d'une vie irréelle, et par conséquent, indolore.

D'autre part, je ne partais pas pour toujours ; j'avais l'intention de revenir parmi eux, et de les ressusciter à l'improviste. Je leur donnerais ainsi une joie si grande et si réelle qu'elle effacerait d'un seul coup les inquiétudes de leur mauvais rêve, et toute l'affaire serait soldée par un bénéfice de bonheur.

Après le déjeuner, Lili nous quitta, en disant que sa mère l'attendait pour battre au fléau les pois chiches : en réalité, il allait examiner le contenu du cellier, et préparer

mes provisions, car il savait qu'elle était aux champs.

Je montai aussitôt dans ma chambre, sous prétexte de rassembler les petites affaires personnelles que je voulais emporter en ville — et je composai ma lettre d'adieu :

> *Mon cher Papa,*
> *Ma chère Maman,*
> *Mes chers Parents,*

> *Surtout ne vous faites pas de mauvais sang. Ça ne sert à rien. Maintenant, j'ai trouvé ma vocation. C'est : hermitte.*
> *J'ai pris tout ce qu'il faut.*
> *Pour mes études, maintenant, c'est trop tard, parce que j'y ai* Renoncé.
> *Si ça ne réussit pas, je reviendrai à la maison. Moi, mon bonheur, c'est l'Avanture. Il n'y a pas de danger. J'ai emporté deux cachets d'Aspirine des Usines du Rhône. Ne vous affollez pas.*
> *Ensuite, je ne serais pas tout seul. Une personne* (que vous ne connaissez pas) *va venir m'apporter du pain, et me tenir compagnie pendant les tempetes.*
> *Ne me cherchez pas : je suis* introuvable.
> *Occupe-toi de la santé de maman. Je penserai à elle tous les soirs.*
> *Au contraire, tu peux être fier, parce que pour se faire hermitte, il faut du Courage, et moi j'en ai. La preuve.*
> *Quand vous reviendrez, vous ne me reconnaîtrez plus, si je ne vous dis pas : « C'est moi. »*
> *Paul va être un peu jaloux, mais ça ne fait rien. Embrassez-le bien fort pour son Frère Aîné.*
> *Je vous embrasse tendrement, et surtout ma chère maman.*
> *Votre fils,*
>
> MARCEL,
> *l'Hermitte des Collines.*

J'allai ensuite chercher un vieux morceau de corde que j'avais remarqué dans l'herbe du puits de Boucan. Il mesurait à peine deux mètres, et plusieurs torons avaient été rompus par l'usure, à cause du frottement de la margelle. Cependant, il me sembla que ce chanvre pouvait encore porter mon poids, et qu'il me permettrait de descendre par la fenêtre de ma chambre. J'allai le cacher sous mon matelas.

Je préparai enfin le fameux « balluchon » : un peu de linge, une paire de souliers, le couteau pointu, une hachette, une fourchette, une cuiller, un cahier, un crayon, une pelote de ficelle, une petite casserole, des clous, et quelques vieux outils réformés. Je cachai le tout sous mon lit, avec l'intention d'en faire un petit ballot au moyen de ma couverture, dès que tout le monde serait couché.

Les deux musettes avaient été mises au repos dans une armoire. Je les remplis de divers comestibles : des amandes sèches, des pruneaux, un peu de chocolat, que je réussis à extraire des paquets et ballots préparés pour le retour en ville.

J'étais très excité par ces préparatifs clandestins. En fouillant sans vergogne les bagages — même ceux de l'oncle Jules — je me comparais à Robinson, explorant l'entrepont du navire échoué, et découvrant mille trésors, sous la forme d'un marteau, d'une pelote de ficelle, ou d'un grain de blé.

Quand tout fut prêt, je décidai de consacrer à ma mère les dernières heures que je devais passer avec elle.

Je pelai soigneusement les pommes de terre, je secouai la salade, je mis le couvert et, de temps à autre, j'allais lui baiser la main.

Le dernier dîner fut excellent et copieux, comme pour célébrer un heureux événement.

Personne ne prononça un mot de regret. Au contraire, ils paraissaient tous assez contents de rentrer dans la fourmilière.

L'oncle Jules parla de son bureau, mon père avoua qu'il espérait les palmes académiques pour la fin de l'année, la tante Rose, encore une fois, parla du Gaz... Je vis bien qu'ils étaient déjà partis.

Mais moi, je restais.

UNE petite pierre tinta sur la ferrure du volet. C'était le signal convenu. J'étais déjà tout habillé ; j'ouvris lentement la fenêtre. Un chuchotement monta dans la nuit :

« Tu y es ? »

Pour toute réponse, je fis descendre, au bout d'une ficelle, mon « balluchon ». Puis j'épinglai ma *Lettre d'Adieu* sur l'oreiller et j'attachai solidement la corde à l'espagnolette. A travers la cloison, j'envoyai un baiser à ma mère, et je me laissai glisser jusqu'au sol.

Lili était là, sous un olivier. Je le distinguais à peine. Il fit un pas en avant, et dit à voix basse :

« Allons-y ! »

Il reprit sur l'herbe un sac assez lourd, qu'il chargea sur son épaule d'un tour de rein.

« C'est des pommes de terre, des carottes et des pièges, dit-il.

— Moi, j'ai du pain, du sucre, du chocolat et deux bananes. Marche, nous parlerons plus loin. »

En silence, nous montâmes la côte jusqu'au Petit-Œil.

Je respirais avec délices l'air frais de la nuit, et je pensais, sans la moindre inquiétude, à ma nouvelle vie qui commençait.

Nous prîmes, une fois de plus, le chemin qui montait vers le Taoumé.

La nuit était calme, mais étroite : pas une étoile au ciel. J'avais froid.

Les insectes chanteurs de l'été, le petit peuple des vacances, ne faisaient plus vibrer le silence triste de l'invisible automne. Mais un chat-huant miaulait au loin, et une chouette lançait ses appels de flûte, que répétait fidèlement l'écho mélancolique de Rapon.

Nous marchions vite, comme il convient à des évadés. Le poids de nos paquets nous tirait les épaules, et nous ne disions pas un mot. Au bord du sentier, les pins immobiles avaient l'air de silhouettes en tôle, et la rosée avait mouillé tous les parfums.

Après une demi-heure de marche, nous arrivâmes devant le jas de Baptiste et, sur la large pierre du seuil, nous allâmes nous asseoir un moment.

Lili parla le premier.

« Il s'en est fallu de guère que je ne vienne pas t'appeler !

— Tes parents te surveillaient ?

— Oh ! non. Ce n'est pas ça.

— Alors qu'est-ce que c'est ? »

Il hésita, puis dit :

« Je croyais que tu ne le ferais pas.

— Et quoi donc ?

— De rester dans la colline. Je croyais que tu l'avais dit comme ça, mais que finalement... »

Je me levai, blessé dans mon orgueil.

« Alors, tu me prends pour une fille, qui change d'idée à tout moment ? Tu crois que je parle pour ne rien dire ? Eh bien, tu apprendras que quand j'ai décidé quelque chose, je le fais toujours ! Et si tu n'étais pas venu, je serais parti tout seul ! Et si tu as peur, tu n'as qu'à rester là : moi, je sais où je vais ! »

Je repris ma route d'un pas assuré. Il se leva, remit le cou du sac sur son épaule et se hâta pour me rattraper. Il passa

devant moi, s'arrêta, me regarda une seconde et dit avec émotion :

« Tu es formidable ! »

Je pris aussitôt l'air formidable, mais je ne répondis rien. Il me regardait toujours et dit encore :

« Il n'y en a pas deux comme toi ! »

Enfin, il me tourna le dos et reprit la marche en avant... Cependant, dix pas plus loin, il s'arrêta de nouveau et, sans se retourner il dit encore :

« Il n'y a pas à dire : tu es formidable ! »

Cette admiration stupéfaite qui flattait ma vanité me parut soudain très inquiétante, et il me fallut faire un effort pour rester formidable.

J'étais sur le point d'y réussir lorsqu'il me sembla entendre au loin, sur notre droite, comme une glissade dans la pierraille. Je m'arrêtai, je tendis l'oreille. Le bruit recommença.

« Ça, dit Lili, c'est un bruit de la mer... On ne sait jamais d'où ça vient. Remarque que ça fait toujours un peu peur, mais c'est pas dangereux : tu seras vite habitué. »

Il se remit en marche, et nous arrivâmes au bord de la barre qui surplombait le plan de La Garette... A notre gauche commençait l'épaisse pinède du Taoumé. La brume de l'aube montait du sol entre les troncs, et ses lentes volutes roulaient sur la broussaille.

Une sorte d'aboiement, aigu et bref, mais trois fois répété, me fit tressaillir.

« C'est un chasseur ?

— Non, dit Lili. C'est le renard. Quand il fait ça, c'est qu'il rabat quelque bête vers sa femelle : alors, il l'avertit... »

La petite voix sauvage cria de nouveau trois fois, et je pensai à mon livre d'histoire naturelle : l'éléphant *barrit*, le cerf *brame*, le renard *glapit*.

Alors, parce qu'il était nommé, ce cri perdit sa puissance nocturne : ce renard *glapissait*, rien de plus. J'avais porté son

verbe cent fois dans mon cartable : je fus tout à fait rassuré, et j'allais faire part à Lili de ma science réconfortante, lorsqu'à ma gauche, au fond de la pinède, dans la brume, une ombre assez haute passa rapidement sous les branches pendantes.

« Lili, dis-je à voix basse, je viens de voir passer une ombre !

— Où ?

— Là-bas.

— Tu rêves, dit-il. C'est guère possible de voir une ombre dans la nuit...

— Je te dis que j'ai vu passer quelque chose !

— C'est peut-être le renard !

— Non... C'était plus haut... Ça ne serait pas ton frère qui va aux grives ?

— Oh ! non ! C'est trop tôt... Il reste au moins une heure de nuit...

— Ou alors un braconnier ?

— Ça m'étonnerait... Ou alors... »

Mais il s'arrêta et regarda à son tour vers la pinède, en silence.

« A quoi penses-tu ? »

Il me répondit par une autre question.

« Comment elle était, cette ombre ?

— Un peu comme l'ombre d'un homme.

— Grand ?

— Ma foi, c'était loin... Oui, plutôt grand.

— Avec un manteau ? Un long manteau ?

— Tu sais, je n'ai pas bien vu. J'ai vu comme une ombre qui bougeait, et qui a disparu derrière un pin, ou un cade. Pourquoi me demandes-tu ça ? Tu penses à quelqu'un qui a un manteau ?

— Ça se pourrait, dit-il songeur. Moi, je ne l'ai jamais vu. Mais mon père l'a vu.

— Qui ça ?

— Le grand Félix.

— C'est un berger ?

— Oui, dit-il. Un berger de l'ancien temps.

— Pourquoi dis-tu de l'ancien temps ?

— Parce que ça s'est passé dans l'ancien temps.

— Je ne comprends pas. »

Il se rapprocha de moi et dit à voix basse :

« Ça fait au moins cinquante ans qu'il est mort. Mais il vaut mieux pas en parler, parce que ça risque de le faire venir ! »

Comme je le regardais, stupéfait, il chuchota dans mon oreille :

« C'est un fantôme ! »

Cette révélation était si inquiétante que, pour me rassurer, je fis appel à mon rire sarcastique et je dis, sur un ton de mordante ironie :

« Tu y crois, toi, aux fantômes ? »

Il parut effrayé et dit à voix basse :

« Ne crie pas si fort ! Je te dis que ça risque de le faire venir ! »

Pour lui être agréable, je baissai le ton.

« Eh bien, moi je t'apprendrai que mon père, qui est un savant, et mon oncle, qui est de la Préfecture, ils disent que c'est de la blague ! Les fantômes, ça les fait rigoler. Et moi aussi, ça me fait rigoler ! Oui, parfaitement, RIGO-LER.

— Eh bien, moi, mon père, ça ne le fait pas rigoler, parce qu'il l'a vu, lui, le fantôme ; il l'a vu quatre fois.

— Ton père, c'est un brave homme, mais il ne sait même pas lire !

— Je ne te dis pas qu'il sait lire. Je te dis qu'il l'a *vu* !

— Où ?

— Une nuit, pendant qu'il dormait au jas de Baptiste, il a entendu marcher dehors Et puis un grand soupir, comme une personne qui meurt. Alors il a regardé par une

fente de la porte, et il a vu un berger très grand, avec son manteau, son bâton et un chapeau énorme. Tout gris du haut en bas. »

Toujours pour lui être agréable, je chuchotai :

« C'était peut-être un vrai berger ?

— Oh ! que non ! La preuve que c'était un fantôme, c'est que quand il a ouvert la porte, il n'y avait plus rien. Ni berger, ni fantôme, ni RIEN. »

C'était une preuve accablante.

« Et qu'est-ce qu'il vient faire, ce fantôme ? Qu'est-ce qu'il veut ?

— A ce qu'il paraît qu'il était très riche, il avait au moins mille moutons. Des bandits l'ont assassiné ; ils lui ont planté un grand poignard entre les épaules et ils lui ont pris un gros sac de pièces d'or. Alors, il revient tout le temps, pour se plaindre, et il cherche son trésor.

— Il sait bien que ce n'est pas nous qui l'avons pris.

— C'est ce que mon père lui a dit.

— Il lui a parlé ?

— Bien sûr. A la quatrième fois qu'il est venu, il lui a parlé à travers la porte. Il lui a dit : " Ecoute, Félix, moi je suis berger comme toi. Ton trésor, je ne sais pas où il est. Alors, ne viens pas me casser les pieds, parce que j'ai besoin de dormir. " Alors le fantôme n'a pas dit un mot, mais il s'est mis à siffloter pendant au moins dix minutes. Alors mon père s'est mis en colère, et il lui a dit : " Moi, je respecte les morts, mais si tu continues comme ça, moi je sors, et je te fous quatre signes de croix et six coups de pied au derrière. "

— Il lui a dit ça ?

— Oui, il lui a dit ça, et il l'aurait fait ; mais l'autre a compris : il est parti, et il n'est plus jamais revenu. »

Cette histoire était absurde, et je décidai de ne pas y croire : je fis donc appel à quelques-uns des mots favoris de mon père.

« Franchement, dis-je, je te trouve bien bête de me

raconter ces préjugés, qui sont de la superstition. Le fantôme, c'est l'imagination du peuple. Et les signes de croix c'est l'obscurantise !

— Ho ho ! dit-il, les signes de croix, pour les fantômes, c'est radical ! Ça, alors, personne ne peut dire le contraire ! Tout le monde te dira que ça les coupe en deux. »

Je ricanai — assez faiblement — et je demandai :

« Et toi, naturellement, les signes de croix, tu sais les faire ?

— Bien sûr ! dit-il.

— Et comment c'est, cette pantomime ? »

Il se signa solennellement plusieurs fois. Je l'imitai aussitôt, en ricanant. Alors, un bourdonnement surgit de la nuit, et je reçus un choc léger, mais très sec, au milieu du front. Je ne pus retenir un faible cri. Lili se baissa et ramassa quelque chose.

« C'est un capricorne », dit-il.

Il l'écrasa sous son talon et se remit en marche. Je le suivis, en regardant derrière moi de temps à autre.

NOUS étions presque sous le Taoumé, et je voyais nettement le contour de la barre qui surplombait le passage souterrain où j'allais vivre la grande aventure.

Lili s'arrêta soudain.

« Il y a une chose que nous avons oubliée ! »

Sa voix disait une grande inquiétude.

« Et laquelle ? »

Mais au lieu de me répondre, il secoua la tête, posa son sac dans les lavandes et commença un soliloque.

« D'avoir oublié ça, ça semble pas possible ! Moi, j'aurais dû y penser. Mais toi aussi, tu l'as oublié... Et maintenant, qu'est-ce que nous allons faire ? »

Il s'assit sur une roche et, secouant toujours la tête, il croisa les bras et se tut.

Cette mimique un peu théâtrale m'irrita, et je dis sévèrement :

« Qu'est-ce qu'il te prend ? Tu deviens fou ? Qu'est-ce que c'est que nous avons oublié ? »

Il me montra du doigt la barre et prononça ce mot mystérieux :

« Libou.

— Qu'est-ce que tu veux dire ?

— Legrosibou.

— Quoi ? »

Il s'énerva et dit avec force :

« Celui qui a voulu nous crever les yeux ! Le grand-duc ! Il habite dans le plafond, il a sûrement sa femelle... Nous en avons vu qu'un, mais je te parie douze pièges qu'il y en a deux ! »

C'était une nouvelle terrifiante. On a beau être formidable, il y a des moments où le destin nous trahit.

Deux grosibous ! Je les vis voler autour de ma tête, leur bec jaune ouvert sur des langues noires, les yeux glauques, la serre crochue, et rendus mille fois plus dangereux par les descriptions que j'en avais faites, descriptions confirmées par mes cauchemars... Je fermai les yeux de toutes mes forces, et je respirai profondément.

Non, non ce n'était pas possible : il valait mieux la classe de M. Besson, avec les carrés, les losanges, et les devoirs du Citoyen.

Lili répétait :

« Il y en a sûrement deux ! »

Alors, je fus d'autant plus formidable que j'étais décidé à battre en retraite quand le moment serait venu. Je lui répondis froidement :

« Nous aussi, nous sommes deux. Est-ce que tu aurais peur, par hasard ?

— Oui, dit-il, oui, j'ai peur. Toi, tu ne te rends pas compte d'une chose. L'hibou, nous l'avons vu le jour : c'est pour ça qu'il n'a pas bougé... Mais la nuit, ça, c'est son affaire : pendant que tu dormiras, ils viendront te crever les yeux... Un grosibou, la nuit, c'est pire qu'un aigle ! »

Je pensai qu'en exagérant mon courage, il refuserait de me suivre. Je répondis gravement :

« C'est pour ça que nous allons attendre le lever du jour, et nous irons les attaquer ! Avec le couteau pointu au bout d'un bâton, moi je me charge d'expliquer à ces volailles

que la grotte a changé de locataires ! Maintenant, assez de parlotes. Préparons-nous ! »

Cependant, je ne bougeais pas. Il me regarda et se leva d'un seul élan.

« Tu as raison ! dit-il avec feu. Après tout, c'est que des oiseaux ! Il n'y a qu'à couper deux beaux cades. Je taillerai le mien pointu-pointu, et nous les embrocherons comme des poulets ! »

Il fit quatre pas, ouvrit son couteau de berger, se baissa pour entrer dans le fourré et se mit à l'ouvrage.

Assis sur le gravier au pied d'un pin, je réfléchissais.

Tout en travaillant, il dit :

« S'ils ne veulent pas sortir de leur trou, moi j'enfoncerai mon bâton, et tu vas les entendre miauler ! »

Je vis qu'il ne plaisantait pas, et qu'il était bien décidé à l'attaque des « grosibous ». C'est lui qui était formidable, et j'eus honte de ma lâcheté.

Alors, j'appelai à mon secours l'un de mes héros favoris : Robinson Crusoé... Si, en s'installant dans sa première grotte, il avait trouvé ces deux oiseaux, qu'aurait-il fait ? Il n'était pas bien difficile de l'imaginer : il les eût aussitôt étranglés et plumés, en remerciant la Providence, avant de les rôtir sur une broche de bambou ! Si je fuyais devant ces volatiles, je n'aurais plus le droit d'entrer dans un roman d'aventures, et les personnages des illustrations, qui m'avaient toujours regardé en face, détourneraient la tête pour ne pas voir un « cœur de squaw ».

D'ailleurs, il ne s'agissait plus de « grands-ducs », animaux puissants et farouches, dont le nom soulignait la taille et le courage, mais de « grosibous », qui me parurent infiniment moins redoutables.

Je pris d'une main ferme le couteau pointu, et je l'aiguisai sur une pierre.

Restait le fantôme. Je me répétai la puissante affirmation de mon père : LES FANTÔMES N'EXISTENT PAS. Sur

quoi je fis discrètement cinq ou six répétitions du signe de la croix, qui les coupe en deux.

Lili sortit du fourré. Il tirait deux branches plus longues que lui et parfaitement droites. Il m'en donna une.

Je pris dans ma poche une longue ficelle et, sur le bout le plus mince du bâton de cade, je fixai le manche du terrible couteau. A côté de moi, Lili appointait son arme avec soin, comme s'il taillait un crayon.

Autour de nous, l'aube perçait le pâle brouillard : dans une lumière diffuse, de petits nuages de coton restaient accrochés sous les ramures des pins et sur la pointe des broussailles. Il faisait froid.

Mes nerfs, qui m'avaient soutenu toute la nuit, se calmèrent tout à coup, et je sentis que mon cou ne soutenait ma tête que par un effort de ma volonté ; alors j'appuyai un instant mon dos et ma nuque contre le tronc du pin, et mes paupières épaissies réchauffèrent mes yeux sableux. J'allais sans doute m'endormir, lorsque, là-bas, sous la pinède, j'entendis craquer une branche sèche. J'appelai Lili à voix basse.

« Tu as entendu ?

— C'est un lapin ! dit-il.

— Les lapins ne montent pas dans les arbres.

— C'est vrai. Alors, c'est peut-être le renard. »

Il taillait toujours sa branche, et il ajouta :

« Tu es formidable ! »

J'allais lui dire que sa réponse était absurde lorsque, là-bas, entre les troncs noirs qui commençaient à briller faiblement, je vis une haute silhouette : sous un grand chapeau, drapé dans une longue pèlerine, le berger passait à pas lents, devant quelques moutons de brume mal tondue, et il portait, droite entre ses épaules, la croix d'un poignard...

D'une main tremblante, je lui expédiai quatre ou cinq signes de croix. Mais au lieu de tomber en pièces, le fantôme se tourna vers moi, se signa lui-même, leva les yeux au ciel d'un air de défi et vint vers nous en ricanant... Je voulus

crier, mais la peur me saisit à la gorge et je perdis connaissance...

Je sentis deux mains qui me tenaient aux épaules et j'allais hurler quand j'entendis la voix de Lili.

Elle disait :

« Hé ! Dis donc ! C'est pas le moment de dormir ! »

Il me relevait, car j'étais tombé sur le côté.

Je balbutiai :

« Tu as vu ?

— Eh oui, dit-il. J'ai vu que tu tombais ! Heureusement qu'il y avait tout ce thym : tu aurais pu te graffigner la figure ! Tu as tellement sommeil ?

— Oh ! non, dis-je. C'est passé. Tu n'as pas vu... le fantôme ?

— J'ai rien vu, mais j'ai encore entendu, du côté de là-haut... Après tout, c'est peut-être Mond de Parpaillouns... Il faut faire attention qu'il ne nous voie pas... Regarde ma pique ! »

Il avait écorcé la branche, et le bois en était poli comme du marbre. Il m'en fit tâter la pointe, aussi aiguë que celle de mon couteau...

Quelques étoiles pâlissantes venaient de paraître sur le bord du ciel, du côté de la Sainte-Baume. Il se leva.

« On est prêt, dit-il. Mais il fait pas encore assez jour pour la bataille désibou. Nous avons le temps de passer par la Font-Bréguette : on remplira tes bouteilles. »

Je le suivis, dans les lavandes trempées de rosée.

LA Font-Bréguette était sur la gauche du Taoumé, sous une petite barre. Un trou carré, grand comme une auge de maçon, qui n'avait pas deux pans de profondeur. Quelque chevrier du temps jadis l'avait patiemment creusé dans le rocher, à la base d'une fente moussue, et il était toujours à demi plein d'une eau glacée.

Lili coucha sous l'eau une bouteille vide : le glouglou roucoula comme un pigeon ramier.

« C'est ici que tu viendras boire, dit-il. Elle ne sèche jamais, et elle fait au moins dix litres par jour ! »

J'eus une inspiration — que je cherchais d'ailleurs depuis un moment. Je pris une mine inquiète et je dis :

« Dix litres ? Tu es sûr ?

— Oh ! oui ! Et même peut-être quinze ! »

Avec une stupeur indignée, je m'écriai :

« Est-ce que tu plaisantes ?

— Oh ! pas du tout ! dit-il. Si je te dis quinze, tu peux me croire ! »

Alors, je criai :

« Et qu'est-ce que tu veux que je fasse avec quinze litres d'eau ?

— Tu ne vas quand même pas boire tout ça ?

— Non. Mais pour me laver ?

— Pour se laver, avec une poignée d'eau ça suffit ! »
Je ricanai.

« Pour toi, peut-être. Mais moi il faut que je me savonne du haut en bas !

— Pourquoi ? Tu es malade ?

— Non. Mais il faut comprendre que je suis de la ville, ça fait que je suis tout plein de microbes. Et les microbes, il faut s'en méfier !

— Qu'est-ce que c'est ?

— C'est des espèces de poux, mais si petits que tu ne peux pas les voir. Et alors, si je ne me savonne pas tous les jours, ils vont me grignoter petit à petit, et un de ces quatre matins, tu me trouves mort dans la grotte et tu n'auras plus qu'à aller chercher une pioche pour m'enterrer. »

Cette perspective déplorable consterna mon cher Lili.

« Ça, alors, dit-il, ça serait couillon ! »

Avec une mauvaise foi ignoble, je l'attaquai aussitôt.

« Aussi, c'est de ta faute. Si tu ne m'avais pas garanti qu'à la Font-Bréguette il y avait de l'eau tant qu'on en voulait... »

Il parut désespéré.

« Mais moi, je ne savais pas ! Moi, des micropes, j'en ai pas ! Je sais même pas comment ça se dit en patois ! Je me lave que le dimanche, comme tout le monde ! Et même Baptistin dit que c'est pas naturel et que ça donne des maladies ! Et Mond de Parpaillouns, il s'est jamais lavé de sa vie, il a plus de septante, et regarde comme il est gaillard !

— Allons, allons, ne cherche pas d'excuse... C'est raté, et c'est bien raté... C'est une catastrophe, mais enfin, tu ne l'as pas fait exprès... C'est le destin... C'était écrit... »

Appuyé sur ma lance, je dis solennellement :

« Adieu. Je suis vaincu. Je rentre chez moi. »

Je remontai vers le plateau : l'aurore frangeait de rouge les barres lointaines du Saint-Esprit.

Lorsque j'eus fait vingt mètres, comme il ne me suivait pas, je m'arrêtai, car je craignais qu'il ne me perdît de vue

dans la faible clarté du point du jour. Alors je plantai la hampe de ma lance dans le gravier de la garrigue, je la tins à deux mains, et je laissai tomber mon front sur mes bras, dans l'attitude d'un guerrier accablé.

L'effet de cette manœuvre fut immédiat : il me rejoignit en courant, et me prit dans ses bras.

« Ne pleure pas, disait-il, ne pleure pas... »

Je ricanai :

« Moi ? Pleurer ? Non, je n'ai pas envie de pleurer : j'ai envie de mordre ! Enfin, n'en parlons plus.

— Donne-moi tes paquets, dit-il. Puisque c'est de ma faute, je veux les porter.

— Et ton sac ?

— Je l'ai laissé là-bas. Je reviendrai le chercher dans la journée. Maintenant, marchons vite, avant qu'ils aient vu ta lettre... Je suis sûr qu'ils sont encore couchés... »

Il trotta devant moi ; je le suivis sans mot dire, mais en poussant, de temps à autre, un grand soupir désespéré.

La maison, de loin, semblait noire et morte. Mais quand nous approchâmes, mon cœur se serra : les volets de la chambre de mon père étaient encadrés par une raie de lumière.

« Je te parie qu'il est en train de s'habiller ! dis-je.

— Alors, il n'a encore rien vu. Grimpe vite ! »

Il me fit la courte échelle et je pus atteindre la corde qui devait révéler mon départ et qui assura mon retour. Puis, il me fit passer mon balluchon.

Plus haut que les dernières brumes, une alouette chanta soudain : le jour se levait sur ma défaite.

« Je remonte chercher mon sac, dit-il, et je redescends. »

Ma lettre d'adieu était toujours à sa place. Je tirai l'épingle, je déchirai le papier en mille petits morceaux et je les lançai, en deux ou trois pincées, par la fenêtre, que je refermai sans bruit.

Alors, dans le silence, j'entendis comme une conversation à voix basse : cela venait de la chambre de mon père.

Il parlait très vite, et comme gaiement : il me sembla même distinguer un rire...

Eh oui, il riait de la fin des vacances... Il riait, dès son réveil, à la pensée de retrouver dans son tiroir ses tristes crayons, son encre et sa craie...

Je cachai mes balluchons sous mon lit : si on les découvrait, je dirais que j'avais voulu alléger les paquets de ma mère.

Je me couchai, honteux et glacé... J'avais eu peur, je n'étais qu'un lâche, un cœur de « squaw ». J'avais menti à mes parents, j'avais menti à mon ami, je m'étais menti à moi-même.

En vain, je cherchais des excuses : je sentis que j'allais pleurer... Alors, sur mon menton tremblant, je tirai l'épaisse couverture, et je m'enfuis dans le sommeil...

QUAND je m'éveillai, le jour éclairait le trou de la lune, et Paul n'était plus dans son lit. J'ouvris la fenêtre : il pleuvait. Non pas un bel orage sonore et violet, mais une pluie innombrable, patiente, qui tombait en gouttes de silence.

J'entendis soudain un bruit de roues, et je vis sortir, du coin de la maison, François, à la tête de son mulet, puis la charrette, surmontée d'un parapluie grand ouvert. La tante Rose, enveloppée dans une couverture, s'abritait sous cet appareil. Elle était entourée de nos bagages, et elle portait à gauche le petit cousin, et à droite la petite sœur. J'en conclus que ma mère et Paul avaient refusé de prendre place sur le véhicule, qui était d'ailleurs très encombré.

L'oncle Jules le suivait, sous un autre parapluie ; il poussait sa bicyclette, et je les vis s'éloigner sur le triste chemin du retour.

Je trouvai la famille autour de la table : en compagnie de Lili, elle déjeunait de grand appétit.

Mon arrivée fut accueillie par une petite ovation. Mon père avait un drôle d'air.

« Pour la dernière nuit, dit-il en riant, le chagrin ne t'a pas empêché de dormir.

— Il a ronflé ! s'écria Paul. Je lui ai un peu tiré les cheveux pour le réveiller, mais il ne l'a pas senti !

— Il s'est trop fatigué ! dit mon père. Maintenant, mange, parce qu'il est neuf heures du matin, et nous ne serons pas à la maison avant une heure de l'après-midi, malgré le secours de l'omnibus du dimanche ! »

Je dévorai mes tartines. Devant Lili, j'étais honteux de mon échec, et je ne le regardais qu'à la dérobée.

Comme je ne savais que dire, je demandai :

« Pourquoi les autres sont déjà partis ?

— Parce que François doit porter ses légumes aux Quatre-Saisons avant dix heures, dit ma mère. Tante Rose nous attendra chez Durbec, à l'omnibus. »

Nous partîmes sous la pluie, dans nos pèlerines. Lili, sous un sac, voulut absolument nous accompagner. De petits ruisseaux coulaient dans les ornières, tous les bruits étaient amortis, nous ne rencontrâmes personne.

Au pied du village, devant le portrail vert, l'omnibus attendait.

La tante Rose y était déjà installée avec les enfants, au milieu d'une foule de paysans endimanchés.

C'était une longue voiture verte, et de son toit pendaient de courts rideaux de toile, ornés d'une frange de ficelle. Les deux chevaux piaffaient, et le cocher, sous une pèlerine grise et un chapeau de toile cirée, sonnait de l'olifant pour appeler les retardataires.

Nous fîmes nos adieux à Lili sous les yeux des voyageurs.

Ma mère l'embrassa, ce qui le fit rougir une fois de plus, puis ce fut le tour de Paul. Comme je secouais sa main virilement, je vis des larmes dans ses yeux, tandis que sa bouche faisait une petite grimace. Mon père s'avança :

« Allons, dit-il, tu ne vas pas pleurer comme un bébé devant tous ces gens qui vous regardent ! »

Mais Lili baissait la tête sous son sac, et il grattait la terre avec la pointe de son soulier. Moi aussi, j'avais envie de pleurer.

« Il faut bien comprendre, dit mon père, que dans la vie, il n'y a pas que des amusements. Moi aussi, je voudrais bien rester ici, et vivre dans la colline ! Même dans une grotte ! Même tout seul, comme un ermite ! Mais on ne peut pas toujours faire ce qui vous plaît ! »

L'allusion à un ermite me frappa : mais je compris que c'était une idée bien naturelle, puisque je l'avais eue. Il continua :

« Au mois de juin prochain, Marcel va se présenter à un examen très important et il aura beaucoup à faire cette année, et surtout pour l'orthographe. Il met deux *l* à " affoler ", et je parie qu'il ne saurait pas écrire " ermite ". »

Je sentis que je rougissais, mais mon inquiétude ne dura qu'une seconde : il ne pouvait pas avoir lu ma lettre, puisque je l'avais retrouvée à sa place. Et d'autre part, s'il l'avait lue, on en aurait grandement parlé dès mon retour ! D'ailleurs, il continua, tout naturellement :

« Il a donc besoin d'un travail assidu. S'il est sérieux, s'il fait des progrès rapides, nous reviendrons pour la Noël, pour le Mardi gras, et pour Pâques. Allons, ne pleurnichez pas devant tout le monde, et serrez-vous la main, comme deux chasseurs que vous êtes !... Au revoir, petit Lili. N'oublie pas que tu t'approches peu à peu de ton certificat d'études, et qu'un paysan instruit en vaut deux ou trois ! »

Il allait sans doute continuer son homélie, lorsque le cocher souffla dans sa corne sur un ton impérieux, et fit claquer son fouet deux fois. Nous montâmes en hâte.

La dernière banquette, qui tourne le dos aux chevaux, était vide : comme ma mère et Paul avaient des nausées quand on les transportait à reculons, la famille s'installa au milieu des paysans, tandis que j'allais m'asseoir à l'arrière, tout seul.

Le frein fut desserré, et nous partîmes au petit trot.

Il pleuvait toujours.

Le cou rentré dans les épaules, comme ramassé sur moi-

même, je mordillais un brin de menthe ; ma main, dans ma poche, serrait un piège qui n'avait plus sa valeur meurtrière, mais qui devenait un objet sacré, une relique, une pro-messe... Au loin se dressait, éternelle, la masse bleue du Taoumé bien-aimé, qui dominait le cercle des collines à travers le flou de la pluie. Je pensais au sorbier tordu sous la barre de Baume-Sourne, aux gouttes tintantes de Font-Bréguette, aux trois petites mouches vibrantes dans le vallon de Précatori... Je pensais au tapis de thym de la Pondrane, aux térébinthes pleins d'oiseaux, à la pierre de la musique, à la douce lavande du gravier des garrigues...

De chaque côté de l'étroite route, deux murs de pierres nues, d'où pendaient des pariétaires trempées, fuyaient sans fin sous la pluie.

La haute guimbarde craquait, les jantes de fer écrasaient le gravier, le trot des chevaux tintait sur les pierres, la mèche du fouet claquait sourdement, comme un petit pétard mouillé...

On m'emportait de ma patrie, et de douces gouttes de pluie pleuraient pour moi sur mon visage... Je ne partais pas vers un but, avec ma poitrine, et mon front : solitaire, dans un désespoir incommunicable, au son cadencé des sabots, je m'enfonçais dans l'avenir à reculons, comme la reine Brune-haut, traînée longuement sur les pierres, ses cheveux blonds tressés à la queue d'un cheval.

JE retrouvai, sans aucune joie, la grande école : les platanes de la cour commençaient à perdre leurs feuilles jaunies, et chaque matin le concierge les brûlait en petits tas, au pied du grand mur gris... Par la fenêtre de la classe je voyais, au lieu de pinèdes, une triste rangée de portes de cabinets...

Je fis mon entrée en quatrième primaire, dans la classe de M. Besson.

Il était jeune, grand, maigre, déjà chauve, et il ne pouvait pas déplier l'index de sa main droite, qui restait toujours en crochet.

Il me fit grand accueil, mais m'inquiéta beaucoup en me disant que ma vie entière dépendait de mes études de cette année, et qu'il serait forcé de me « serrer la vis », parce que j'étais « son » candidat au concours des « bourses » du lycée. Dans ce redoutable tournoi, l'enseignement « primaire » allait affronter l'enseignement « secondaire ».

Je fus d'abord plein de confiance, car ce mot de « secondaire » signifiait, pour moi, « de second ordre », et par conséquent « facile ».

Je m'aperçus bientôt que mon père et ses collègues ne partageaient pas cette opinion, et que ma candidature engageait l'honneur de toute l'école.

Cet état-major « prit l'affaire en main », à la manière d'une brigade de la police judiciaire, dont les inspecteurs se relaient pour l'interrogatoire d'un suspect.

M. Besson, qui me faisait la classe six heures par jour, dirigeait l'enquête, et centralisait les renseignements.

Il me fallut venir à l'école, le JEUDI MATIN, à neuf heures.

M. Suzanne, maître vénéré du Cours supérieur, dont la pédagogie était infaillible, m'attendait dans sa classe vide, pour m'intriguer par des problèmes supplémentaires : des trains se rattrapaient, des cyclistes se rencontraient, et un père, qui avait sept fois l'âge de son fils, voyait fondre son avantage au fil des ans. Vers onze heures, M. Bonafé venait contrôler mes « analyses logiques » et m'en offrait de nouvelles, que je serais sans doute incapable de refaire aujourd'hui. Les jours de semaine, M. Arnaud (qui avait eu un moment l'idée d'entrer dans les P.T.T.) me forçait à faire les cent pas avec lui, pendant les récréations, et me psalmodiait des litanies de sous-préfectures (où je ne suis jamais allé, et dont ma mémoire s'est fort heureusement débarrassée).

De plus, M. Mortier, qui avait une jolie barbe blonde, et une bague en or au petit doigt, confiait parfois ses élèves à mon père, pendant l'étude du soir, puis il m'entraînait dans sa classe vide et me posait mille questions sur l'histoire de France. Cette science m'intéressait, dans la mesure où elle était romanesque : « Courbe la tête, fier Sicambre ! », la plaisante farce de Rollon, la cage de fer du cardinal de La Balue, la soupe aux corbeaux de la retraite de Russie, et ce trop efficace bouton de guêtre dont l'absence nous fit perdre la guerre de 70.

Mon père s'était réservé la surveillance de l'orthographe et m'administrait, chaque matin, avant mon café au lait, une dictée de six lignes, dont chaque phrase était minée comme une plage de débarquement.

« *La soirée que vous avez passée avec nous. — Nous avons passé une bonne soirée. — Les gendarmes que nous avons vus, et les soldats que nous avons vus passer...* »

Je travaillais avec courage, mais bien souvent ces gendarmes et ces soldats passaient en vain, car j'entendais grésiller des cigales, et au lieu des rameaux dépouillés des platanes de la cour, je voyais un coucher de soleil sanglant sur Tête-Rouge : mon cher Lili descendait le raidillon de La Badauque, en sifflant, les mains dans les poches, avec un collier d'ortolans et une ceinture de grives...

En classe, quand M. Besson, du bout d'une longue règle, suivait sur la carte murale les méandres d'un fleuve inutile, le grand figuier du jas de Baptiste surgissait lentement du mur ; au-dessus de la masse des feuilles vernies s'élançait la haute branche morte, et au bout, tout au bout, blanche et noire, une pie.

Alors, une douleur très douce élargissait mon cœur d'enfant, et pendant que la voix lointaine récitait des noms d'affluents, j'essayais de mesurer l'éternité qui me séparait de la Noël. Je comptais les jours, puis les heures, puis j'en retranchais le temps du sommeil, et par la fenêtre, à travers la brume légère du matin d'hiver, je regardais la pendule de l'école : sa grande aiguille avançait par saccades, et je voyais tomber les petites minutes comme des fourmis décapitées.

Le soir, sous la lampe, je « faisais mes devoirs » sans mot dire. Il ne me restait pas beaucoup de temps pour m'occuper de Paul. Il devenait pourtant bien intéressant, car il avait un voisin de classe qui était un puits de science : il nous rapportait presque chaque soir quelque plaisanterie scatologique, ou des jeux de mots dans le genre de « Comment allez-vous yau de poêle », qui le faisaient rire à s'étouffer. Nous n'avions plus guère le temps de

parler, si ce n'est pendant l'opération familière dont nous étions responsables deux fois par jour, et qui s'appelait mettre le couvert.

Ma chère maman était effrayée de me voir penché si longtemps sur mes devoirs, et la séance du jeudi matin lui paraissait une invention barbare : elle me soignait comme un convalescent, et préparait pour moi des nourritures délicieuses, malheureusement précédées par une grande cuillerée d'huile de foie de morue.

Tout compte fait, je « tenais le coup », et mes progrès faisaient tant de plaisir à mon père qu'ils me parurent moins douloureux.

UN jour en rentrant de l'école à midi, après une séance supplémentaire d'analyses grammaticales, le petit Paul, penché sur la rampe, cria dans l'escalier sonore :

« On t'a écrit une lettre à la poste ! Il y a un timbre dessus ! »

J'escaladai les marches deux à deux, et la rampe vibrante sonna comme une harpe de bronze.

Sur la table, près de mon assiette, une enveloppe jaune portait mon nom, tracé en lettres inégales sur une ligne retombante.

« Je parie, dit mon père, que ce sont des nouvelles de ton ami Lili ! »

Je n'arrivai pas à ouvrir l'enveloppe, dont je déchirai tour à tour les quatre coins : mon père la prit, et de la pointe d'un couteau en découpa le bord avec une habileté de chirurgien.

Il en tomba d'abord une feuille de sauge, et une violette séchée.

Sur trois feuilles d'un cahier d'écolier, avec une grosse écriture, dont les lignes ondulantes contournaient des taches d'encre, Lili me parlait,

O collègue !

je met la main à la Plume pour te dire que les grive sont pas venu cet année. rien mé rien, même les darenagas sont parti. comme Toi. j'en n'ai pas prit Deux.les perdrots non plus. j'y vais plus cé pas la pène. il veau bien mieux Travaillé à l'Ecole pour apprendre l'Ortograffe autrement quoi ? c'est pas posible. même des saludes il n'y a pas guaire. elles sont peutites, les soiseaus en veut pas. Cet Malheureut, tu as de la Chanse de pas être ici cet un Dézastre. je me langui que tu vien. alor, les Soiseaus tant bien, et les perdrots — et les Grive pour noèl. En plus, il m'ont volé douze Pièje et au moins Sinquante Grive. Je sé quicé. les plus Beau Pièje. Cé celui d'Allo, le Boiteut. Rapèle toi que je m'en rapèlerai. et en plus il fet froid, avec mistralle. tous les jours à la chasse j'ai les Pieds glassés. heureusement j'ai le Cachené. mais je me langui de toi. batistin est contant : il prent trente grive par jour. à la Glue, avantiers, dix orthollan, et Samedi douze saire gavotte. à la Glue. avantiers je suis été sous tête Rouge, j'ai voulu écouter la Pierre. sa m'a glassé l'oreille. èle veut plus chanté èle fet que Pleuré. voila les nouvèle. salut la Compagnie. je t'envois une feuille de soge pour toi et une viollète pour ta mère. ton ami pour la vie Lili.

mon Adrèse. Les Bellons Par Lavalantine France.

ça fet trois jours que je t'écrit, pasque le soir je continut. ma Mère est contante. èle se croit que je fét mes Devoirs. Sur mon Cahier. Après, je décire la paje. le tonère a escagasé le grand Pin de Lagarète. Il reste plus que le Tron, et pouintu comme un sifflé. Adessias. je me langui de toit. mon adrèse : les Bélons parlavalantine. France. le facteur s'apèle Fernan, tout le monde le connet, il ne peut pas se trompé. il me connet très Bien. moi aussi.

ton ami pour la vie. Lili.

Il ne fut pas facile de déchiffrer cette écriture que l'orthographe n'éclairait guère. Mais mon père, grand spécialiste, y parvint, après quelques tâtonnements. Il dit ensuite :

« Il est heureux qu'il lui reste trois ans pour préparer le certificat d'études ! »

Puis il ajouta en regardant ma mère :

« Cet enfant a du cœur, et une vraie délicatesse. »

Enfin, il se tourna vers moi.

« Garde cette lettre. Tu la comprendras plus tard. »

Je la pris, je la pliai, je la mis dans ma poche, et je ne répondis rien : j'avais compris bien avant lui.

LE lendemain, en sortant de l'école, j'allai au bureau de tabac, et j'achetai une très belle feuille de papier à lettres. Elle était ajourée en dentelle sur les bords, et décorée, en haut à gauche, par une hirondelle imprimée en relief, qui tenait dans son bec un télégramme. L'enveloppe, épaisse et satinée, était encadrée par des myosotis.

Dans l'après-midi du jeudi, je composai longuement le brouillon de ma réponse. Je n'en sais plus les termes exacts, mais j'en ai retenu le sens général.

Je le plaignais d'abord, à cause de la disparition des grives, et je le priais de féliciter Baptistin, qui savait les prendre à la glu en leur absence. Je lui parlais ensuite de mes travaux scolaires, des soins attentifs dont j'étais l'objet, et de la satisfaction de mes maîtres. Après ce paragraphe assez peu modeste, je lui annonçai que la Noël était à trente-deux jours dans l'avenir, mais qu'à cette époque nous serions encore assez jeunes pour courir les collines, et je lui promis des hécatombes de grives et d'ortolans. Enfin, après avoir donné des nouvelles de la famille — qui me semblait en pleine prospérité — je le priai de présenter mes condoléances au pin « escagassé » de La Garette, et de faire mes amitiés consolatrices à la Pierre Désolée. Je terminai par des paroles d'amitié fervente, que je n'aurais jamais osé lui dire en face.

Je relus deux fois ma prose, et j'y apportai quelques
corrections de détail ; puis, armé d'une plume neuve, je
la recopiai, un buvard sous la main et la langue entre les
dents.

Ma calligraphie fut soignée, et mon orthographe parfaite,
car je vérifiai, au moyen du *Petit Larousse*, quelques mots
douteux. Le soir, je montrai mon ouvrage à mon père : il me
fit ajouter quelques *s*, et barrer un *t* inutile, mais il me
félicita, et déclara que c'était une belle lettre, ce qui remplit
d'orgueil mon cher petit Paul.

Le soir, dans mon lit, je relus le message de Lili, et son
orthographe me parut si comique que je ne pus m'empêcher
d'en rire... Mais je compris tout à coup que tant d'erreurs et
de maladresses étaient le résultat de longues heures d'applica-
tion, et d'un très grand effort d'amitié : alors, je me levai sans
bruit sur mes pieds nus, j'allumai la lampe à pétrole, et
j'apportai ma propre lettre, mon cahier et mon encrier sur la
table de la cuisine. Toute la famille dormait : je n'entendais
que la petite musique du filet d'eau qui tombait dans la cuve
de zinc, au-dessus de l'évier.

Je commençai par arracher, d'un coup sec, trois pages du
cahier : j'obtins ainsi les dentelures irrégulières que je
désirais. Alors, avec une vieille plume, je recopiai ma trop
belle lettre, en supprimant la phrase spirituelle qui se
moquait de son tendre mensonge. Je supprimai aussi, au
passage, les *s* paternels ; j'ajoutai quelques fautes d'ortho-
graphe, que je choisis parmi les siennes : les orthollans, les
perdrots, batistin, la glue et le dézastre. Enfin, je pris soin
d'émailler mon texte de quelques majuscules inopinées. Ce
travail délicat dura deux heures, et je sentis que le sommeil
me gagnait... Pourtant, je relus sa lettre, puis la mienne. Il

me sembla que c'était bien, mais qu'il manquait encore quelque chose : alors, avec le manche de mon porte-plume, je puisai une grosse goutte d'encre, et sur mon élégante signature, je laissai tomber cette larme noire : elle éclata comme un soleil.

L ES trente-deux derniers jours du trimestre, allongés par la pluie et par le vent d'automne, me semblèrent interminables, mais la patience de la pendule en vint à bout.

Un soir de décembre, en sortant de l'école — où M. Mortier m'avait retenu un quart d'heure de plus au beau milieu des Rois Fainéants — je reçus un grand coup au cœur en entrant dans la salle à manger.

Dans une valise en carton, ma mère entassait des lainages.

Sur la table, que la lampe de la suspension illuminait à toute mèche, les pièces démontées du fusil de mon père s'étalaient autour d'une soucoupe pleine d'huile.

Je savais que nous devions partir dans dix jours, mais je m'étais toujours efforcé de ne pas imaginer ce départ, afin de garder mon sang-froid. La vue de ces préparatifs, de cette activité qui faisaient déjà partie des vacances, me causa une émotion si forte que des larmes montèrent à mes yeux. Je posai mon cartable sur une chaise, et je courus m'enfermer dans les cabinets, pour y pleurer en riant tout à mon aise.

J'en sortis au bout de cinq minutes, un peu calmé, mais le cœur battant. Mon père remontait les platines du fusil, et ma mère essayait, sur la tête de Paul, un passe-montagne tricoté.

D'une voix un peu étranglée, je demandai :

« Nous partirons, même s'il pleut ?

— Nous avons neuf jours de vacances ! dit mon père. Et même s'il pleut, nous partirons !

— Et si c'est le tonnerre ? dit Paul.

— Il n'y a jamais de tonnerre en hiver.

— Pourquoi ? »

Mon père répondit catégoriquement :

« Parce que. Mais naturellement, si la pluie est trop forte, nous attendrons le lendemain matin.

— Et si c'est une pluie ordinaire ?

— Alors, dit mon père, on se fera bien minces, on marchera vite, en fermant les yeux, et nous passerons entre les gouttes ! »

Le jeudi après-midi, ma mère nous mena chez la tante Rose, pour savoir ce qu'elle avait décidé. Ce fut une grande déception : elle déclara qu'elle ne pouvait pas « monter à la villa », à cause du cousin Pierre, qui prenait une importance tout à fait injustifiée. Ce pompeur de biberons commençait à bavoter des sons informes, auxquels elle répondait de vraies paroles pour nous faire croire qu'il avait dit quelque chose. C'était un spectacle navrant.

De plus, devant ma mère émerveillée, elle retroussa les babines du petit animal, et nous montrant sur sa gencive un grain de riz, elle affirma que c'était une dent et qu'à cause de cette dent, elle craignait pour lui le froid, le vent, la pluie, l'humidité et surtout l'absence de Gaz.

Nous essayâmes quelques cajoleries, mais sans résultat. Il fallut bien nous rendre à l'évidence : il n'y avait plus de tante Rose.

Mais il restait, cependant, quelques traces chasseresses de l'oncle Jules : il déclara qu'il viendrait chaque matin, sur sa bicyclette, pour tirer les grives, et qu'il redescendrait avant la nuit. Il le dit assez gaillardement, mais je vis bien qu'il eût

préféré rester avec nous. Alors, pour la première fois, je compris que les grandes personnes ne font jamais ce qui leur plaît, et qu'elles sont bêtes.

En redescendant les escaliers, dans la pénombre, Paul tira la conclusion de ce désastre, et il dit, d'une voix égale :

« Moi, quand j'aurai des enfants, je les donnerai à quelqu'un. »

LE matin du vendredi, mon père alla faire sa dernière « surveillance » à l'école, où ce qui restait d'élèves battaient la semelle dans la cour agrandie. Depuis quelques jours, le froid était vif : dans le placard de la cuisine, la bouteille d'huile d'olive paraissait pleine de coton, ce qui me donna l'occasion d'expliquer à Paul qu'au pôle Nord, « c'était comme ça tous les matins ».

Mais notre mère avait déjoué par avance l'agression subite de l'hiver. Elle nous ensacha l'un après l'autre dans plusieurs caleçons, tricots, combinaisons, blouses et blousons superposés, et sous les « passe-montagnes » à oreilles, nous avions l'air de chasseurs de phoques.

La beauté de cet équipement me ravit : mais je découvris par la suite ses inconvénients. Il y avait tant de boutons, de crochets, de brides et d'épingles de sûreté que le grand problème, c'était de faire pipi proprement : Paul n'y réussit jamais.

A la place de la petite sœur, on ne voyait qu'un petit nez rouge qui sortait d'une espèce d'édredon ambulant. Ma mère, avec une toque, un col et un manchon de fourrure (en lapin, bien entendu), ressemblait aux belles patineuses canadiennes qui glissaient sur le calendrier des postes, et comme le froid lui donnait des couleurs, elle était plus jolie que jamais.

A onze heures, Joseph arriva. Il avait déjà mis — pour l'admiration de ses collègues — une veste de chasse toute neuve, plus simple que celle de l'oncle Jules, car elle avait moins de poches, mais plus belle, parce qu'elle était d'un gris bleuté, qui faisait ressortir les boutons de cuivre ornés d'une tête de chien.

Après un déjeuner de pure forme, chacun prépara ses « paquets ».

Ma mère avait prévu qu'au village, l'été fini, le « Boulanger-Tabac-Epicerie-Mercerie-Comestibles » ne pourrait nous fournir rien d'autre que le pain, la farine, la moutarde, le sel, et quelques pois chiches : véritables chevrotines végétales qu'il fallait attendrir par des bains de trois jours, avant de les cuire dans une eau cendreuse.

C'est pourquoi nous emportâmes des provisions assez importantes.

Ces richesses (qui comprenaient un saucisson de grand luxe, puisqu'il était entier, et qu'il portait une ceinture d'or) étaient enfermées dans des carrés d'étoffe, noués par leurs quatre coins. Il y en avait trois, qui étaient assez lourds : j'en avais confectionné un quatrième, gonflé de coton, de boîtes vides, et de boules de papier froissé, pour la gloire du petit Paul.

Mais ce n'était pas tout : comme la fortune de la famille ne nous avait jamais permis de posséder deux exemplaires de chaque ustensile, il n'en restait aucun à la Bastide Neuve.

Mon père avait donc entassé, dans un vaste sac tyrolien, le matériel indispensable : les casseroles, la passoire, la poêle à frire, la poêle à marrons, l'entonnoir, la râpe à fromage, la cafetière et son moulin, la cocotte, les gobelets, les cuillers et les fourchettes. Le tout fut noyé sous un flot de marrons, qui devaient remplir les vides, et assurer le silence de la ferblanterie.

Ce fret fut arrimé sur le dos de mon père, et ce fut le départ pour la « Gare de l'Est ».

Cette « gare » n'était rien d'autre que le terminus souter-
rain d'un tramway, et son nom même était une galéjade.
L'Est, en la circonstance, ce n'était pas la Chine, ni l'Asie
Mineure, ni même Toulon : c'était Aubagne, où s'arrêtaient
modestement les rails de l'Est, sous des platanes occiden-
taux.

Cependant la gare fit sur moi une grande impression, à
cause du tunnel dont elle était l'origine. Il s'enfonçait dans la
nuit, encore tout noir de l'antique fumée d'un tram à vapeur,
qui, sous une cheminée en entonnoir, avait été, comme toute
chose, le dernier mot du Progrès. Mais le Progrès ne cesse
jamais de parler, et il avait dit un autre dernier mot, qui était
le « tram électrique ».

Nous l'attendîmes, parqués entre des barrières en tubes de
fer, au milieu d'une longue file, que les nouveaux arrivants
n'allongeaient pas, mais comprimaient.

Aujourd'hui même, je vois encore Joseph, le menton
pointé en avant, les épaules tirées en arrière par les bretelles
tyroliennes, et s'appuyant comme un évêque sur un balai les
poils en l'air...

Annoncé par le grincement de roues dans les courbes, le
tram clignotant surgit enfin de la nuit, et s'arrêta juste devant
nous.

Un employé à casquette ouvrit le portillon, et la ruée nous
emporta.

Ma mère, mue par deux magnifiques commères, se trouva
assise en bonne place sans avoir rien fait pour le mériter :
nous autres hommes, nous restâmes debout sur la plate-
forme arrière, à cause du volume de nos paquets. Mon père
cala le sac contre la cloison et dès le début du voyage,
l'entonnoir et la poêle à frire — en dépit des sourdes
châtaignes — sonnèrent indiscrètement une sorte d'angélus.

Le tunnel, vaguement éclairé par des lumignons dans des niches, n'était composé que de courbes et de virages : après un quart d'heure de grincements et de cahots, nous sortîmes des entrailles de la terre, juste au début du boulevard Chave, à 300 mètres à peine de notre point de départ... Mon père nous expliqua que cet ouvrage singulier avait été commencé par les deux bouts, mais que les équipes terrassières, après une longue et sinueuse flânerie souterraine, ne s'étaient rencontrées que par hasard.

Le voyage à l'air libre fut plaisant et rapide, et je fus bien surpris quand je vis que mon père se préparait à quitter la machine : je n'avais pas reconnu La Barasse.

Dans la grand-ville, les seules marques de l'hiver étaient le ronflement du poêle, le cache-nez, la pèlerine, et cet allumeur de réverbères qui pressait sur sa poire à l'heure du goûter ; mais la banlieue, qui ressemblait maintenant à un dessin à la plume, me montra le vrai visage de la saison.

Sous un petit soleil d'hiver, qui était pâle et tondu comme un moine, nous retrouvâmes le chemin des vacances. Il était grandement élargi : Décembre, cantonnier nocturne, avait brûlé les herbes folles, et dégagé le pied des murs. La molle poussière de l'été, cette farine minérale dont un seul coup de pied bien placé pouvait soulever de si beaux nuages, était maintenant pétrifiée, et le haut-relief des ornières durcies se brisait en mottes sous nos pas. A la crête des murs, les figuiers amaigris dressaient les branches de leurs squelettes, et les clématites pendaient comme de noirs bouts de ficelle. Ni cigales, ni sauterelles, ni larmeuses. Pas un son, pas un mouvement. Seuls, les oliviers des vacances avaient gardé toutes leurs feuilles, mais je vis bien qu'ils frissonnaient, et qu'ils n'avaient pas envie de parler.

Pourtant, nous n'avions pas froid, grâce à nos équipements et au poids de nos paquets, et nous marchions d'un bon pas sur cette route nouvelle. Sans nous arrêter, nous goûtâmes de grand appétit, et le voyage en fut raccourci. Mais comme je

commençais à distinguer, là-haut, le cône de la grande Tête-Rouge, le soleil disparut tout à coup. Non pas dans un couchant de gloire triomphale, sur des strates de pourpre et d'écarlate, mais par une sorte de glissade furtive, et peut-être involontaire, sous des nuages gris sans forme et sans relief. La lumière baissa, le ciel cotonneux descendit, et se posa comme un couvercle sur la crête des collines, dont le golfe nous entourait déjà.

Tout en cheminant, je pensais à mon cher Lili. Où était-il ? Nous ne serions pas à la villa avant la tombée de la nuit. Peut-être allions-nous le trouver à la Bastide Neuve, assis sur la pierre du seuil, près d'une musette pleine de grives ? Ou peut-être était-il en route pour venir à ma rencontre ?

Je n'osais guère l'espérer, à cause de l'heure et du froid : car dans le crépuscule violet, une poussière d'eau glacée s'était mise à tomber lentement. C'est alors qu'à travers cette bruine, je vis briller la petite flamme du premier réverbère à pétrole : au pied de la côte, il annonçait le village.

Dans le rond de lumière jaune qui tremblotait sur la route mouillée, je distinguai une ombre sous un capuchon...

Je courus vers lui, il courut vers moi. Je m'arrêtai à deux pas... Il s'arrêta, lui aussi, et comme un homme me tendit la main. Je la serrai virilement, sans dire un mot.

Il était rouge de plaisir et d'émotion. Je devais l'être plus que lui.

« Tu nous attendais ?

— Non, dit-il. J'étais venu pour voir Durbec. »

Il me montra le portail vert.

« Pour quoi faire ?

— Il m'avait promis des aludes. Il y en a plein dans un saule, juste au bord de son pré.

— Il t'en a donné ?

— Non. Il n'était pas chez lui... Alors, j'ai un peu attendu, pour voir s'il ne revenait pas... Je crois qu'il est allé aux Camoins. »

Mais à ce moment, le portail s'ouvrit, et un petit mulet en sortit. Il traînait une carriole aux lanternes allumées, et c'était Durbec qui tenait les rênes. Au passage, il nous cria : « Salut, bonjour la compagnie ! »

Lili devint tout rouge, et courut brusquement vers ma mère, pour la décharger de ses paquets.

Alors je ne posai plus de question. J'étais heureux parce que je savais qu'il m'avait menti : oui, il était venu m'attendre, dans la grisaille de la Noël, sous cette fine pluie froide dont les gouttes brillantes restaient accrochées à ses longs cils. Il était descendu des Bellons, mon petit frère des collines… Il était là depuis des heures, il y serait resté jusqu'à l'épaisseur de la nuit, avec l'espoir de voir paraître, au tournant de la route luisante, le capuchon pointu de son ami.

La première journée, celle de la Noël, ne fut pas une vraie journée de chasse : il fallut aider ma mère à mettre en ordre la maison, clouer des « bourrelets » aux fenêtres (qui soufflaient des musiques glacées) et ramener, de la pinède voisine, une grande récolte de bois mort. Cependant malgré tant d'occupations, nous trouvâmes le temps de placer quelques pièges au pied des oliviers, dans la « baouco » gelée, mais constellée d'olives noires.

Lili avait réussi à conserver des aludes dans une petite caisse où elles se nourrissaient de papier buvard : servies au milieu des olives, elles séduisirent une douzaine de grives, qui tombèrent de branche en broche pour compléter le repas de Noël, qui eut lieu le soir même, car nous fîmes le grand souper « des treize desserts », devant un brasier pétillant.

Lili — notre invité d'honneur — observa tous mes gestes, et s'efforça d'imiter le gentleman qu'il croyait que j'étais.

Dans un coin de la salle à manger, un petit pin, devenu sapin pour la circonstance : à ses branches étaient suspendus

une douzaine de pièges tout neufs, un couteau de chasse, un poudrier, un train à ressort, du fil d'archal pour faire des collets, des sucres d'orge, un pistolet à bouchon, enfin toutes sortes de richesses. Lili ouvrait de grands yeux, et ne disait pas un mot : on l'aurait pris sous un chapeau.

Ce fut une soirée mémorable : je n'en avais jamais vécu d'aussi longue. Je me gavai de dattes, de fruits confits, et de crème fouettée ; je fus si bien secondé par Lili que vers minuit je constatai qu'il respirait par saccades et qu'il gardait la bouche ouverte pendant des minutes entières. Par trois fois, ma mère nous proposa le sommeil. Par trois fois nous refusâmes, car il restait encore des raisins secs, que nous croquâmes sans plaisir véritable, mais à cause du luxe qu'ils représentaient.

Vers une heure du matin, mon père déclara que « ces enfants allaient éclater », et se leva.

Mais à ce moment même, je crus entendre au loin les cris de souris de la bicyclette de l'oncle Jules : cependant, il était une heure du matin, et il gelait à pierre fendre : sa venue me parut tout à fait improbable, et je croyais avoir rêvé lorsque ma mère tendit l'oreille, et dit surprise :

« Joseph, voilà Jules ! Est-ce qu'il serait arrivé quelque chose ? »

Mon père écouta à son tour : les crissements se rapprochaient.

« C'est lui, dit-il. Mais sois sans inquiétude : s'il était " arrivé quelque chose ", il ne serait pas venu jusqu'ici ! »

Il se leva, et ouvrit la porte toute grande : nous distinguâmes la silhouette d'un ours énorme, qui débouclait les courroies du porte-bagages : l'oncle fit son entrée dans un pardessus de fourrure à longs poils, que complétait un cachenez à quatre tours, et il posa un gros paquet sur la table en disant : « Joyeux Noël ! » tandis qu'il déroulait son cachenez.

J'ouvris aussitôt le paquet : encore des jouets, encore des

pièges, un gros sac de marrons glacés, et une bouteille de liqueur.

Mon père fronça le sourcil : puis il examina l'étiquette, qui brillait de plusieurs couleurs, et parut rasséréné.

« Voilà, dit-il, une liqueur honnête ! C'est du vin, oui, mais du vin cuit : c'est-à-dire qu'en le faisant bouillir, on l'a débarrassé de son alcool ! »

Il nous en versa deux doigts à chacun, et la fête continua, tandis que ma mère emportait Paul endormi.

« Nous sommes heureux de votre venue, dit mon père, mais nous ne vous attendions pas... Vous avez donc abandonné Rose et le bébé ?

— Mon cher Joseph, dit l'oncle, je ne pouvais pas les conduire à la messe de minuit, à laquelle je n'ai jamais manqué d'assister depuis mon enfance. Et d'autre part, il n'eût pas été raisonnable de rentrer à la maison vers une heure du matin, en prenant le risque de les réveiller. J'ai donc choisi d'entendre la messe de Noël dans l'église de La Treille, et de monter célébrer avec vous la naissance du Sauveur ! »

Je trouvai qu'il avait eu une heureuse idée, car je déshabillais déjà les marrons glacés, sous les yeux de Lili qui n'en avait encore jamais vu.

« Cette messe, dit l'oncle, a été très belle. Il y avait une crèche immense, l'église était tapissée de romarins en fleur, et les enfants ont chanté d'admirables noëls provençaux du quatorzième siècle. C'est pitié que vous n'y soyez pas venu !

— Je n'y serais allé qu'en curieux, dit mon père, et j'estime que les gens qui vont dans les églises pour le spectacle et la musique ne respectent pas la foi des autres.

— Voilà un joli sentiment, dit l'oncle. D'ailleurs, venu ou non, vous y étiez tout de même ce soir. »

Et il se frotta les mains joyeusement.

« Et comment y étais-je ? demanda mon père sur un ton un peu ironique.

— Vous y étiez avec toute votre famille, parce que j'ai longuement prié pour vous ! »

A cette annonce imprévue, Joseph ne sut que répondre, mais ma mère fit un beau sourire d'amitié tandis que l'oncle se frottait les mains de plus en plus vite.

« Et quelle faveur avez-vous demandée au Tout-Puissant ? dit enfin Joseph.

— La plus belle de toutes : je l'ai supplié de ne pas vous priver plus longtemps de sa Présence, et de vous envoyer la Foi. »

L'oncle avait parlé avec une grande ferveur, et ses yeux brillaient de tendresse.

Mon père, qui mastiquait avec un plaisir évident trois ou quatre marrons à la fois, prit un temps pour achever cette bouchée, l'avala d'un coup de glotte, et dit d'une voix un peu voilée :

« Je ne crois pas, vous le savez, que le Créateur de l'Univers daigne s'occuper des microbes que nous sommes, mais votre prière est une belle et bonne preuve de l'amitié que vous nous portez, et je vous en remercie. »

Alors, il se leva pour lui serrer la main. L'oncle se leva, lui aussi : ils se regardèrent en souriant, et l'oncle dit :

« Heureux Noël, mon cher Joseph ! »

Il lui saisit l'épaule dans sa grosse main, et l'embrassa sur les deux joues.

Les enfants ne connaissent guère la vraie amitié. Ils n'ont que des « copains » ou des complices, et changent d'amis en changeant d'école, ou de classe, ou même de banc. Ce soir-là, ce soir de Noël, je ressentis une émotion nouvelle : la flamme du feu tressaillit, et je vis s'envoler, dans la fumée légère, un oiseau bleu à tête d'or.

*
**

Lorsqu'il fallut enfin aller dormir, je n'avais plus sommeil. C'était trop tard. Je comptais faire la conversation avec Lili, pour qui ma mère avait installé une paillasse dans ma chambre : mais il avait un peu « forcé » sur le vin cuit, que mon père connaissait mal, et s'endormit sans avoir eu la force de se déshabiller.

Etendu sur le dos, les mains sous la nuque, et les yeux grands ouverts dans la nuit, j'évoquais les images de ce beau réveillon, illuminé par la bonté de l'oncle Jules, lorsque je fus envahi par une grande inquiétude : je venais de penser à l'histoire du soldat Trinquette Edouard, que mon père avait un jour racontée à table.

Ce Trinquette, qui était le cousin de M. Besson, faisait en ce temps-là son service militaire à Tarascon. Le papa Trinquette, qui était veuf, adorait son fils unique, et s'inquiétait grandement de son sort. Or, il découvrit un jour, avec joie, que le colonel du régiment n'était rien d'autre que son meilleur ami d'enfance... Il sauta aussitôt sur sa plus belle plume, et lui écrivit une longue lettre, pour lui rappeler de touchants souvenirs, et lui recommander son fils, sujet d'élite, et seule consolation de ses vieux jours.

Le colonel — ami fidèle — fit sur-le-champ appeler Trinquette Edouard, pour l'assurer de sa bienveillance : mais l'adjudant de semaine vint lui apprendre — au garde-à-vous — que le sujet d'élite était parti depuis huit jours en permission extraordinaire pour assister aux obsèques de son vieux père, consoler sa mère éplorée, et régler de délicates questions d'héritage avec ses quatre frères et sœurs.

Le colonel fut tout près de périr d'apoplexie, et la maréchaussée se mit à la recherche du farceur.

Comme Tarascon est une petite ville, où les gens parlent volontiers, on le découvrit le soir même, à l'hôtel des Trois-Empereurs, où il faisait le quatrième car il vivait caché dans la chambre d'une servante rousse, qui le ravitaillait aux dépens de la cuisine. Les gendarmes surgirent au premier

tiers d'un pâté de grives, et le soldat Trinquette Edouard, couvert de chaînes, fut ramené à la caserne, où le colonel le plongea, pour trois semaines, dans un cachot plein de rats.

Voilà ce qui peut arriver aux gens que l'on recommande quand ils ne vous ont rien demandé.

Certes, je savais bien que Dieu n'existait pas, mais je n'en étais pas tout à fait sûr. Il y avait des tas de gens qui allaient à la messe, et même des gens très sérieux. L'oncle lui-même lui parlait souvent, et pourtant l'oncle n'était pas fou.

Après de longues réflexions, j'en arrivai à la conclusion, assez peu rationnelle, que Dieu, qui n'existait pas pour nous, existait certainement pour d'autres : comme le roi d'Angleterre, qui n'existe que pour les Anglais.

Mais alors, l'oncle avait été bien imprudent d'attirer son attention sur nous : ce Dieu, s'il examinait notre cas — et c'était peut-être ce qu'il faisait au moment même —, allait sans doute prendre la grosse colère, à la façon du colonel : et au lieu de nous envoyer la foi, je craignais bien qu'il ne nous lançât trois ou quatre coups de tonnerre, qui nous feraient tomber la maison sur la tête. Cependant, comme j'entendais à travers la cloison le ronflement paisible et confiant de l'oncle Jules, je me rassurai par la pensée que le Dieu qu'il vénérait ne lui ferait certainement pas un coup pareil, et que je pouvais dormir tranquille, tout au moins pour cette nuit-là : ce que je fis aussitôt.

La chasse du lendemain fut ratée, car les chasseurs partirent sans nous : réveillés vers midi, nous déjeunâmes d'une « aïgo boulido », c'est-à-dire de quelques gousses d'ail bouillies dans de l'eau, et nous passâmes un après-midi assez dolent, au coin du feu, tandis que le petit Paul, que son hypersomnie avait préservé de nos excès, grignotait les derniers marrons glacés, et se moquait de nous, en nous appelant « gavalards ». Mais la seconde nuit répara le désastre, et la chasse d'hiver commença pour tout de bon.

Ces huit jours de Noël filèrent comme un rêve. Mais rien ne fut pareil aux grandes vacances : nous étions dans un autre pays.

Le matin, à six heures, il faisait encore nuit. Je me levais en grelottant, et je descendais allumer le grand feu de bois ; puis, je préparais le café que j'avais moulu la veille, pour ne pas réveiller ma mère. Pendant ce temps, mon père se rasait. Au bout d'un moment, on entendait grincer au loin la bicyclette de l'oncle Jules, ponctuel comme un train de banlieue : son nez était rouge comme une fraise, il avait de tout petits glaçons dans sa moustache, et il frottait vigoureusement ses mains l'une contre l'autre, comme un homme très satisfait.

Nous déjeunions devant le feu, en parlant à voix basse.

Puis, la course de Lili résonnait sur la route durcie.

Je versais une bonne tasse de café, qu'il refusait d'abord, en disant : « Je l'ai déjà bu » — ce qui n'était pas vrai. Ensuite, nous partions tous les quatre, avant le lever du jour.

Dans le ciel de velours violet, les étoiles brillaient, innombrables. Ce n'étaient plus les douces étoiles de l'été. Elles scintillaient durement, claires et froides, cristallisées par le gel de la nuit... Sur la Tête-Rouge, que l'on devinait dans l'ombre, une grosse planète était pendue comme une lanterne, si proche que l'on croyait voir l'espace derrière elle. Pas un bruit, pas un murmure, et dans le silence glacé nos pas sonnaient sur les dures pierres de Noël.

Les perdrix étaient devenues méfiantes, et la sensibilité nouvelle des échos les protégeait de nos approches. Cependant, les chasseurs tuèrent quatre lièvres, quelques bécasses et bon nombre de lapins. Quant à nos pièges ils nous donnèrent si régulièrement des grives et des alouettes que ce triomphe quotidien finit par manquer d'imprévu.

J'eus cependant la joie et la fierté d'achever une buse aussi grande qu'un parapluie vu de profil : du fond du ravin de

Lancelot, mon père la fit tomber d'un nuage ; sur le dos, les serres en l'air, l'oiseau meurtrier me regardait venir à lui. Ses yeux jaunes brillaient de haine et de menace. Je me plus à imaginer que c'était la buse qui avait presque voulu me crever les yeux, et je la tuai férocement à coups de pierres.

Nous rentrions de la chasse à la tombée de la nuit : installés (à plat ventre) devant le grand feu de bois résineux, nous faisions des parties de dames, de dominos, de jeu de l'oie — pendant que mon père jouait de la flûte — et parfois le loto réunissait toute la famille.

A partir de six heures et demie, la broche tournait, et la graisse rousse des grives fondantes attendrissait d'épaisses rôties de pain de campagne...

Grandes et belles journées, qui me semblaient immenses le matin, mais qui me parurent si courtes quand sonna l'heure du départ...

Le dernier soir, en bouclant les bagages, comme ma mère me voyait tout triste, elle dit :

« Joseph, il faut monter ici tous les samedis.

— Quand nous aurons le tramway, dit mon père, ce sera peut-être possible. Mais pour le moment...

— Quand nous aurons le tramway, les enfants porteront des moustaches. Regarde-les : jamais ils n'ont eu si bonne mine et moi, je n'ai jamais mangé d'aussi bon cœur.

— Je le vois bien, dit mon père pensif. Mais le voyage dure quatre heures !... Nous arriverions ici le samedi à huit heures du soir, et il faudrait repartir le dimanche après-midi.

— Pourquoi pas le lundi matin ?

— Parce qu'il faut que je sois à l'école à huit heures précises, tu le sais bien.

— Moi, j'ai une idée, dit ma mère.

— Et laquelle ?

— Tu verras. »

Mon père fut surpris. Il réfléchit un instant, et dit :

« Je sais à quoi tu penses.

— Non, dit ma mère. Tu ne le sais pas. Mais ne me pose plus de questions. C'est mon secret. Et tu ne le sauras que si je réussis.

— Bien, dit mon père. Nous attendrons. »

SON idée n'était pas mauvaise.

Elle rencontrait souvent au marché la femme de M. le directeur : c'était une grande belle personne, qui portait un sautoir en or, et une monture en or dans sa ceinture de soie plissée.

Ma mère, timide et menue, la saluait discrètement de loin. Mais comme pour ses enfants elle était capable de tout, elle commença par accentuer son salut, se rapprocha peu à peu, et finit par frôler la main de Mme la directrice dans un panier de pommes de terre. Celle-ci, qui avait le cœur bon, lui déconseilla l'achat de ces tubercules, qu'elle déclara touchés par la gelée, et la conduisit chez une autre marchande. Deux jours après, elles faisaient leur marché ensemble, et la semaine suivante, Mme la directrice l'invita à venir boire chez elle une tisane anglaise qu'on appelait du thé.

Joseph ignorait tout de cette conquête, et il fut bien surpris quand il lut, sur le tableau de service, une décision de M. le directeur : ce chef tout-puissant avait décrété, par une fantaisie subite, que mon père serait désormais chargé de la surveillance du jeudi matin, mais qu'en échange, les professeurs de chant et de gymnastique se chargeraient de ses élèves le lundi matin, ce qui lui donnait sa liberté jusqu'à une heure et demie.

Comme les hommes ne comprennent rien aux manigances féminines, il n'aurait jamais rien su de la vérité, si M. Arnaud — qui savait toujours tout parce qu'il connaissait fort bien la bonne de M. le directeur — ne l'en avait informé pendant une récréation.

Alors se posèrent pour lui deux problèmes : d'abord, devait-il remercier son chef ? Il déclara à table qu'il ne le ferait pas, parce que ce serait reconnaître que M. le directeur avait bouleversé « l'emploi du temps » d'une école publique pour la commodité d'un maître.

« Et pourtant, disait-il, perplexe, il faudrait tout de même trouver quelque chose...

— Rassure-toi, j'y ai pensé, dit ma mère en souriant.

— Que comptes-tu faire ?

— J'ai envoyé un beau bouquet de roses à Mme la directrice.

— Ho ho ! dit-il, surpris... Je ne sais pas si ce geste ne paraîtra pas... trop familier... Ou peut-être trop prétentieux... Evidemment, elle a l'air très sympathique... Mais je me demande comment elle va prendre la chose...

— Elle l'a très bien prise. Elle m'a même dit que j'étais ' un amour " ! »

Il ouvrit de grands yeux.

« Tu lui as parlé ?

— Bien sûr ! dit ma mère en riant. Nous faisons notre marché ensemble tous les jours, et elle m'appelle Augustine. »

Alors mon père ôta ses lunettes, les frotta vivement avec le bord de la nappe, et les remit sur son nez pour la regarder avec stupeur, et ce fut là son second problème. Il fallut tout lui raconter par le menu, depuis le panier de pommes de terre... A la fin, il secoua la tête en silence, plusieurs fois. Puis, devant toute la famille, il dit, avec une admiration scandalisée :

« Elle a le Génie de l'Intrigue ! »

*
**

C'est ainsi que presque tous les samedis, à partir du Mardi gras, nous pûmes « monter aux collines ».

La boue de février clapota et gicla sous nos pieds. Puis, au mois d'avril, de hautes verdures jaillirent à la crête des murs, et vinrent par endroits croiser leurs arceaux au-dessus de nos têtes. La promenade était très belle, mais vraiment, elle était bien longue.

Avec notre chargement habituel, et les courtes haltes à l'ombre, le voyage durait quatre heures. Lorsque nous arrivions enfin devant la « villa », nous étions exténués. Ma mère surtout, qui portait parfois dans ses bras la petite sœur endormie, paraissait à bout de forces... C'est à cause de sa pâleur et de ses yeux cernés qu'il m'est arrivé bien souvent de renoncer au beau dimanche des garrigues. Je me plaignais d'un point de côté, ou d'un horrible mal à la tête, et j'allais me coucher tout à coup. Mais quand j'avais les yeux fermés, dans la nuit de ma petite chambre, la chère colline venait à moi, et je m'endormais sous un olivier, dans le parfum des lavandes perdues...

Par un beau samedi d'avril, notre caravane, vers cinq heures, cheminait, fatiguée mais joyeuse, entre les deux murs de pierre dorée. A trente mètres devant nous, une petite porte s'ouvrit. Un homme en sortit et referma la porte à clef.

Comme nous arrivions à sa hauteur, il regarda soudain mon père, et s'écria :

« Monsieur Joseph ! »

Il portait un uniforme sombre à boutons de cuivre, et une casquette pareille à celle des hommes des chemins de fer. Il avait une petite moustache noire, et de gros yeux marron qui brillaient de plaisir.

Mon père le regarda à son tour, se mit à rire et dit :

« Bouzigue ! Qu'est-ce que tu fais là ?

— Moi ? Je fais mon travail, monsieur Joseph. Je suis piqueur au canal, et c'est grâce à vous, je peux le dire ! Vous vous en êtes donné du mal, pour mon certificat d'études ! Je suis piqueur depuis sept ans.

— Piqueur ? dit mon père. Et qu'est-ce que tu piques ?

— Ha ha ! dit Bouzigue, triomphal... Enfin c'est moi qui vais vous apprendre quelque chose ! Piqueur, ça veut dire que je surveille le canal...

— Avec une pique ? demanda Paul.

— Mais non ! dit Bouzigue en clignant de l'œil inexplicablement. Avec une grande clef à T (il la montra suspendue à sa ceinture), et ce petit carnet noir. J'ouvre et je ferme les prises, j'en contrôle le débit... Si je vois une fente dans la berge, ou un dépôt de vase, ou un petit pont qui devient faible des reins, je le note, et le soir, je fais mon rapport. Si je vois flotter un chien crevé, je le repêche, et si je surprends des gens qui jettent leurs eaux sales ou qui se baignent dans le canal, je leur dresse procès-verbal.

— Hé hé ! dit mon père. Tu es un personnage officiel ! »

Bouzigue fit un nouveau clin d'œil, et un petit rire satisfait.

« Et de plus, dit mon père, ce n'est pas fatigant.

— Oh ! non ! dit Bouzigue, ce n'est pas le bagne. »

Il prit tout à coup un ton lamentable, comme s'il allait pleurer.

« Et puis, dites, brave comme je suis, qui est-ce qui voudrait m'envoyer au bagne ? Je n'ai jamais rien fait de mal, sauf pour l'orthographe ! Mais vous, monsieur Joseph, je vois que la petite famille s'est allongée : Mme Joseph n'a pas bien grossi, mais elle est toujours aussi charmante. »

Puis, posant sa main sur ma tête, il demanda :

« Mais où est-ce que vous allez comme ça, avec tout ce chargement ?

— Ma foi, dit mon père, avec une certaine fierté, nous

montons à notre maison de campagne, pour y passer le dimanche.

— Ho ho ! dit Bouzigue, ravi. Vous avez fait fortune ?

— Pas exactement, dit mon père. Mais il est vrai que je suis maintenant en quatrième classe, et que mes appointements ont sensiblement augmenté.

— Tant mieux, dit Bouzigue. Ça, ça me fait vraiment plaisir. Allez, zou, donnez-moi quelques paquets, je veux vous accompagner ! »

Il me prit des mains le sac, les trois kilos de savon, et délesta mon frère de la besace qui contenait le sucre et les nouilles.

« Tu es bien gentil, Bouzigue, dit mon père... Mais tu ne sais pas que nous allons très loin.

— Je parie que vous allez jusqu'aux Accates ?

— Plus loin.

— Alors, aux Camoins ?

— Plus loin. »

Bouzigue ouvrit des yeux énormes.

« Vous n'allez pas dire que vous allez à La Treille ?

— Nous traversons le village, dit mon père, mais nous allons encore plus loin.

— Mais après La Treille, il n'y a plus rien !

— Si, dit mon père, il y a Les Bellons !

— Eh ben ! dit Bouzigue consterné. Le canal n'y passe pas, et n'y passera jamais. Où c'est que vous prenez l'eau ?

— Dans la citerne, et dans le puits. »

Bouzigue rejeta sa casquette en arrière, pour mieux se gratter la tête, et nous regarda tous les quatre.

« Et où c'est que vous quittez le tramway ?

— A La Barasse.

— Pauvres de vous ! »

Il fit un rapide calcul mental.

« Ça vous fait au moins huit kilomètres à pied !

— Neuf, dit ma mère.

— Et vous faites ça souvent ?

— Presque tous les samedis.

— Pauvres de vous ! répéta-t-il.

— C'est évidemment un peu long, dit mon père. Mais quand on y est, on ne regrette pas sa peine...

— Moi, dit Bouzigue solennellement, ma peine, je la regrette toujours. Mais j'ai une idée ! Aujourd'hui, vous ne ferez pas neuf kilomètres. Vous allez venir avec moi, et nous suivrons la berge du canal, qui traverse en droite ligne toutes ces propriétés. Dans une demi-heure, nous serons au pied de La Treille ! »

Il tira de sa poche une clef brillante, nous ramena près de la porte qu'il venait de fermer, et l'ouvrit.

« Suivez-moi », dit-il.

Il entra. Mais mon père s'arrêta sur le seuil.

« Bouzigue, es-tu sûr que ce soit parfaitement légal ?

— Qu'est-ce que vous voulez dire ?

— C'est à cause de tes fonctions officielles que tu détiens cette clef, et que tu as le droit de passer sur le terrain d'autrui. Mais crois-tu qu'il nous soit permis de te suivre ?

— Qui le saura ? dit Bouzigue.

— Tu vois ! dit mon père. Puisque tu espères qu'on ne nous verra pas, c'est que tu reconnais ta culpabilité.

— Mais quel mal nous faisons ? dit Bouzigue. J'ai rencontré mon instituteur, et je suis tout fier de lui montrer l'endroit où je travaille.

— Ça pourrait te coûter cher. Si tes chefs le savaient... »

Bouzigue cligna de l'œil deux ou trois fois, mystérieusement. Puis, il haussa deux fois les épaules, puis il secoua la tête, avec un petit rire moqueur : enfin il parla.

« Puisqu'il faut tout vous dire, je vais vous apprendre une bonne chose : s'il y avait le moindre accident, je me charge de tout arranger, parce que ma sœur est mariée (de la main gauche) avec un conseiller général ! »

Cette phrase me parut d'abord mystérieuse : mais je vis tout à coup cette sœur gauchère sortir de la mairie au bras d'un général en grand uniforme, qui lui donnait de précieux conseils.

Comme mon père paraissait encore hésitant, Bouzigue ajouta :

« Et en plus, c'est elle qui a fait nommer Bistagne, le sous-directeur du canal ; et si Bistagne me faisait la moindre critique, elle l'endormirait d'un coup de traversin. »

J'en conçus aussitôt une grande admiration pour cette femme courageuse, capable d'abattre les ennemis de son frère sans toutefois les blesser. Mon père partagea sans doute mon sentiment, car nous suivîmes Bouzigue sur le terrain d'autrui.

L E canal coulait en haut d'un petit remblai, entre deux
haies d'arbrisseaux et d'arbustes qui émergeaient
d'une broussaille de romarins, de fenouils, de cystes et de
clématites.

Bouzigue nous expliqua que cette végétation désordonnée
était infiniment précieuse, parce qu'elle retenait la terre
du remblai, et qu'il était interdit aux propriétaires d'y
toucher.

Le lit de ciment n'avait que trois mètres de large, et l'eau
transparente reflétait les nuages blancs du ciel d'avril.

Entre la berge et la haie fleurie, nous suivions en file
indienne un étroit sentier.

« Voilà mon canal, dit Bouzigue. Qu'est-ce que vous en
dites ?

— C'est bien joli, dit mon père.

— Oui, c'est bien joli ; mais ça commence à se faire
vieux... Regardez-moi ces berges... C'est fendillé du haut en
bas... Ça nous fait perdre beaucoup d'eau parce que, par
endroits, c'est une passoire. »

Ce mot frappa vivement mon frère Paul qui le répéta
plusieurs fois.

Comme nous arrivions près d'un petit pont, Bouzigue dit
avec fierté :

« Ici, c'est remis à neuf depuis l'an dernier. C'est moi qui l'ai fait refaire, avec du ciment sous-marin. »

Mon père examina la berge, qui paraissait toute neuve.

« Il y a pourtant une fissure », dit-il.

Bouzigue, brusquement inquiet, se pencha vers l'eau.

« Où ça ? »

Mon père montra une très fine ligne grise, qu'il gratta du bout de l'ongle. Des paillettes s'en détachèrent ; il les brisa entre ses doigts et les examina un instant.

« Ce n'est pas du ciment sous-marin, dit-il. Et d'autre part, la proportion de sable est trop forte. »

Bouzigue ouvrit des yeux tout ronds.

« Quoi ? dit-il, vous en êtes sûr ?

— Absolument. Mon père était dans le bâtiment, et je m'y connais assez bien.

— Ho ho ! dit Bouzigue, je vais mettre ça dans mon rapport, et on va sonner les cloches à l'entrepreneur qui a fait ça !

— Si tu ne colmates pas cette fente, dans un mois elle aura quatre doigts de large...

— C'est une passoire ! cria Paul.

— On va s'en occuper », dit Bouzigue.

Il détacha un fragment de l'enduit, le plia dans une feuille de son carnet, et se remit en marche.

Nous traversâmes quatre propriétés immenses.

Dans la première, des parterres de fleurs entouraient un château à tourelles. Autour des parterres, il y avait des vignes et des vergers.

« Ici, dit Bouzigue, c'est le château d'un noble. Il doit être malade, parce qu'on ne le voit jamais.

— Si cet aristocrate nous rencontrait chez lui, dit mon père, ça pourrait lui déplaire. Moi, je n'aime pas beaucoup les nobles. »

Les leçons de l'école normale restaient ineffaçables. Au cours de ses lectures, pourtant, quelques aristocrates avaient trouvé grâce devant lui : Du Guesclin, Bayard, La Tour

d'Auvergne, le chevalier d'Assas, et surtout Henri IV, parce qu'il galopait à quatre pattes pour amuser ses petits enfants. Mais d'une façon générale, il considérait toujours les « nobles » comme des gens insolents et cruels, ce qui était prouvé par le fait qu'on leur avait coupé la tête. Les malheurs n'inspirent jamais confiance, et l'horreur des grands massacres enlaidit jusqu'aux victimes.

« C'est un comte, dit Bouzigue, on n'en dit pas de mal dans le quartier.

— C'est peut-être, dit mon père, parce qu'on ne le connaît pas. Mais il a sûrement quelques sbires à sa solde.

— Il a un fermier et un garde. Le fermier est un bon vieux, et le garde n'est pas jeune. C'est un géant. Je l'ai rencontré quelques fois, mais il ne me parle pas. Bonjour, bonsoir, et c'est tout. »

Nous arrivâmes sans incident devant une seconde porte. Le canal traversait le mur de clôture sous une arche basse, d'où pendaient de longues pariétaires qui traînaient au fil de l'eau. Bouzigue fit jouer la serrure et nous vîmes une forêt vierge.

« Ici, dit-il, c'est le château de la Belle au bois dormant. Les volets sont toujours fermés, je n'y ai jamais vu personne. Vous pouvez chanter, vous pouvez crier, il n'y a aucun danger. »

Une forêt d'arbousiers et de térébinthes avait envahi les champs abandonnés ; un parc de pins centenaires cernait une immense bâtisse carrée ; elle paraissait inaccessible parce que des genêts épineux (l' « argelas » des collines) poussaient en rangs serrés sous la haute futaie. Mon frère Paul fut bouleversé par l'idée que la Belle au Bois dormait derrière ces volets fermés, et que, grâce à Bouzigue, nous étions les seuls à le savoir.

Il y eut une autre clôture, et une autre porte : nous traversâmes les terres d'un troisième château.

« Celui-là, c'est celui du notaire, dit-il. Regardez : c'est

toujours fermé, sauf au mois d'août. Il n'y a qu'une famille
de paysans. Je rencontre souvent le grand-père, c'est lui qui
soigne ces beaux pruniers. Il est sourd comme un pot, mais il
est bien gentil... Il me parle toujours de la guerre de septante,
et il veut reprendre l'Alsace-Lorraine.

— C'est un bon Français, dit mon père.

— Pour ça oui, dit Bouzigue. C'est dommage qu'il soit
gâteux. »

Nous ne rencontrâmes personne, mais nous vîmes au loin,
à travers la haie, la moitié inférieure et postérieure d'un
paysan qui sarclait un champ de tomates.

Puis Bouzigue ouvrit encore une porte : elle était percée
dans un mur de pierres taillées, qui avait au moins quatre
mètres de haut ; la crête en était garnie de tessons tranchants,
qui donnaient une fâcheuse idée de la générosité du châte-
lain.

« Ce château-là, dit Bouzigue, c'est le plus grand et le plus
beau. Mais le propriétaire habite Paris, et il n'y a jamais
personne, que le garde... Tenez, regardez ! »

A travers la haie, nous vîmes deux hautes tours qui
flanquaient la façade d'un château d'au moins dix étages.
Toutes les fenêtres en étaient fermées, sauf quelques man-
sardes, sous le toit d'ardoises.

« Là-haut, dit Bouzigue, c'est l'appartement du garde...
C'est pour surveiller les maraudeurs, qui viennent piller le
verger...

— En ce moment, dit mon père, il nous observe peut-être.

— Je ne crois pas. Il regarde surtout le verger, qui est de
l'autre côté.

— C'est aussi ton ami ?

— Pas exactement. C'est un ancien adjudant.

— Ils n'ont pas toujours bon caractère.

— Celui-là est comme les autres. Mais il est toujours saoul
comme la Pologne, et il a une jambe raide. Si jamais il nous
voyait — et ça serait bien extraordinaire — vous n'auriez qu'à

prendre le pas gymnastique, et il serait bien incapable de vous rattraper, même avec son chien ! »

Ma mère, inquiète, demanda :

« Il a un chien ?

— Oui, dit Bouzigue, ce chien est énorme ; mais il a au moins vingt ans, il est borgne, et il peut à peine bouger : il faut que son maître le traîne au bout d'une chaîne. Je vous assure qu'il n'y a aucun danger. Mais pour vous rassurer, je vais aller jeter un coup d'œil. Restez derrière ce buisson ! »

Il y avait une longue brèche dans la haie protectrice. Bouzigue s'avança, d'un pas délibéré, et s'arrêta au beau milieu de l'espace dangereux. Les mains dans les poches, la casquette rejetée en arrière, il regarda longuement le château, puis le verger.

Nous attendions, groupés comme des moutons, à l'abri d'un arbousier. Ma mère était pâle, et respirait vite. Mon frère Paul avait cessé de croquer le sucre qu'il dérobait dans son paquet. Mon père, le visage tendu en avant, regardait à travers les branches.

Enfin, Bouzigue dit :

« La voie est libre. Amenez-vous ! Mais baissez-vous », ajouta-t-il.

Mon père, courbé en deux et ses paquets frôlant le sol, s'avança le premier.

Mon frère Paul se mit en équerre, comme le centenaire du village, et disparut littéralement dans l'herbe. Je passai à mon tour, serrant les nouilles sur mon cœur horizontal. Enfin, ma mère, peu habituée aux exercices gymnastiques, avança gauchement, la tête basse, les épaules rentrées, comme une somnambule au bord d'un toit. Malgré ses jupons et son corset à baleines, elle était bien mince...

Deux fois encore, il fallut répéter cette manœuvre. Enfin, nous arrivâmes au mur de clôture. Bouzigue ouvrit la petite porte, et nous fûmes tout à coup en face du café des Quatre-Saisons.

Quelle joyeuse, quelle admirable surprise !

« Ce n'est pas possible ! dit ma mère, ravie.

— C'est pourtant comme ça ! dit Bouzigue. Nous avons coupé toute la boucle du chemin ! »

MON père avait tiré de son gousset sa montre d'argent.
« Nous venons de faire, en vingt-quatre minutes, un parcours qui nous prend d'habitude deux heures quarante-cinq.

— Je vous l'avais dit ! s'écria Bouzigue. Cette clef va plus vite qu'une automobile. »

Je pensai qu'il exagérait un peu, car je venais de voir, dans un journal, sous la photographie de la voiture Panhard, cette phrase prodigieuse : « La voiture qui a fait le *kilomètre* en *une minute*. »

« Je vous l'avais dit, répétait Bouzigue. Ça n'est pas plus difficile que ça ! Et maintenant, ajouta-t-il, on va boire un bon coup ! »

Il pénétra audacieusement sur la terrasse du petit café, dont les platanes avaient sorti leurs premières feuilles.

Le patron, un homme grand et fort, à l'épaisse moustache rousse, nous installa autour d'une table de fer, et apporta une bouteille de vin blanc. Qu'allait faire mon père ? Refuser l'invitation si généreuse de Bouzigue, ou boire du vin blanc sous nos yeux stupéfaits ?

« Monsieur, dit-il au patron, n'avez-vous pas un peu d'eau de Vichy ? »

Le patron, perplexe, le regarda un instant, et dit enfin :

« Si vous y tenez, j'en ai à la cave.

— Ho ho ! dit Bouzigue avec une grande inquiétude, vous avez mal au foie ?

— Non, dit mon père. Mais je préfère mêler au vin blanc de l'eau gazeuse. Ça fait une sorte de champagne d'un goût très agréable. »

J'admirai cette invention géniale, qui permettait de diminuer la dose de poison en y mêlant une eau salutaire qu'on achète dans les pharmacies. Mais Bouzigue but coup sur coup, sans la moindre inquiétude apparente, deux grands verres de vin blanc pur.

Cependant, ma mère s'extasiait encore sur la brièveté du voyage.

« Eh bien, madame Joseph, dit Bouzigue avec un grand sourire, vous allez me permettre de vous faire un cadeau. »

Avec un clin d'œil malicieux, il tira de sa poche la clef d'argent.

« Prenez-la, madame Joseph. Je vous la donne.

— Pour quoi faire ? demanda mon père.

— Pour gagner deux heures tous les samedis, et encore deux heures le lundi matin ! Prenez-la. J'en ai une autre. »

Il exhiba une seconde clef.

Mais mon père secoua la tête de gauche à droite, lentement, et trois fois de suite.

« Non, dit-il. Non, ce n'est pas possible. »

Ma mère reposa la clef sur la table.

« Et pourquoi ? dit Bouzigue.

— Parce que je suis un fonctionnaire, moi aussi. Je vois d'ici la tête de M. l'inspecteur d'Académie si on venait lui dire que l'un de ses instituteurs, muni d'une fausse clef, se promène en fraude sur le terrain d'autrui !

— Mais elle n'est pas fausse ! C'est une clef de l'administration !

— Raison de plus ! dit mon père. Tu n'as pas le droit de t'en séparer. »

Bouzigue s'énerva.

« Mais personne ne vous dira jamais rien ! Vous avez vu comment ça s'est passé ?

— Personne ne nous a rien dit parce que nous n'avons rencontré personne. Mais tu as dit toi-même, en traversant la Belle au bois dormant : " Ici, il n'y a aucun danger. " C'est donc qu'il y en avait ailleurs !

— Mais, saint homme, s'écria Bouzigue, quand j'ai dit " danger ", ça ne voulait pas dire " catastrophe " ! Ça voulait dire que peut-être, par un mauvais miracle, un grincheux pourrait se plaindre au Canal, mais que ça n'irait pas plus loin, parce que ma sœur est là ! N'oubliez pas ma sœur ! »

J'étais tout à fait de son avis. Mais mon père dit sévèrement :

« Je ne doute pas des qualités ni des influences de ta sœur, quoique je sois navré d'apprendre qu'elle exerce un bien triste métier. Mais j'ai des principes.

— Oyayaie ! dit Bouzigue. Les principes, oyayaie ! »

Puis, sur le ton d'une grande personne qui parle à un enfant :

« Allons, voyons, monsieur Joseph ! Quels principes ?

— J'aurais honte de m'introduire en secret chez les autres, et dans un but strictement personnel, pour mon intérêt privé ; il me semble que ce ne serait pas digne d'un maître d'école qui enseigne la morale aux enfants... Et si celui-ci (il mit la main sur mon épaule), si celui-ci voyait son père se glisser le long des broussailles comme un maraudeur, que penserait-il ?

— Je penserais, dis-je, que c'est plus court.

— Et tu as raison, dit Bouzigue.

— Ecoute, papa, dit ma mère, j'en connais beaucoup qui n'hésiteraient pas. Deux heures le samedi soir, et deux heures le lundi matin, ça fait quatre heures de gagnées.

— J'aime mieux marcher quatre heures de plus, et conserver ma propre estime.

— C'est quand même cruel, dit Bouzigue, mélancolique, de faire marcher ces enfants comme s'ils étaient déjà à la Légion étrangère. Et avec un barda terrible, et des mollets comme des spaghetti... Et madame Joseph n'est pas bien épaisse non plus.

— La marche, dit mon père, est le plus sain de tous les sports.

— C'est peut-être aussi le plus fatigant, dit ma mère avec un soupir.

— Ecoutez, dit soudain Bouzigue, j'ai une autre idée qui arrange tout : je vais vous donner une casquette du Canal. Vous marcherez le premier, et si quelqu'un vous voit de loin, vous n'aurez qu'à lui faire un petit bonjour avec la main, et on ne vous demandera rien !

— Décidément, dit mon père scandalisé, tu as une mentalité de repris de justice ! Une casquette du Canal sur la tête d'un instituteur ! Tu ne sais pas que ça pourrait finir en correctionnelle ?

— Et ma sœur ? Vous oubliez encore ma sœur !

— Tu ferais mieux, dit mon père, d'en parler moins souvent. Je te remercie de ton offre, qui me prouve ta reconnaissance et ton amitié. Mais je suis forcé de la refuser ; n'insiste pas !

— Tant pis, dit Bouzigue. C'est bien dommage... »

Il se versa un grand trait de vin blanc et poursuivit, sur un ton désolé :

« C'est bien dommage pour les petits et pour madame Joseph... C'est bien dommage pour moi, parce que je croyais vous rendre service. Et surtout, *surtout*, c'est bien dommage pour le Canal.

— Pour le Canal ? Que veux-tu dire ?

— Comment ! s'écria Bouzigue. Mais alors vous ne vous rendez pas compte de l'importance de ce que vous m'avez dit sur le ciment sous-marin ?

— C'est vrai, dit ma mère, qui prit soudain un air technique. Joseph, tu ne te rends pas compte !

— Mais, vous ne savez pas, dit Bouzigue avec feu, que cet entrepreneur, qui a mis trop de sable, va être obligé de nous rembourser au moins deux mille francs, et peut-être deux mille cinq cents ? Parce que je vais le faire, moi, le rapport, et ce fraudeur sera coincé. Grâce à qui ? Grâce à vous !

— J'ai dit ça comme ça, dit mon père. Mais je ne suis pas tout à fait sûr...

— Mais si ! Mais si ! vous êtes sûr ! D'ailleurs, ça sera vérifié au laboratoire. Et vous n'êtes passé qu'une fois, et vous n'avez pas bien regardé, parce que vous étiez un peu inquiet. Mais si vous y passiez deux fois par semaine... Oh ! là là ! »

Il répéta ce « oh ! là là ! » avec un enthousiasme rêveur.

« En somme, dit mon père, pensif, tu supposes que ma collaboration clandestine — et gratuite — paierait, en quelque sorte, notre passage ?

— Dix fois, cent fois, mille fois ! dit Bouzigue. Et moi, ajouta-t-il, si, tous les lundis, vous m'envoyez une petite note, un petit rapport, je le recopierai tout de suite — en y ajoutant quelques fautes d'orthographe, bien entendu — et je le soumettrai à mes chefs ! Est-ce que vous vous rendez compte de la situation que vous me feriez ! Un peu vous, un peu ma sœur, dans un an, je suis chef de section !

— Joseph ! dit ma mère, avant de refuser, tu devrais réfléchir.

— C'est ce que je fais. »

Il but un grand trait de son vin blanc-Vichy.

« C'est une passoire ! dit Paul.

— Si nous pouvions arriver à la villa avant sept heures, dit ma mère, ce serait tout à fait merveilleux... Et puis, dit-elle en s'adressant à Bouzigue, quelle économie sur les souliers des enfants !

— Ah ! les souliers, dit Bouzigue. Moi aussi, j'ai deux garçons, et les souliers, je sais ce que ça coûte... »

Il y eut un assez long silence.

« Il est évident, dit enfin mon père, que, si je puis rendre service à la communauté, même d'une façon un peu irrégulière... Et d'autre part, si je puis t'aider...

— M'aider ! s'écria Bouzigue. C'est-à-dire que ça peut changer toute ma carrière !

— Je n'en suis pas sûr, mais enfin, je vais y penser. »

Il prit la clef et la regarda un instant. Enfin, il dit :

« Je ne sais pas encore si je m'en servirai... Nous verrons ça la semaine prochaine... »

Mais il mit la clef dans sa poche.

LE lundi matin, quand nous redescendîmes vers la ville, mon père refusa d'utiliser la clef magique, qu'il regarda un moment, brillante, au creux de sa main. Puis il la remit dans sa poche, en disant :

« D'une part, il est plus facile de descendre que de monter, et d'autre part, nous n'avons pas de provisions à porter : ce n'est pas la peine de prendre un risque ce matin. »

Nous redescendîmes donc par la route ordinaire. Mais le soir même, à la sortie de l'école, il disparut pendant une demi-heure ; quand il revint, il portait sous son bras trois ou quatre livres. Je n'en puis dire le nombre exact, car ce n'étaient que des liasses de feuilles imprimées, dont les bords jaunis et rongés par le temps rappelaient les broderies du pantalon de ma grand-mère.

« Nous allons, dit-il, nous documenter. »

Ces volumes étaient, en effet, des tomes dépareillés de plusieurs ouvrages qui traitaient des « Canaux et aqueducs », de l'« Irrigation des terres incultes » et des « Revêtements imperméables » tels qu'on les concevait au temps de M. de Vauban.

« C'est dans les vieux livres, me dit-il, que l'on trouve le plus de bon sens et les recettes les mieux éprouvées. »

Il étala sur la table ces respectables épaves et se mit aussitôt au travail

Le samedi suivant, à cinq heures, nous étions devant la première porte. Mon père l'ouvrit d'une main ferme : il était en paix avec sa conscience, car il ne franchissait point ce seuil interdit pour raccourcir une route trop longue, mais pour préserver de la ruine le précieux canal, et sauver Marseille de la sécheresse, qui eût été certainement suivie de la peste et du choléra morbus.

Cependant, il redoutait les gardes. C'est pourquoi, m'ayant déchargé de mes paquets, il me confia le rôle d'éclaireur.

Je marchais le premier, au ras de la haie, profitant de mon mieux de l'abri des feuillages.

Je parcourais une vingtaine de mètres, l'œil aux aguets, l'oreille tendue. Puis je m'arrêtais, j'écoutais le silence... Enfin, je faisais signe à ma mère et à mon frère, qui attendaient à l'abri du plus gros buisson. Ils arrivaient alors en courant, et venaient se blottir derrière moi. Enfin paraissait mon père, un carnet à la main. Il fallait toujours l'attendre un moment, car il prenait fort gravement des notes.

Nous ne rencontrâmes personne, et le seul incident de l'inquiétante traversée fut fourni par mon frère Paul.

Ma mère remarqua qu'il gardait sa main droite sous son imperméable, à la manière de Napoléon.

« Tu t'es fait mal à la main ? » lui dit-elle à voix basse.

Sans ouvrir la bouche, et sans la regarder, de la tête il répondit non.

« Sors ta main de là-dessous », dit-elle encore.

Il obéit, et nous vîmes que ses petits doigts serraient fortement le manche du couteau pointu qu'il avait volé dans le tiroir de la cuisine.

« C'est pour le garde, dit-il froidement. S'il vient pour étrangler papa, moi je passe par-derrière, et je le tue dans les fesses. »

Ma mère le félicita de sa bravoure, puis elle ajouta :

« Tu es encore bien petit : donne-le-moi. »

Il rendit son arme de bonne grâce, avec un conseil judicieux.

« Toi, tu es grande, pique-le dans l'œil. »

Ce garde, celui du dernier château, était notre terreur, et c'est en tremblant que nous traversâmes ses terres. Par bonheur, il ne se montra pas et, deux heures plus tard, autour de la table ronde, le nom de Bouzigue fut cent fois béni.

A table, il ne fut pas question du garde ni du chien ; mais quand nous fûmes couchés dans notre petite chambre, j'eus une longue conversation avec Paul. Nous étudiâmes divers moyens de supprimer l'ennemi : le lasso, puis une fosse garnie de dix couteaux bien aiguisés, la pointe en l'air ; ou encore des collets en fil d'acier, un cigare rempli de poudre. Paul, qui commençait à lire des romans d'aventures, eut l'idée cruelle d'empoisonner des flèches de roseau, en les introduisant — par une fente — dans les tombeaux du cimetière du village. Comme je discutais l'efficacité du procédé, il invoqua les Indiens du Brésil qui gardent le cadavre du grand-père pendant plusieurs mois, pour envenimer la pointe de leurs armes avec les puantes humeurs de l'aïeul.

Je m'endormis en l'écoutant et, dans un rêve radieux, je vis le garde, défiguré par l'explosion du cigare, hérissé de flèches comme un porc-épic, se tordre horriblement sous l'effet du poison et tomber enfin au fond de la fosse où les six couteaux le transperçaient, tandis que Paul, dansant comme un farfadet, chantait férocement : « C'est une passoire ! »

IL nous était maintenant possible d'aller « aux collines »
tous les samedis, sans trop de fatigue, notre vie en fut
transformée.

Ma mère reprenait des couleurs ; Paul grandit d'un seul
coup, comme un diable qui sort de sa boîte ; quant à moi, je
bombais un torse aux côtes visibles, mais à la poitrine
élargie ; je mesurais souvent le tour de mes biceps avec le
mètre en toile cirée et l'énormité de ces muscles faisait
l'admiration de Paul.

Quant à mon père, il chantait tous les matins, en se rasant
avec une sorte de sabre, devant un petit miroir brisé qu'il
suspendait à l'espagnolette de la fenêtre.

D'abord, d'une voix de tenorino :

> *Si j'étais un petit serpent,*
> *O félicité sans pareille...*

ou, prenant tout à coup une formidable voix de basse :

> *Souviens-toi du passé, quand sous l'aile des anges,*
> *Abritant ton bonheur,*
> *Tu venais dans son temple en chantant ses louanges,*
> *Adorer le Seigneur...*

Il fredonnait dans l'escalier et même parfois dans la rue.

Mais cette bonne humeur, qui durait toute la semaine, ne franchissait pas l'aube du samedi : car dès son lever il préparait son courage pour entrer dans l'illégalité.

*
**

Deux événements d'une grande importance marquèrent cette période.

Par un beau samedi du mois de mai, quand les journées se font plus longues, et quand les amandiers semblent chargés de neige, nous traversions — sans le moindre bruit — les terres du « noble ». Comme nous arrivions au beau milieu de la propriété, nos craintes s'amincirent, parce que la haie protectrice devenait plus épaisse. Je marchais le premier, d'un pas léger, malgré le poids de l'eau de Javel, de la lessive et d'une chaise en pièces détachées, que liait une ficelle.

Des taches de soleil bougeaient sur l'eau paisible du canal. Sur mes talons, Paul chantonnait...

Mais soudain, je restai figé, le cœur battant.

A vingt mètres devant moi, une haute silhouette venait de sortir de la haie et, d'un seul pas, se planta au milieu du sentier.

L'homme nous regardait venir. Il était très grand, sa barbe était blanche. Il portait un feutre de mousquetaire, une longue veste de velours gris, et il s'appuyait sur une canne.

J'entendis mon père qui disait, d'une voix blanche : « N'aie pas peur ! Avance ! » J'avançai bravement.

En m'approchant du danger, je vis le visage de l'inconnu.

Une large cicatrice rose, sortant de son chapeau, descen-

dait se perdre dans sa barbe, touchant au passage le coin de son œil dont la paupière fermée était plate.

Ce masque me fit une si forte impression que je m'arrêtai net. Mon père passa devant moi.

Il tenait son chapeau dans une main, son carnet « d'expert » dans l'autre.

« Bonjour, monsieur, dit-il.

— Bonjour, dit l'inconnu, d'une voix grave et cuivrée. Je vous attendais. »

A ce moment, ma mère poussa une sorte de cri étouffé. Je suivis son regard, et mon désarroi fut augmenté par la découverte d'un garde à boutons dorés, qui était resté dans la haie.

Il était encore plus grand que son maître, et son visage énorme était orné de deux paires de moustaches rousses : l'une sous le nez, l'autre au-dessus des yeux, qui étaient bleus et bordés de cils rouges.

Il restait à trois pas du balafré et nous regardait avec une sorte de sourire cruel.

« Je pense, monsieur, dit mon père, que j'ai l'honneur de parler au propriétaire de ce château ?

— Je le suis, en effet, dit l'inconnu. Et, depuis plusieurs semaines, je vois de loin votre manège tous les samedis, malgré les précautions que vous prenez pour vous cacher.

— C'est-à-dire... commença mon père, que l'un de mes amis, piqueur du canal...

— Je sais, dit le " noble ". Je ne suis pas venu plus tôt interrompre votre passage parce qu'une attaque de goutte m'a cloué trois mois sur ma chaise longue. Mais j'ai donné l'ordre d'attacher les chiens le samedi soir et le lundi matin. »

Je ne compris pas tout de suite. Mon père avala sa salive, ma mère fit un pas en avant.

« J'ai fait venir ce matin même le piqueur du canal qui s'appelle, je crois, Boutique...

— Bouzigue, dit mon père. C'est mon ancien élève, car je suis instituteur public, et...

— Je sais, dit le vieillard. Ce Boutique m'a tout dit. Le cabanon dans la colline, le tramway trop court, le chemin trop long, les enfants, et les paquets... Et à ce propos, dit-il en faisant un pas vers ma mère, voilà une petite dame qui me paraît bien chargée. »

Il s'inclina devant elle, comme un cavalier qui sollicite l'honneur d'une danse, et ajouta :

« Voulez-vous me permettre ? »

Sur quoi, avec une autorité souveraine, il lui prit des mains les deux grands mouchoirs noués. Puis, se tournant vers le garde :

« Wladimir, dit-il, prends les paquets des enfants. »

En un clin d'œil, le géant réunit dans ses mains énormes les sacs, les musettes, et le fagot qui représentait une chaise. Puis il nous tourna le dos, et s'agenouilla soudain.

« Grimpe ! » dit-il à Paul.

Avec une audace intrépide, Paul prit son élan, bondit, et se trouva juché sur l'encolure du tendre épouvantail qui partit aussitôt au galop, avec un hennissement prodigieux.

Ma mère avait les yeux pleins de larmes, et mon père ne pouvait dire un mot.

« Allons, dit le noble, ne vous mettez pas en retard.

— Monsieur, dit enfin mon père, je ne sais comment vous remercier, et je suis ému, vraiment ému...

— Je le vois bien, dit brusquement le vieillard, et je suis charmé de cette fraîcheur de sentiments... Mais enfin, ce que je vous offre n'est pas bien grand. Vous passez, chez moi, fort modestement, et sans rien gâter. Je ne m'y oppose pas : il n'y a pas de quoi crier au miracle ! Comment s'appelle cette jolie petite fille ? »

Il s'approcha de la petite sœur, que la mère avait prise dans ses bras : mais elle se mit à hurler et cacha son visage dans ses mains.

« Allons, dit ma mère, fais une risette au monsieur...

— Non, non ! criait-elle... Il est trop vilain ! Oh ! non !

— Elle a raison, dit le vieillard en riant — ce qui le rend encore plus laid —, j'oublie facilement cette balafre : ce fut le dernier coup de lance d'un uhlan, dans une houblonnière en Alsace, il y a près de trente-cinq ans. Mais elle est encore trop jeune pour apprécier les vertus militaires. Passez devant, madame, je vous en prie, et dites-lui que c'est un chat qui m'a griffé : elle en tirera au moins une leçon de prudence ! »

Il nous accompagna tout le long du sentier en parlant avec mon père.

Je marchais devant eux, et je voyais au loin la tête blonde du petit Paul : elle filait au-dessus de la haie, et les boucles dorées flottaient au soleil.

Quand nous arrivâmes à la porte de sortie, nous le trouvâmes assis sur nos paquets : il croquait des pommes reinettes que le géant pelait pour lui.

Il fallut prendre congé de nos bienfaiteurs. Le comte serra la main de mon père, et lui donna sa carte en disant :

« Au cas où je serais absent, ceci vous servira de laissez-passer pour le concierge. Il sera maintenant inutile de suivre les berges : je vous prie de sonner à la grille du parc, et de traverser la propriété par l'allée centrale. Elle est plus courte que le canal. »

Puis, à ma grande surprise, il s'arrêta à deux pas de ma mère, et la salua comme il eût fait pour une reine. Enfin, il s'approcha d'elle, et s'inclinant avec beaucoup de grâce et de dignité, il lui baisa la main.

Elle lui répondit en esquissant une révérence de petite fille, et elle courait, rougissante, se réfugier auprès de mon père, lorsqu'un trait d'or passa entre eux : Paul s'élançait vers le vieux gentilhomme et, saisissant la grande main brune, il la baisa passionnément.

Le soir à table, après la soupe servie à la lumière de la
lampe tempête, ma mère dit :

« Joseph, montre-nous la carte qu'il t'a donnée. »

Il lui tendit le bristol, et elle lut à haute voix :

Comte Jean de X...
Colonel au Premier Cuirassier

Elle se tut un instant, comme troublée.

« Mais alors... dit-elle.

— Oui, dit mon père. C'est celui de Reichshoffen. »

A PARTIR de cette mémorable journée, la traversée du premier château fut notre fête du samedi.

Le concierge — un autre vieux briscard — nous ouvrait tout grand le portail ; Wladimir surgissait aussitôt, et raflait notre chargement. Nous allions ensuite jusqu'au château pour saluer le colonel. Il nous donnait des pastilles de réglisse, et nous invita plusieurs fois à goûter. Mon père lui apporta un jour un livre (en loques naturellement) qu'il avait trouvé chez le brocanteur : ces feuillets contenaient un récit complet, avec des illustrations et des plans, de la bataille de Reichshoffen. Le nom du colonel y figurait en bonne place, et mon père, qui se croyait antimilitariste, avait longuement taillé trois crayons, pour entourer d'un cadre tricolore les pages où l'auteur célébrait la vaillance du « Premier Cuirassier ».

Le vieux soldat fut d'autant plus intéressé qu'il fut très loin d'approuver le récit de l'historien — un « civil qui n'avait jamais mis le cul sur une selle » — et qu'il commença aussitôt la rédaction d'un mémoire pour rétablir la vérité.

Chaque samedi, en nous raccompagnant à travers ses jardins, il cueillait au passage un bouquet de grandes roses rouges, dont il avait créé l'espèce, et qu'il avait nommées

« Les Roses du Roy ». Il en épointait les épines avec de petits ciseaux d'argent, et au moment de nous quitter, il offrait ces fleurs à ma mère, qui ne pouvait jamais s'empêcher de rougir. Elle ne les confiait à personne, et le lundi matin, elle les rapportait en ville. Pendant toute la semaine, elles brillaient sur un guéridon, penchées au bord d'un vase d'argile blanche dans un coin de la salle à manger, et notre maison républicaine était comme anoblie par les Roses du Roy.

Le château de la « Belle au bois dormant » ne nous avait jamais fait peur. Mon père disait en riant qu'il avait bien envie de s'y installer pour les vacances. Ma mère, cependant, craignait qu'il ne fût hanté.

Paul et moi, nous avons essayé plusieurs fois d'ouvrir un volet du rez-de-chaussée, afin de voir les seigneurs immobiles, autour de la Belle endormie. Mais les planches de chêne étaient bien trop épaisses pour mon canif à lame de fer-blanc.

Cependant, en collant son œil à une fente, Paul vit un jour distinctement un cuisinier immense entouré de huit marmitons : ils étaient tous figés devant un sanglier embroché. Quand je regardai à mon tour, je ne pus rien distinguer. Mais le tableau qu'il m'avait décrit correspondait si exactement à une illustration de Valvérane (artiste bien informé) que je crus sentir tout à coup une odeur ancienne de rôti, et l'étrange parfum d'une fumée froide dont le mystère me troubla.

Le troisième château, celui du notaire, nous réservait une autre alerte, et une autre surprise.

Un jour, comme nous franchissions, sans trop nous presser, une éclaircie de la haie, une voix puissante et furieuse nous épouvanta. Elle criait :

« Hé là-bas, où allez-vous ? »

Nous vîmes un paysan d'une quarantaine d'années, qui

fonçait vers nous au pas de course, en brandissant une fourche. Il avait une épaisse tignasse frisée, et une forte moustache noire, hérissée comme celle d'un chat.

Mon père, assez ému, feignait de ne pas l'avoir vu et rédigeait une note sur le carnet protecteur ; mais l'homme était animé d'une véritable fureur, et il arrivait au galop : la main de ma mère trembla dans la mienne, et Paul, terrorisé, plongea dans un buisson.

Ce meurtrier s'arrêta soudain à quatre pas. Levant sa ·fourche, les dents vers le ciel, aussi haut qu'il put, il en planta le manche dans le sol. Puis, agitant violemment ses deux bras écartés, il s'avança vers mon père en remuant sa tête par saccades. Cependant, de sa bouche écumante sortaient ces paroles fleuries :

« Ne vous en faites pas. Les patrons nous regardent. Ils sont à la fenêtre du premier étage. J'espère que le vieux va bientôt crever, mais il en a encore pour six mois. »

Puis les deux poings sur les hanches, et le buste penché en avant, il vint parler sous le nez de mon père, qui reculait pas à pas.

« Tant que vous verrez ces fenêtres ouvertes, ne passez pas sur la berge. Passez en bas, de l'autre côté, le long des tomates. Donnez-moi votre carnet, parce qu'il veut que je vous demande vos papiers, et que je prenne votre nom et votre adresse. »

Il arracha le carnet des mains de mon père qui disait, avec un peu d'inquiétude : « Je m'appelle... »

« Vous vous appelez Esménard Victor, quatre-vingt-deux rue de la République. Maintenant, vous allez partir en courant, pour que ça fasse bon effet. »

Le bras tendu, l'index pointé, il nous montrait, d'un air sauvage, le chemin de la liberté. Tandis que nous filions au pas gymnastique, il mit les mains en porte-voix, et hurla :

« Et que ça ne vous arrive plus, parce que la prochaine fois, ça se passera à coups de fusil ! »

Dès que nous fûmes en sûreté, de l'autre côté du mur, nous fîmes une courte halte, pour nous féliciter, et pour rire à notre aise. Mon père, qui avait ôté ses lunettes pour éponger la sueur de son front, se mit à moraliser :

« Tel est le peuple : ses défauts ne viennent que de son ignorance. Mais son cœur est bon comme le bon pain, et il a la générosité des enfants. »

Paul et moi, nous dansions au soleil et nous chantions avec une joie satanique :

« Il va crever ! il va crever ! »

Depuis ce jour-là, à chaque passage, l'homme à la fourche, qui s'appelait Dominique, nous fit grand accueil.

Nous passions toujours sous la berge, au bord du champ, et nous trouvions Dominique au travail.

Il piochait la vigne, ou binait des pommes de terre, ou liait des tomates.

Mon père disait, avec un clin d'œil complice : « Voilà la famille Esménard qui passe, et qui vous salue bien. »

Dominique clignait de l'œil à son tour, et riait longuement de la plaisanterie hebdomadaire. Puis il s'écriait :

« Salut Esménard Victor ! »

Et mon père riait à son tour, et toute la famille poussait des cris de joie.

Ma mère lui offrait alors un paquet de tabac pour sa pipe, cadeau mortel qu'il acceptait sans façon. Puis Paul demandait :

« Est-ce qu'il est crevé ?

— Pas encore, disait Dominique. Mais ça va venir ! Il est à Vichy, il ne boit plus que de l'eau minérale ! »

Il ajoutait :

« Là-bas, sous le figuier, il y a un petit panier de prunes pour vous... Surtout, rapportez-moi le panier... »

D'autres fois, c'étaient des tomates ou des oignons, et nous repartions, à la file indienne, marchant dans l'herbe sur nos ombres qu'allongeait le soleil couchant.

Mais il restait le château de l'ivrogne et du molosse malade.

Lorsque nous arrivions devant cette porte fermée, nous gardions d'abord le silence.

Ensuite, mon père appliquait son œil contre le trou de la serrure, longuement. Puis il sortait de sa poche la burette de la machine à coudre et injectait quelques gouttes d'huile. Enfin, il introduisait la clef sans le moindre bruit et la faisait tourner lentement.

Alors, il poussait la porte d'une main prudente, et comme s'il craignait une explosion. Quand elle était entrebâillée, il plongeait sa tête dans l'ouverture, et il écoutait, il explorait du regard les terres interdites. Enfin, il entrait. Nous le suivions en silence, et il refermait la porte sans bruit. Le plus dur nous restait à faire.

Pourtant, nous n'avions jamais rencontré personne, mais le chien malade nous hantait.

Je pensais : « Il doit être enragé, parce que les chiens n'ont pas d'autre maladie. » Paul me disait : « Moi, je n'ai pas peur. Regarde ! »

Il me montrait une poignée de morceaux de sucre, qu'il se proposait de lancer au monstre afin de l'occuper pendant que papa étranglerait le garde. Il m'en parla avec beaucoup d'assurance, mais il marchait sur la pointe des pieds. Ma mère, par instants, s'arrêtait toute pâle, le nez pincé, la main sur son cœur. Mon père, qui prenait un air guilleret pour soutenir notre courage, la raisonnait à voix basse :

« Augustine, tu es ridicule ! Tu meurs de peur, et pourtant cet homme, tu ne le connais pas.

— Je connais sa réputation !

— On n'a pas toujours celle qu'on mérite !

— Le colonel nous a dit l'autre jour que c'était un vieil abruti.

— Abruti, très certainement, puisque ce malheureux s'adonne à la boisson. Mais il est bien rare qu'un vieux

pochard soit méchant. Et puis, si tu veux mon avis, je suis sûr qu'il nous a déjà vus plusieurs fois, et qu'il ne nous a rien dit, parce qu'il s'en moque. Ses maîtres ne sont jamais là, et nous ne faisons aucun mal. Quel intérêt aurait-il à nous courir après, avec sa jambe raide et son chien malade ?

— J'ai peur, disait ma mère. C'est peut-être stupide, mais j'ai peur.

— Eh bien, disait mon père, si tu continues ces enfantillages, moi, je monte jusqu'au château et je vais tout simplement lui demander la permission.

— Non, non, Joseph ! Je t'en supplie... Ça va me passer... C'est nerveux, tout simplement. Ça va me passer... »

Je la regardais, toute pâle, blottie contre les rosiers sauvages, dont elle ne sentait pas les épines. Puis elle respirait profondément, et disait avec un sourire :

« Voilà, c'est fini ! Allons-y ! »

On y allait, et tout se passait fort bien.

LE mois de juin fut un mois sans dimanches : il me parut bordé de deux hautes murailles, et ce long corridor de prison était fermé, là-bas, par une épaisse porte de fer, la porte des Bourses.

Ce fut le mois des « révisions générales », que je fis avec passion, non point par amour de la science, mais soutenu par la vanité d'être le champion qui allait défendre l'honneur de l'Ecole du Chemin des Chartreux.

Cette vanité tourna très vite au cabotinage. Pendant les récréations, je faisais les cent pas, tout seul, le long du mur de la cour. Grave, le regard perdu, la lèvre marmonnante, je « révisais », sous les yeux de mes camarades, qui n'osaient pas s'approcher du Penseur — et si quelque audacieux m'adressait la parole, je feignais de tomber du haut de la Science, et j'abaissais un regard douloureux vers l'importun, aussitôt morigéné à voix basse par les « supporters » du champion.

Cette comédie, que je jouais avec une sincérité d'acteur, ne fut pas inutile : c'est parfois en jouant les héros qu'un cabotin devient un héros véritable. Mes progrès étonnèrent mes maîtres, et quand vint le jour de l'examen — col rabattu, cravate à ganse, la joue pâle, et le cheveu plat — je me tirai fort bien d'affaire.

M. le directeur — qui avait des intelligences dans le jury — nous apprit que ma rédaction avait été « fort remarquée », ma dictée « parfaite » et qu'on avait apprécié mon écriture.

Par malheur, je n'avais pas su résoudre le second problème, qui concernait les alliages.

Son « énoncé » avait été rédigé avec tant de finesse qu'aucun des deux cents candidats ne l'avait compris, sauf un nommé Oliva, qui obtint ainsi la première place : je n'avais que la seconde.

On ne me gronda pas, mais ce fut une déception ; elle se traduisit par un tollé général, lorsque M. le directeur, dans la cour au milieu de ses maîtres, lut à haute voix le fatal énoncé : il dit — oui, il le dit devant moi — qu'à première vue, il n'y comprenait rien *lui-même*.

M. Besson affirma que c'était un problème de brevet élémentaire ; M. Suzanne fut d'avis que le rédacteur de cette énigme n'avait sans doute jamais parlé à des enfants, et M. Arnaud, qui était jeune et vigoureux, déclara qu'on y voyait clairement l'astuce compliquée et la subtile fourberie des « secondaires ». Il conclut qu'un bon esprit ne pouvait s'y retrouver, et il finit par me féliciter de n'y avoir rien compris.

Cependant, l'indignation générale se calma, lorsqu'on apprit que cet Oliva n'était pas un traître, puisqu'il venait aussi d'une école primaire, celle de la rue de Lodi, qui était la sœur de la nôtre ; l'idée que les deux premiers étaient « de chez nous » transforma mon échec en succès.

Pour moi, j'étais profondément déçu, et je tentai bassement de déshonorer le triomphe du redoutable Oliva, en disant qu'un garçon qui manipulait si bien les alliages ne pouvait être que le fils d'un faux-monnayeur.

Cette hypothèse vengeresse et romanesque fut acceptée par Paul avec une joie fraternelle, et je me proposais de la répandre dans toute l'école : je l'aurais fait certainement, si je n'avais pas oublié d'y penser, car je m'aperçus, tout à coup,

ébloui comme à la sortie d'un tunnel, que nous étions sur la porte des grandes vacances !

Alors, Oliva, l'énoncé, le directeur, les secondaires, tout disparut sans laisser de trace : je me remis à rire et à rêver, tout en préparant — tremblant de joie et d'impatience — le DÉPART.

Il y avait cependant une petite ombre au tableau : l'oncle Jules et la tante Rose ne partiraient pas avec nous. Cela ferait un grand vide dans la maison, et je craignais que notre équipe de chasse ne fût décapitée par l'absence du meneur de jeu. Absence d'ailleurs fort peu justifiée par un voyage dans le Roussillon, à seule fin de montrer le cousin Pierre à la famille vigneronne, qui l'attendait (disait-on) avec une grande impatience.

« L'enfant de vieux » était devenu un très gros bébé, qui riait de tout, même d'une bosse, et qui commençait à parler vraiment. Comme il n'avait pas encore pris un parti sur la prononciation des R, je fis remarquer à la tante Rose qu'il était bien dangereux de l'emmener chez des étrangers, qui lui imposeraient par surprise le terrible accent de Perpignan.

Elle me rassura par la promesse formelle de revenir, avant le 1er août, à notre chère Bastide Neuve.

NOUS arrivâmes enfin au 30 juillet, veille solennelle de l'événement.

Je fis de grands efforts pour dormir, mais il me fut impossible de trouver le sommeil qui supprime si bien les heures inutiles : je pus cependant les mettre à profit en vivant par avance quelques épisodes de la resplendissante épopée qui allait commencer le lendemain. J'étais sûr que ce serait encore plus beau que l'année précédente, parce que j'étais plus vieux et plus fort, et parce que je savais les secrets des collines ; et une grande douceur me baignait à la pensée que mon cher Lili, lui non plus, ne dormait pas.

La matinée du lendemain fut consacrée à la mise en ordre de la maison, que nous allions abandonner pendant deux mois, et je fus envoyé chez le « droguiste », pour acheter ces boules de naphtaline que l'on retrouve dans ses poches au premier froid.

Puis, on mit la dernière main à nos bagages, que ma mère préparait depuis plusieurs jours car c'était presque un déménagement… Elle avait déclaré plusieurs fois qu'il serait indispensable de faire appel au mulet de François : mais mon père, d'abord muet, finit par révéler la vérité : nos finances avaient souffert de trop nombreux achats, qui devaient assurer le confort des vacances, et une nouvelle dépense de

quatre francs pouvait amener une dangereuse rupture
d'équilibre.

« Et d'autre part, dit-il, nous sommes quatre, puisque
Paul a maintenant la force de porter au moins trois
kilos...

— Quatre ! cria Paul, tout rouge de fierté.

— Et moi, dis-je vivement, je peux porter au moins
dix kilos !

— Mais Joseph, se lamentait ma mère, regarde !
Regarde ces paquets, ces ballots, ces valises ! Est-ce que
tu les as vus ? Est-ce que tu les vois ? »

Alors mon père, les yeux mi-clos, les bras allongés vers
une apparition, se mit à chanter d'une voix suave :

> *En fermant les yeux je vois là-bas*
> *Une maisonnette toute blanche*
> *Au fond des boi...s*

<div align="center">*</div>
<div align="center">* *</div>

Après un déjeuner rapide, le volume et le poids de
notre chargement furent si habilement répartis que nous
prîmes le grand départ sans rien laisser derrière nous.

Je portais deux musettes : l'une contenait des pavés de
savon, l'autre des boîtes de conserve, et diverses charcute-
ries.

Sous chaque bras, un ballot soigneusement ficelé :
c'étaient des couvertures, des draps, des taies d'oreillers,
des serviettes. Au centre de ces lingeries protectrices, ma
mère avait glissé les objets fragiles.

Sous mon bras gauche, deux verres de lampe, et une
petite danseuse en plâtre, toute nue, et la jambe en l'air.

Sous mon bras droit, une salière géante, en verre de
Venise (1 f 50 chez notre ami le brocanteur) et un
réveille-matin de grande taille (2 f 50) qui devait sonner

puissamment l'Angélus des chasseurs. Comme on avait oublié de l'arrêter, j'entendais, à travers les couvertures, son tic-tac ferblantier.

Enfin, mes poches étaient bourrées de boîtes d'allumettes et de sachets de papier qui contenaient du poivre, de la noix muscade, des clous de girofle, du fil, des aiguilles, des boutons, des lacets de souliers et deux encriers cachetés de cire.

On accrocha dans le dos de Paul un vieux cartable, plein de boîtes de sucre et surmonté d'un oreiller roulé dans un châle : par-derrière, on ne voyait plus sa tête.

Dans sa main gauche, un filet, assez léger, mais d'un volume considérable : c'étaient des provisions de tilleul, de verveine, de camomille, et des herbes de la Saint-Jean. Sa main droite fut laissée libre, en vue du remorquage de la petite sœur, qui serrait sur son cœur une poupée.

Ma mère avait eu l'intention de porter elle-même deux valises en similicuir, contenant notre argenterie (qui était en fer étamé) et des assiettes de faïence. Le tout pesait fort lourd, et je décidai d'intervenir. Je glissai dans mes poches la moitié des fourchettes, je mis les cuillers dans le sac de Paul et six assiettes dans mes musettes. Elle ne s'en aperçut pas.

Le sac tyrolien, prodigieusement gonflé, et toutes poches en relief, pesait sans doute plus que moi.

Nous le hissâmes d'abord sur une table. Puis mon père fit un pas en avant, et tourna le dos à la table. Ses hanches étaient déjà grandement élargies par une ceinture de musettes, d'où sortaient des manches d'outils, des goulots de bouteilles et des queues de poireaux. En deux temps, il s'agenouilla.

Alors, nous fîmes basculer ce chargement sur ses épaules. Le petit Paul, la bouche ouverte, les poings crispés et la nuque rentrée entre ses omoplates, regardait la terrible entreprise où il pensait perdre son père. Mais Joseph ne fut pas écrasé : on l'entendit boucler les bretelles de cuir, et le

sac, lentement d'abord, se souleva. Dans le grand silence, un genou craqua, puis un autre, et Joseph, formidable, fut debout.

Il respira profondément, haussa deux ou trois fois les épaules pour y loger les courroies, et se mit en marche autour de la salle à manger.

« C'est parfait », dit-il simplement. Puis sans la moindre hésitation, il alla ramasser les deux grandes valises : elles étaient si bien remplies qu'il avait fallu renforcer leurs flancs par des cordes qui en faisaient trois fois le tour. Leur poids tendit visiblement ses bras, qui en parurent allongés : il utilisa fort judicieusement cette tension pour coincer sous ses aisselles, d'une part son fusil de chasse (dans l'étui râpé de similicuir) et de l'autre côté la longue-vue de marine qui avait dû souffrir des tempêtes du cap Horn, car on entendait tinter ses lentilles comme autant de grelots.

*
**

Il fut assez difficile de monter sur la plate-forme arrière du tramway. Il ne fut pas facile d'en descendre, et je revois encore cet employé, qui tenait d'une main impatiente le cordon de cuir de la sonnette, pendant notre laborieux débarquement.

Nous étions cependant fort joyeux, et nos forces étaient doublées par la perspective ensoleillée de l'immensité des grandes vacances. Mais, vu de loin, notre cortège était si pathétique que des passants offrirent de nous aider : mon père refusa en riant et piqua un petit galop pour montrer que ses forces dépassaient grandement le poids de ses fardeaux...

Cependant, un roulier jovial, qui transportait un déménagement, vint prendre sans mot dire les deux valises de ma mère et les accrocha sous sa charrette, où elles se balancèrent en cadence jusqu'à la grille du colonel.

Wladimir, qui semblait nous attendre, offrit d'abord à ma

mère les roses rouges rituelles, et nous dit que son maî-
tre était forcé de garder la chambre à cause d'une nou-
velle attaque de goutte, mais qu'il viendrait bientôt nous
faire la surprise d'une visite à la Bastide Neuve, ce qui
nous remplit de joie, de fierté, et de confusion. Puis il
s'empara de tous les paquets et ballots qui n'étaient pas
attachés sur leur porteur et nous précéda jusqu'à la porte
de Dominique, après la « Belle au bois dormant ».

La troisième traversée nous parut longue : Dominique
n'était pas là, et toutes les fenêtres étaient fermées.

Nous fîmes une pause sous le grand figuier : mon
père, tournant le dos au puits, appuya son sac tyrolien
sur la margelle et, passant la main sous les courroies,
frictionna longuement ses épaules. Nous repartîmes revi-
gorés.

Nous arrivâmes enfin devant la porte noire, porte de
l'inquiétude et de la liberté.

Nous fîmes une nouvelle pause, en silence, pour nous
préparer à l'effort suprême.

« Joseph, dit soudain ma mère toute pâle, j'ai un pres-
sentiment ! »

Mon père se mit à rire :

« Moi aussi ! dit-il. J'ai le pressentiment que nous
allons passer des vacances magnifiques ! J'ai le pressenti-
ment que nous allons manger de belles brochettes de
grives, de darnagas et de perdrix ! J'ai le pressentiment
que les enfants vont prendre trois kilos chacun ! Allons,
ouste ! en route ! On ne nous a rien dit depuis six mois,
pourquoi nous dirait-on quelque chose aujourd'hui ? »

Il injecta la goutte d'huile, fit le manège habituel, puis
ouvrit la porte toute grande et se baissa pour faire passer
son chargement.

« Marcel, me dit-il, donne-moi tes paquets et marche
en avant-garde ! Pour rassurer ta mère, il faut prendre
toutes les précautions possibles. Va doucement. »

Je m'élançai, tel un Sioux sur le sentier de la guerre, bien abrité par la haie, et j'inspectai les lieux.

Rien. Toutes les fenêtres du château étaient fermées, même celles de l'appartement du garde.

J'appelai la troupe, qui attendait mes ordres :

« Venez vite ! dis-je à voix basse. Le garde n'est pas là ! »

Mon père s'avança, regarda la lointaine façade, et dit :

« C'est ma foi vrai !

— Qu'est-ce que tu en sais ? dit ma mère.

— Après tout, il est assez naturel que cet homme quitte parfois le château ! Il est tout seul : il est sûrement allé aux provisions !

— Eh bien, moi, ça m'inquiète que ces fenêtres soient fermées. Il est peut-être caché derrière les volets et il nous surveille par un trou.

— Allons donc ! dit mon père. Tu as une imagination maladive. Je parie que nous pourrions marcher en chantant. Mais enfin, pour ménager tes nerfs, nous allons jouer aux Indiens Comanches, " dont le passage ne fait même pas frissonner les hautes herbes de la prairie ". »

Nous cheminâmes avec une prudence extrême et une sage lenteur. Mon père, écrasé sous le poids de sa charge, transpirait horriblement. Paul s'arrêta pour enrouler une poignée d'herbe autour de la ficelle de son paquet, qui lui coupait les doigts. La petite sœur, effarée, était aussi muette que sa poupée.

De temps à autre, dressant son index minuscule devant sa bouche, elle disait dans un sourire : « Chu... u... ut... » avec des yeux de lapin traqué. La pâleur muette de ma mère me serrait le cœur, mais je voyais au loin, par-dessus les arbres, au-delà des murs, le sommet bleu de la Tête-Ronde, où j'irais tendre mes pièges avant la nuit, au chant d'un grillon solitaire, et je savais qu'au pied de La Treille, Lili m'attendait, l'air indifférent, mais qu'il serait tout plein de nouvelles, de projets, et d'amitié.

LA longue traversée fut réussie sans encombre, sinon
sans angoisse, et nous arrivâmes devant la dernière
porte, la porte magique qui allait s'ouvrir sur les grandes
vacances.

Mon père se tourna vers ma mère, en riant :

« Eh bien... Ton pressentiment ?

— Ouvre vite, je t'en supplie... Vite... vite...

— Ne t'énerve pas, dit-il. Tu vois bien que c'est fini ! »

Il fit tourner la clef dans la serrure, et tira. La porte résista.
Il dit soudain d'une voix blanche :

« On a mis une chaîne, et un cadenas !

— Je le savais ! dit ma mère. Tu ne peux pas l'arracher ? »

Je regardai, et je vis que la chaîne passait dans deux pitons
à boucle : l'un était vissé dans la porte, l'autre dans le
chambranle, dont le bois me parut moisi.

« Mais oui, dis-je, on peut l'arracher ! »

Mais mon père saisit mon poignet et dit à voix basse :

« Malheureux ! ce serait une effraction !

— Une effraction ! cria soudain une voix graillonneuse, eh
oui, une effraction ! Et ça peut valoir trois mois de prison ! »

D'un fourré, près de la porte, sortit un homme de taille
moyenne, mais énorme. Il portait un uniforme vert et un

képi. A sa ceinture était suspendu un étui de cuir noir
d'où sortait la crosse d'un revolver d'ordonnance. Il tenait
en laisse, au bout d'une chaîne, un chien affreux, celui
que nous avions si longtemps redouté.

C'était un veau à tête de bouledogue.

Dans son poil ras d'un jaune sale, la pelade avait mis
de grandes taches roses, qui ressemblaient à des cartes de
géographie. Sa patte gauche arrière restait en l'air, agitée
de saccades convulsives ; ses épaisses babines pendaient
longuement, prolongées par des fils de bave, et de part et
d'autre de l'horrible gueule, deux canines se dressaient,
pour le meurtre des innocents. Enfin, le monstre avait un
œil laiteux ; mais l'autre, énormément ouvert, brillait
d'une menace jaune, tandis que de son nez glaireux sor-
tait par intervalles un souffle ronflant et sifflant.

Le visage de l'homme était aussi terrible. Son nez était
piqueté de trous, comme une fraise ; sa moustache, blan-
châtre d'un côté, était queue de vache de l'autre, et ses
paupières inférieures étaient bordées de petits anchois
velus.

Ma mère poussa un gémissement d'angoisse, et cacha
son visage dans les roses tremblantes. La petite sœur se
mit à pleurer. Mon père, blême, ne bougeait pas : Paul se
cachait derrière lui, et moi, j'avalais ma salive...

L'homme nous regardait sans rien dire ; on entendait le
râle du molosse.

« Monsieur, dit mon père...

— Que faites-vous ici ? hurla soudain cette brute. Qui
vous a permis d'entrer sur les terres de M. le Baron ?
Vous êtes ses invités, peut-être, ou ses parents ? »

Il nous regardait tour à tour, de ses yeux globuleux et
brillants.

Chaque fois qu'il parlait, son ventre tressautait, en sou-
levant le revolver. Il fit un pas vers mon père.

« Et d'abord, comment vous appelez-vous ? »

Je dis soudain :

« Esménard Victor.

— Tais-toi, dit Joseph. Ce n'est pas le moment de plaisanter. »

A grand-peine, à cause des paquets, il sortit son porte-feuille, et tendit sa carte.

Cette brute la regarda, puis se tournant vers moi :

« En voilà un qui est bien dressé ! Il sait déjà donner un faux nom ! »

Il regarda de nouveau la carte, et s'écria :

« Instituteur public ! Ça, c'est le comble. Un instituteur qui pénètre en cachette dans la propriété d'autrui ! Un instituteur ! D'ailleurs, ce n'est peut-être pas vrai. Quand les enfants donnent de faux noms, le père peut donner une fausse carte. »

Joseph enfin retrouva la parole, et fit une assez longue plaidoirie. Il parla de la « villa » (qu'il appela, pour la circonstance, le cabanon), de la santé de ses enfants, des longues marches qui épuisaient ma mère, de la sévérité de M. l'inspecteur d'Académie... Il fut sincère et pathétique, mais piteux. J'avais le sang aux joues, et je brûlais de rage. Il comprit sans doute mes sentiments, car il me dit, dans son désarroi :

« Ne reste pas là. Va jouer plus loin avec ton frère.

— Jouer à quoi ? rugit le garde. A voler mes prunes ? Ne bouge pas, me dit-il. Et que ça te serve de leçon ! »

Puis, se tournant vers mon père :

« Et d'abord, qu'est-ce que c'est que cette clef ? C'est vous qui l'avez fabriquée ?

— Non », dit faiblement mon père.

La brute examina la clef, y vit je ne sais quelle marque, et s'écria :

« C'est une clef de l'administration ! Vous l'avez volée ?

— Vous pensez bien que non.

— Alors ? »

Il nous regardait en ricanant. Mon père hésita, puis dit bravement :

« Je l'ai trouvée. »

L'autre ricana de plus belle :

« Vous l'avez trouvée sur la route, et vous avez tout de suite compris qu'elle ouvrait les portes du canal... Qui vous l'a donnée ?

— Je ne puis pas vous le dire.

— Ha ! ha ! vous refusez de le dire ! J'en prends note, et ça sera sur mon rapport, et la personne qui vous a prêté cette clef n'aura peut-être plus l'occasion de traverser cette propriété.

— Non, dit mon père avec feu. Non, vous ne ferez pas ça ! Vous n'allez pas briser la situation d'un homme qui, par gentillesse, par pure amitié...

— C'est un fonctionnaire qui n'a pas de conscience ! hurla le garde. Je l'ai vu dix fois me voler mes figues...

— Vous avez dû vous tromper, dit mon père, car je le crois parfaitement honnête !

— Il vous l'a prouvé, ricana le garde, en vous donnant la clef d'un service public !

— Il y a une chose que vous ignorez, dit mon père : c'est qu'il l'a fait pour le bien du canal. J'ai certaines connaissances sur les ciments et les mortiers, qui me permettent de contribuer, dans une certaine mesure, à l'entretien de cet ouvrage d'art. Voyez vous-même ce carnet. »

Le garde le prit et le feuilleta.

« Alors, vous prétendez que vous êtes ici comme expert ?

— Dans une certaine mesure, dit mon père.

— Et ceux-là, aussi, dit-il en nous montrant, ce sont des experts ? Je n'ai encore jamais vu des experts de cet âge-là. Mais ce que je vois, en tout cas, parce que c'est écrit sur ce carnet, c'est que vous passez frauduleusement ici tous les samedis depuis six mois ! C'est une preuve magnifique ! »

Il mit le carnet dans sa poche.

« Et maintenant, ouvrez-moi tous ces paquets.

— Non, dit mon père. Ce sont mes affaires personnelles.

— Vous refusez ? Faites bien attention. Je suis garde assermenté. »

Mon père réfléchit une seconde, puis il mit bas son sac, et l'ouvrit.

« Si vous aviez maintenu ce refus, je serais allé chercher les gendarmes. »

Il fallut ouvrir les valises, vider les musettes, dérouler les ballots, et cette exposition dura près d'un quart d'heure. Enfin, tous nos pauvres trésors furent installés sur l'herbe en pente du remblai, comme les primes d'un tir forain... La salière étincelait, la petite danseuse levait la jambe, et le grand réveil, fidèle comptable de la marche des astres, annonçait impartialement 4 h 10, même pour la brute imbécile qui le regardait d'un air méfiant.

La revue fut longue et minutieuse.

L'abondance des nourritures excita la jalousie de cette bedaine.

« On dirait, dit-il d'un air soupçonneux, le cambriolage d'une épicerie ! »

Il examina ensuite le linge, les couvertures, avec la sévérité d'un douanier espagnol.

« Et maintenant, dit-il, le fusil ! »

Il le gardait pour la bonne bouche ; tout en ouvrant l'étui disloqué, il demanda :

« Il est chargé ?

— Non, dit mon père.

— C'est heureux pour vous. »

Le garde fit basculer le canon, et l'appliqua à son œil, comme un télescope.

« Il est propre, dit-il. C'est encore heureux pour vous. »

Il referma l'arme avec un claquement de piège à rats, et ajouta :

« Avec ce genre de pétoire, il est facile de manquer un perdreau, mais il est possible d'abattre un garde. Un garde qui ne se méfierait pas... »

Il nous regarda d'un air sombre : je vis alors clairement une stupidité sans fond. Plus tard, au lycée, lorsque, pour la première fois, j'ai lu le mot de Baudelaire : « La bêtise au front de taureau », j'ai pensé à lui. Il ne lui manquait que des cornes. Mais j'espère pour l'honneur des femmes, qu'il avait dû en porter.

Il prit soudain un air engageant, et dit :

« Où sont les cartouches ?

— Je n'en ai pas encore, dit mon père. Je ne les ferai que la veille de l'ouverture ; à cause des enfants, je n'aime pas avoir des cartouches chargées à la maison.

— Evidemment, dit le garde en me regardant sévèrement. Quand un enfant sait donner un faux nom et montre des dispositions pour l'Effraction, il ne lui manque plus qu'un fusil chargé ! »

Je fus assez fier de cette appréciation. Je pensais depuis dix minutes à sauter sur sa ceinture, pour lui arracher son revolver et le tuer délicieusement. Je jure que s'il n'avait pas eu ce chien énorme, qui m'eût avalé au passage, je l'aurais essayé.

Il rendit le fusil à mon père, et jeta un regard circulaire sur nos dépouilles éparpillées.

« Je ne savais pas, dit-il d'un air soupçonneux, qu'on est si bien payé dans l'enseignement ! »

Mon père gagnait 150 francs par mois. Mais il mit à profit la réplique, et dit :

« C'est pour ça que je voudrais bien y rester.

— Si on vous révoque, dit le garde, ce sera de votre faute. Moi, je n'y puis rien ! Maintenant, vous allez prendre vos paquets, et retourner par où vous êtes venus. Moi je vais faire mon rapport pendant qu'il est encore tout chaud. Allez, viens, Mastoc ! »

Il tira sur la laisse et entraîna le monstre, qui tournait son regard vers nous, avec des grondements désespérés, comme s'il regrettait de ne pas nous avoir égorgés.

A ce moment la sonnerie du réveille-matin éclata comme un feu d'artifice : ma mère, poussant un faible cri, tomba assise sur l'herbe. Je m'élançai ; elle s'évanouit dans mes bras. Le garde, qui était au bas du talus, se retourna et vit la scène : il se mit à rire et dit, jovial :

« Bien joué, mais ça ne prend pas ! »

Puis, il s'éloigna, d'un pas incertain, et tirant la bête qui lui ressemblait.

*
**

Ma mère fut vite rappelée. Pendant que Joseph la frictionnait, les larmes et les baisers de ses petits garçons agirent aussi promptement que les meilleurs sels d'Angleterre.

On s'aperçut alors que la petite sœur avait disparu. Elle s'était cachée dans un roncier, comme une souris épouvantée ; elle ne répondait pas à nos appels, et restait immobile à genoux, les mains sur les yeux.

Ensuite, on refit les paquets, en replaçant, un peu au hasard, le saucisson, les savonnettes, le robinet, et mon père parlait à voix basse :

« Comme on est faible, quand on est dans son tort ! Ce garde est un immonde cochon, et un lâche de la pire espèce. Mais il avait la loi pour lui, et moi j'étais prisonnier de mon imposture. Tout était coupable, de mon côté : ma femme, mes enfants, ma clef... Les vacances ne commencent pas bien. Je ne sais même pas si elles finiront...

— Joseph, dit ma mère tout à coup ragaillardie, ce n'est quand même pas la fin du monde. »

Mon père dit alors cette phrase sibylline :

« Tant que je suis instituteur, nous sommes en vacances. Mais si dans huit jours, je ne le suis plus, je serai en chômage... »

Et il serra sur ses épaules les courroies du sac tyrolien.

LE retour fut lugubre. Nos paquets avaient été rattachés en hâte, et il en tombait divers objets. Comme je marchais le dernier, je ramassai dans l'herbe un peigne, un pot de moutarde, une lime, une écumoire, une brosse à dents.

De temps à autre, ma mère disait à voix basse :

« Je le savais.

— Mais non, disait mon père avec humeur. Tu ne le savais pas, mais tu le craignais. Et tu avais raison de le craindre, mais ça pouvait arriver n'importe quand. Il n'y a là ni mystère ni pressentiment, mais simplement bêtise de ma part, et cruauté de la part de cet imbécile. »

Et il répétait sans cesse : « Comme on est faible quand on a tort. »

La vie m'a appris qu'il se trompait, et qu'on est faible quand on est pur.

Nous arrivâmes devant la première porte du retour, et une nouvelle catastrophe nous accabla : Joseph avait, comme d'ordinaire, très soigneusement refermé à clef toutes les portes après notre passage : mais la clef, la clef des vacances et de nos malheurs, l'impitoyable garde l'avait mise dans sa poche...

Joseph déposa ses paquets et examina le mur : il était

infranchissable, à cause de sa hauteur et des cruels culs de bouteille qui étincelaient sur sa crête...

Nous eûmes un moment de désespoir...

Alors mon père ouvrit l'une des poches de son sac et en tira une pince de mécanicien. Il était sombre, mais décidé, et nous le regardions en silence, car nous sentions obscurément qu'il allait prendre de graves responsabilités.

En effet, il descendit du remblai, entra dans la vigne, et coupa froidement, sans se presser, un morceau de fil de fer qui soutenait les pampres, puis il en fit une sorte de petit crochet. On voyait clairement sur son visage la résolution et la révolte de quelqu'un qui n'a plus rien à perdre, et dont le déshonneur est si grand que rien ne saurait l'augmenter.

Il s'approcha de la porte, enfonça le crochet de la serrure, ferma les yeux, et se courba pour rapprocher son oreille des cliquetis coupables de son outil... C'était la première fois que je voyais un cambrioleur au travail, et ce criminel, c'était mon père !

Enfin, après trois douzaines de « clics » inutiles, et comme Joseph commençait à s'énerver, il y eut un « clac » brutal et joyeux, et la porte violée nous livra le passage.

Nous étions passés devant lui en courant.

« Ce n'est pas tout ! dit-il. Il faut la refermer ! »

Il travailla encore quelques minutes, et le pêne claqua de nouveau.

Alors Joseph se releva, et son visage crispé sourit enfin, comme si cette remise en ordre effaçait à jamais sa culpabilité.

Nous partîmes gaillardement vers la porte suivante : mais comme elle s'ouvrait sur l'amitié de Dominique, la main paternelle ne trembla plus, et la serrure fut crochetée fort élégamment : il me sembla même que Joseph était assez fier de son habileté de cambrioleur, car il nous fit un clin d'œil joyeux, aggravé par un petit sourire cynique. Puis il dit :

« J'estime que nous étions en état de légitime défense. Ce

garde avait le droit de nous accuser, mais non pas de nous condamner... Allons raconter l'histoire à Dominique : je le crois de bon conseil. »

Mais les volets de la ferme étaient toujours clos... Il était sans doute au village, à la partie de boules. Chez le colonel, nous retrouvâmes Wladimir. Il écouta le récit de mon père — récit convenablement raccourci — et dit :

« Moi, j'irais bien voir cet homme-là. Mais je lui ai parlé trois fois dans ma vie, et trois fois je l'ai frappé. Si j'y vais, je le frappe encore. Alors, il vaut mieux en parler à mon colonel. Par malheur, il est à la clinique. Oui, il m'avait défendu de le dire, mais maintenant je vous le dis. On lui a fait une opération. Demain matin, je vais le voir, et s'il est bien, je lui dirai... Mais je ne sais pas s'il pourra faire quelque chose...

— Pourtant, dit mon père, le propriétaire est aussi un noble ! C'est un baron...

— Justement non ! dit Wladimir. Mon colonel dit que ce n'est pas vrai et qu'il s'appelle Canasson. A ce qu'il paraît que c'est un gros marchand de viande... Un jour, en sortant de la messe, à La Valentine, l'autre est venu se présenter, en disant : " Je suis le baron des Acates ", et M. le comte a dit : " Je vous croyais baron d'Agneau. " L'autre est parti sans dire un mot.

— Alors, dit Joseph, je n'ai plus d'espoir

— Allons, allons, dit Wladimir, il ne faut pas vous laisser aller comme ça. Venez boire quelque chose. Mais si, mais si ! Ça vous remontera ! »

Il força mon père et ma mère à boire un petit verre d'eau de-vie de marc qu'ils avalèrent héroïquement comme un remède, puis il apporta pour Paul et pour moi de la crème de cacao, tandis que la petite sœur buvait joyeusement une tasse de lait.

Nous partîmes physiquement ragaillardis, mais dans un grand trouble d'esprit. Mon père, fortement échauffé par

deux gorgées d'alcool, et sous l'influence du sac tyrolien, marchait d'un pas militaire, mais son regard était morne, dans son visage immobile.

Ma mère me parut légère comme un oiseau. Paul et moi nous traînions la petite sœur, dont les petits bras, un peu écartelés, nous retenaient dans le droit chemin. Il fallut faire l'immense détour, et pendant toute cette route, personne ne dit un seul mot.

Lili, dans son impatience, n'avait pu rester à son poste, au pied de La Treille. Il était venu à notre rencontre, et nous le trouvâmes à La Croix.

Il me serra la main, embrassa Paul, puis, tout rougissant, il prit les paquets de ma mère. Il avait un air de fête, mais il parut subitement inquiet, et me demanda à voix basse :

« Qu'est-ce qu'il y a ? »

Je lui fis signe de se taire, et je ralentis le pas, pour nous laisser distancer par mon père, qui marchait comme dans un rêve.

Alors, à mi-voix, je lui racontai la tragédie. Il ne parut pas y attacher une si grande importance, mais lorsque j'en arrivai au procès-verbal, il pâlit et s'arrêta, consterné.

« Il l'a écrit sur son carnet ?

— Il a dit qu'il allait le faire, et sûrement, il l'a fait. »

Il siffla entre ses dents, longuement. Le procès-verbal, pour les gens de son village, c'était le déshonneur et la ruine. Un gendarme d'Aubagne avait été tué dans la colline, par un brave homme de paysan, parce qu'il allait lui faire un procès-verbal.

« Eh ben, dit Lili, navré. Eh ben ! »

Il se remit en marche, la tête basse. Et de temps à autre, il tournait vers moi un visage désolé.

Comme nous traversions le village, en passant devant la boîte aux lettres, il me dit soudain :

« Si on en parlait au facteur ? Il doit le connaître, ce garde. Et puis, lui aussi il a un képi. »

Dans son esprit, c'était le signe de la puissance, et il pensait qu'entre képis, les choses pouvaient peut-être s'arranger. Il ajouta :

« Moi, je lui en parlerai demain matin. »

Nous arrivâmes enfin à La Bastide, qui nous attendait dans le crépuscule, sous le grand figuier plein de moineaux.

Nous aidâmes mon père à défaire tous les paquets. Il était sombre, et raclait sa gorge de temps en temps. Ma mère préparait en silence la bouillie de la petite sœur, pendant que Lili allumait le feu sous la marmite de la crémaillère.

Je sortis, pour regarder le jardin. Paul était déjà dans un olivier, et des cigales chantaient dans toutes ses poches, mais la beauté du soir me serra le cœur : de tant de joies que je m'étais promises, il ne restait rien.

Lili vint me rejoindre, et dit à voix basse : « Il faut que j'en parle à mon père. »

Je le vis partir, les mains dans les poches, à travers la vigne d'Orgnon.

Je rentrai dans la maison, et j'allumai la lampe à pétrole (le bec Matador), car personne n'y eût pensé. Mon père, malgré la chaleur, s'était assis devant le feu, et il regardait danser les flammes. La soupe bientôt se mit à bouillir, et l'omelette grésilla. Paul vint m'aider à mettre le couvert. Nous exécutâmes cette opération rituelle avec une grande application, pour montrer à nos parents que tout n'était pas perdu, mais nous ne parlions qu'à voix basse, comme s'il y avait un mort dans la maison.

Pendant le dîner, mon père se mit tout à coup à bavar-

der gaiement. Il nous décrivit la scène sur un ton plaisant, il fit un portrait comique du garde, de nos biens étalés sur l'herbe, et du chien qui avait eu grande envie de dévorer le saucisson. Paul fit de grands éclats de rire, mais je vis bien que mon père se forçait pour nous, et j'avais envie de pleurer.

LE dîner fut promptement expédié, et nous montâmes nous coucher.

Les parents étaient restés en bas, pour terminer la mise en place des provisions.

Mais je ne les entendis pas bouger : seulement un murmure de voix étouffées.

Au bout d'un quart d'heure, je vis que Paul s'était endormi : les pieds nus, je redescendis sans bruit l'escalier, et j'écoutai leur conversation.

« Joseph, tu exagères, tu es ridicule. On ne va tout de même pas te guillotiner.

— Certainement pas, disait mon père. Mais tu ne connais pas l'inspecteur d'Académie. Il transmettra le rapport au recteur, et ça pourrait aller jusqu'à la révocation.

— Allons donc ! il n'y a pas de quoi fouetter un chat.

— Peut-être, mais il y a certainement de quoi infliger un blâme à un instituteur. Et pour moi, un blâme équivaut à la révocation, car je démissionnerai. On ne reste pas dans l'Université sous le poids d'un blâme.

— Comment ? dit ma mère stupéfaite, tu renoncerais à ta retraite ? »

On en parlait souvent, de la retraite, et comme d'une opération de haute magie, qui transforme un maître d'école

en rentier. La retraite, c'était le grand mot, le maître-mot. Mais ce soir-là, il resta sans effet, et mon père haussa tristement les épaules.

« Mais alors, que feras-tu ?

— Je n'en sais rien, mais je vais y penser.

— Tu pourrais être professeur libre. M. Vernet vit très bien en donnant des leçons.

— Oui, mais il n'a pas été blâmé, lui. Il a pris sa retraite proportionnelle après une carrière brillante... Tandis que moi ! Si les parents de mes nouveaux élèves apprenaient que j'ai eu un blâme, ils me chasseraient aussitôt ! »

J'étais consterné par cette argumentation, qui me paraissait irréfutable. Qu'allait-il faire ? Il le dit bientôt.

« Je vais aller voir Raspagnetto, qui a un gros commerce de pommes de terre. Nous étions à l'école ensemble. Un jour, il m'a dit : " Toi, tu étais fort pour le calcul. Et mes affaires sont devenues si importantes que j'aurais bien besoin d'un homme comme toi. " Lui, je pourrai lui expliquer la chose, et il ne me méprisera pas. »

Je bénis aussitôt le nom de Raspagnetto. Je ne le connaissais pas, mais je le vis distinctement : un bon géant à moustaches noires, perdu — comme moi — dans ses multiplications, et remettant à mon père la clef d'un tiroir plein d'or.

« Les amis, dit ma mère, on ne peut pas toujours y compter.

— Je le sais. Mais Raspagnetto me doit beaucoup. Je lui ai soufflé le problème au certificat d'études. Et puis, je veux te rassurer tout de suite. Je ne te l'avais jamais dit, mais j'ai des obligations de chemins de fer : j'en ai pour sept cent quatre-vingts francs. Elles sont dans l'atlas Vidal-Lablache.

— Pas possible ! dit ma mère ; alors, tu m'as fait des mystères ?

— Eh oui. C'était en cas de coup dur, d'une opération,

d'une maladie... Je l'ai fait dans une bonne intention ! Je ne voudrais pas que tu croies...

— Ne t'excuse pas, dit-elle, parce que j'ai fait la même chose. Mais moi, je n'ai que deux cent dix francs. C'est tout ce que j'ai pu économiser sur les cinq francs que tu me donnes tous les matins. »

Je fis aussitôt l'addition : 780 et 210, cela faisait 990 francs. Je pensais que j'avais sept francs dans ma tirelire, et je savais, malgré les cachotteries de Paul, qu'il possédait au moins quatre francs. Cela faisait donc mille et un francs.

Je fus aussitôt rassuré, et j'eus grande envie de m'avancer pour dire qu'on n'a pas besoin de chercher un emploi quand on possède plus de Mille francs.

Mais le marchand de sable venait de m'en lancer une bonne poignée. Je remontai l'escalier à quatre pattes, et je m'endormis aussitôt.

LE lendemain matin, je ne vis pas mon père : il était en ville. Je supposai qu'il était allé voir son ami des pommes de terre, dont j'avais oublié le nom. Ma mère, en mettant de l'ordre dans la maison, chantait.

Lili n'arriva que très tard, vers les neuf heures.

Il m'annonça qu'il avait tout dit à son père, qui avait déclaré :

« Ce garde, je le connais. C'est lui qui a dénoncé Mond des Parpaillouns à ceux de l'octroi, parce que Mond avait caché quatre grives dans son chapeau melon. Ils lui ont fait payer quatre francs. Si jamais il vient dans nos collines, il n'attendra pas bien longtemps le coup de fusil qu'on lui doit. »

Cette nouvelle était réconfortante, mais ce coup de fusil viendrait trop tard.

« Est-ce que tu as parlé au facteur ? »

Lili parut gêné.

« Oui, dit-il. Et même il le savait déjà, parce qu'il a vu le garde ce matin.

— Où ?

— Au château. Il est allé porter des lettres.

— Et qu'est-ce qu'il lui a dit ?

— Tout. »

Il fit un effort pour ajouter :

« Il était en train d'écrire le procès-verbal. »

C'était une terrible nouvelle.

« Alors, le facteur lui a dit de ne pas le faire, alors le garde lui a dit : " Je m'en priverai pas ! ", et alors le facteur lui a dit : " Pourquoi ? ", et alors le garde lui a dit que les instituteurs, ça va toujours en vacances, et alors le facteur lui a dit que ton père c'était celui des bartavelles, et alors le garde lui a dit " je m'en fous complètement " et puis il a continué le procès-verbal, et le facteur a dit qu'on voyait bien qu'il se régalait. »

Ce compte rendu me consterna.

Lili tira alors de sa besace deux belles saucisses roses, ce qui me surprit d'abord, mais il me renseigna aussitôt :

« C'est des saucisses empoisonnées. C'est mon père qui les fabrique pour mettre autour du poulailler, la nuit, à cause des renards. Si tu veux, ce soir, nous irons les lancer par-dessus le mur du château...

— Tu veux empoisonner son chien ?

— Et peut-être lui, dit gentiment Lili. J'ai choisi les plus belles, pour que ça lui fasse envie. S'il en met un seul morceau dans sa bouche, il tombe raide comme la justice. »

C'était une idée délicieuse, et qui me fit rire de plaisir. Mais la mort du garde, qui ne serait effective que le surlendemain (si nous avions de la chance et s'il n'en avait pas), n'empêcherait pas le procès-verbal d'arriver à destination... Nous décidâmes cependant d'aller lancer le soir même les saucisses de la vengeance.

En attendant, nous allâmes poser nos pièges au vallon de Rapon, puis, jusqu'à midi, sur les arbres tordus d'un verger abandonné, nous cueillîmes des amandes vertes et des sorbes.

La première visite des pièges nous donna six culs-roussets, et un gros merle de Corse.

Sur la table de la cuisine, j'étalai les oiseaux, je vidai nos deux musettes, et je dis, comme en passant ·

« Avec le gibier, les amandes, les sorbes, les asperges sauvages, les champignons, une famille pauvre pourrait vivre toute l'année. »

Ma mère sourit tendrement, et vint poser un baiser sur mon front, en tenant ses bras écartés, car ses mains étaient pleines de mousse de savon.

« Ne sois pas inquiet, gros nigaud ! dit-elle. Nous n'en sommes pas encore là. »

*
**

Lili déjeuna avec nous et fut installé — honneur suprême — à la place de mon père, qui ne devait rentrer que vers le soir.

Je parlai de la vie paysanne, et je déclarai que si j'étais mon père, je me ferais agriculteur. Lili — qui à mon avis en savait très long — célébra la fécondité et la sobriété du pois chiche, qui n'a pas besoin d'eau, ni de fumier, ni même de terre, et se nourrit de l'air du temps, puis de la surprenante célérité du haricot hâtif.

« Tu fais un petit trou, tu places l'haricot au fond, tu le recouvres de terre, et tu pars en courant ! Sans ça, il te rattrape. »

Il ajouta, en regardant ma mère :

« Naturellement, c'est un peu exagéré : mais c'est pour dire qu'il pousse vite. »

A deux heures, nous repartîmes en expédition, accompagnés de Paul, spécialiste de l'extraction des escargots cachés dans les trous des vieux murs, ou des souches d'olivier. Nous travaillâmes sans arrêt, pendant trois heures, à entasser des provisions, pour faire face à la ruine prochaine. Nous repartîmes vers six heures, chargés d'amandes, d'escargots, de prunelles des bois, de belles prunes bleues volées chez maître Etienne, et d'une musette d'abricots presque mûrs, cueillis sur un très vieil arbre qui s'obstinait, depuis

cinquante ans, à fleurir dans les ruines solitaires d'une ferme abandonnée.

Je me réjouissais de faire l'offrande de ce butin à ma mère, lorsque je vis qu'elle n'était pas seule ; elle était assise sur la terrasse, en face de mon père, qui buvait à la régalade, en tenant le coq de terre poreuse au-dessus de son visage levé vers le ciel.

Je courus vers lui.

Il paraissait fourbu, et ses souliers étaient couverts de poussière. Il nous embrassa tendrement, caressa la joue de Lili, et prit la petite sœur sur ses genoux. Ensuite il parla à ma mère, comme si nous n'étions pas là.

« Je suis allé chez Bouzigue. Il n'y était pas. Je lui ai laissé un mot, pour lui annoncer la catastrophe. Ensuite, je suis allé à la clinique, j'y ai rencontré Wladimir. Le colonel a été opéré, les visites sont interdites. Dans quatre ou cinq jours, on pourra lui parler. Ce sera trop tard.

— Tu as vu l'inspecteur d'Académie ?

— Non, dit mon père. Mais j'ai vu sa secrétaire.

— Tu lui as dit ?

— Non. Elle a cru que je venais aux nouvelles et elle m'a annoncé que je passais en troisième classe. »

Il rit amèrement.

« Combien ça t'aurait fait de plus ?

— Vingt-deux francs par mois. »

A l'énormité de cette somme, ma mère fit une petite grimace, comme si elle allait pleurer.

« Et de plus, ajouta-t-il, de plus, elle m'a annoncé que j'allais avoir les palmes !

— Voyons, Joseph, s'écria ma mère, on ne peut pas révoquer un fonctionnaire qui a les palmes académiques !

— On peut toujours, dit mon père, rayer de la promotion un fonctionnaire qui va être blâmé... »

Il poussa un profond soupir, puis il alla s'asseoir sur une

chaise, les mains sur les genoux et la tête basse. Le petit Paul se mit à pleurer tout haut.

A ce moment, Lili dit à voix basse :

« Qui c'est qui vient là-bas ? »

Au bout du chemin blanc, en haut du Collet, je vis une silhouette sombre, qui descendait vers nous à grands pas.

Je criai :

« C'est M. Bouzigue ! »

Je m'élançai : Lili me suivit

NOUS rencontrâmes le piqueur à mi-chemin, mais je vis qu'il regardait derrière nous. Mon père et ma mère avaient couru sur nos talons. Bouzigue souriait. Il plongea la main dans sa poche.

« Té, dit-il, voilà pour vous ! »

Il tendit à mon père le carnet noir que le garde avait confisqué. Ma mère poussa un soupir qui était presque un cri.

« Il vous l'a donné ? dit-elle.

— Pas donné ! dit Bouzigue. Il l'a échangé contre le procès-verbal que je lui avais fait.

— Et son rapport ? demanda mon père d'une voix un peu enrouée.

— Des confetti, dit Bouzigue. Il en avait écrit cinq pages. J'en ai fait une poignée de confetti, qui sont partis sur l'eau du canal... En ce moment, ajouta-t-il d'un air pensif, et comme si la chose avait une grande importance, ils doivent être du côté de Saint-Loup, et peut-être même à La Pomme... Par conséquent, allons boire un coup ! »

Il cligna de l'œil deux ou trois fois, mit ses poings sur ses hanches, et éclata de rire. Comme il était beau !... Alors, j'entendis deux mille cigales, et dans les éteules enchantées, le premier grillon des vacances qui limait une barre d'argent.

Nous n'avions pas de vin à la maison, et ma mère ne voulait pas toucher aux bouteilles sacrées de l'oncle Jules : mais elle conservait dans l'armoire de sa chambre une bouteille de Pernod à l'usage des visiteurs alcooliques.

Sous le figuier, Bouzigue se servit largement et nous raconta son entrevue avec l'ennemi.

« Dès que j'ai lu votre mot ce matin, je suis allé chercher du renfort : Binucci, qui est piqueur comme moi, et Fénestrelle, le fontainier : nous sommes allés au château. Quand j'ai voulu ouvrir la fameuse porte (ô bonne Mère, je te remercie !), j'ai vu qu'il n'avait pas enlevé la chaîne, ni le cadenas ! Alors, nous avons fait le tour jusqu'à la grande grille, et j'ai sonné comme un sacristain. Au bout de peut-être cinq minutes, il est arrivé furieux.

« — Dites, vous n'êtes pas fou de tirer comme ça sur la cloche ? Surtout vous ! il me fait en ouvrant la porte.

« — Pourquoi moi ?

« — Parce qu'il y a une drôle d'affaire qui vous pend au nez, et j'ai quatre mots à vous dire.

« — Eh bien, vous parlerez après, parce que moi, ce que j'ai à vous dire, c'est tout juste deux mots. Et peut-être même ça n'en fait qu'un, parce qu'au milieu il y a un trait d'union. Et ce mot, c'est : Procès-Verbal.

« Alors il a ouvert des yeux énormes. Oui, même l'autre, celui qui parpelège.

« — Allons d'abord sur les lieux, dit Fénestrelle. Il faut constater la chose, le faire avouer, saisir la chaîne et le cadenas.

« — Quoi ? cria le garde stupéfait.

« — Criez pas, je lui dis. Vous nous faites peur !

« Et nous entrons. Il me fait :

« — Je vais vous en parler, moi, de ce cadenas !

« — C'est vous qui l'avez posé ?

« — Oui, c'est moi. Et vous savez pourquoi ?

« — Non. Et je n'ai pas besoin de le savoir pour vous dresser procès-verbal.

« — Article quatre-vingt-deux de la Convention, dit Fénestrelle.

« Il regardait nos Trois Casquettes, et il a commencé à avoir peur. Alors, Binucci dit, d'un ton conciliant :

« — Quand même, ne vous effrayez pas. Ça ne va pas en correctionnelle. En simple police, pas plus. Ça va chercher dans les deux cents francs d'amende.

« Alors, je dis sèchement :

« — Ça ira chercher ce que ça voudra. Moi, ce que je vais chercher, c'est les pièces à conviction.

« Et me voilà parti vers la porte du canal. Les autres me suivent, et le garde en boitillant.

« Pendant que j'arrachais la chaîne, il était rouge comme un gratte-cul. Je sors un carnet, et je dis :

« — Vos nom, prénoms, lieu de naissance.

« Il me dit :

« — Vous n'allez pas faire ça !

« — Mais vous, dit Fénestrelle, pourquoi voulez-vous nous empêcher de passer ?

« — Ce n'est pas pour vous, dit le garde.

« Je dis :

« — Bien sûr, ce n'est pas pour ces messieurs, mais c'est pour moi ! Je sais bien que ma tête ne vous revient pas ! Eh bien, la vôtre ne me plaît pas non plus, et c'est pour ça que j'irai jusqu'au bout !

« — Quel bout ? il me fait.

« — Vous avez voulu me faire perdre ma place ; eh bien, tant pis si vous perdez la vôtre ! Quand votre patron recevra les papiers de la justice, quand il faudra qu'il aille au *Palais de Justice*, il comprendra peut-être qu'il vaut mieux changer de garde, et j'espère que le prochain sera plus civilisé que vous !

« Mes amis, il était hagard. Je continue :

« — Nom, prénoms, lieu de naissance.

« — Mais, je vous jure que ce n'était pas pour vous ! C'était pour prendre des gens qui traversent la propriété avec une fausse clef !

« Alors, je prends un air terrible, et je fais :

« — Ho ho ! Une fausse clef ? Binucci, tu entends ça ? Une fausse clef !

« — Tenez, la voilà !

« Et il la sort de sa poche. Je la prends tout de suite, et je dis à Fénestrelle :

« — Garde ça, nous ferons une enquête, parce que c'est une affaire qui regarde le Canal. Et tous ces gens-là vous les avez pris ?

« — Bien sûr, il me fait. Tenez, voilà le carnet que j'ai saisi sur cet individu, voilà mon rapport pour votre administration, et voilà mon procès-verbal !

« Et il me donne votre carnet et deux rapports de plusieurs pages, où il racontait toute l'histoire.

« Je commence à lire son gribouillage, et tout d'un coup, je lui fais :

« — Malheureux ! Pauvre malheureux ! Dans un rapport officiel, vous avouez que vous avez mis une chaîne et un cadenas ! Mais vous ne savez pas que sous le bon roi Louis XIV, on vous aurait envoyé aux galères ?

« Binucci dit :

« — C'est pas un suicide, mais il ne s'en faut de guère !

« Le garde était minable. Ce n'était plus un gratte-cul, c'était un navet. Il me dit :

« — Alors, qu'est-ce que vous allez faire ?

« Je hoche la tête plusieurs fois, en me mordant la lèvre. Je consulte Fénestrelle, puis Binucci, puis ma conscience. Il attendait, d'un air méchant, mais effrayé. Enfin je lui dis :

« — Ecoutez : c'est la première fois, mais que ce soit la dernière... N'en parlons plus. Et vous, surtout n'en dites jamais rien à personne, si vous tenez à votre képi.

« Là-dessus, je déchire ses rapports, et je mets le carnet dans ma poche, avec la chaîne et le cadenas. J'ai pensé qu'à la campagne, c'est des choses qui pourraient vous servir ! »

Et il posa son butin sur la table.

Nous étions tous au comble de la joie, et Bouzigue accepta de rester avec nous pour le dîner.

En dépliant sa serviette, il déclara :

« C'est une histoire enterrée. Mais pourtant, il vaudrait peut-être mieux ne plus passer par là.

— Il n'en est plus question », dit mon père.

Ma mère, qui faisait glisser les petits oiseaux de la broche, dit à voix basse :

« Même si on nous donnait la permission, je n'aurais jamais le courage de revoir cet endroit. Je crois que je m'évanouirais. »

Lili prit congé et ma mère l'embrassa : ses oreilles devinrent aussi rouges que la crête d'un coq, et il sortit très vite de la salle à manger : je dus courir après lui, pour lui dire que je l'attendais le lendemain matin, dès l'aurore : il me dit « oui » de la tête, et s'enfuit dans le soir d'été.

LE repas fut très gai. Comme ma mère s'excusait de ne pas lui offrir de vin, Bouzigue déclara :

« Ça ne fait rien. Je continuerai au Pernod. »

Mon père hasarda, un peu timidement :

« Je ne voudrais pas que tu croies que je regrette cet alcool que tu vas boire. Mais je ne sais pas si, pour ta santé...

— La santé ! s'exclama Bouzigue. Mais, cher monsieur Joseph, c'est ça qui fait le moins de mal ! Ici, vous buvez de l'eau de citerne. Savez-vous ce qu'il y a dedans ?

— C'est de l'eau du ciel, dit mon père. De l'eau distillée par le soleil.

— Je vous fais le pari, dit Bouzigue, que dans votre citerne, je trouve une dizaine d'araignées noires, deux ou trois lézards, et au moins deux crapauds... L'eau de citerne, c'est de l'essence de pipi de crapaud ! Tandis que le Pernod, ça neutralise tout ! »

Mon père n'insista pas.

Pendant le dîner, il raconta longuement notre aventure, à quoi Bouzigue répondit par un nouveau récit de son exploit. Puis mon père ajouta de nouveaux détails, pour mettre en lumière la férocité que le garde avait montrée ; à quoi Bouzigue répondit en accentuant la frayeur et l'humilité de ce malfaiteur, terrorisé par les Trois Casquettes. Quand ils en

furent à la quatrième version de ces chants amœbées, mon père nous révéla que le garde avait failli nous abattre sur place, et Bouzigue nous peignit le monstre se traînant à genoux, le visage couvert de larmes, et demandant « pardon » d'une voix d'enfant.

Après le flan de crème renversée, les œufs à la neige, et les biscuits, Bouzigue, l'air inspiré, commença le récit des exploits de sa sœur.

Il compara d'abord la vie à un torrent, qu'il faut franchir en sautant d'un rocher à l'autre, après avoir « bien calculé son élan ».

Félicienne, disait-il, avait d'abord épousé un joueur de boules « professionnel », qui la quittait souvent pour aller triompher dans les concours, et c'est à cette occasion que j'appris le mot « cocu ». De là, elle avait sauté sur le rocher suivant, qui avait la forme d'un chef de dépôt des tramways, puis sur un papetier de la rue de Rome, puis sur un fleuriste de La Canebière, qui était conseiller municipal, puis enfin sur le conseiller général. Elle méditait en ce moment même un dernier bond, qui la porterait sur l'autre rive, dans les bras de M. le préfet.

Ma mère écouta avec intérêt le récit de cette traversée mais elle paraisait un peu surprise : elle dit tout à coup :

« Mais les hommes sont donc si bêtes ?

— Ho, ho ! dit Bouzigue, ils ne sont pas bêtes du tout, seulement elle sait y faire ! »

Il ajouta que d'ailleurs, « l'intelligence, ce n'était pas tout », et qu'elle « avait un drôle de balcon », et qu'il fallait le voir pour le croire ! Il sortit alors son portefeuille pour nous montrer une photographie qu'il annonça comme étant « très chouette ».

Paul et moi ouvrîmes nos yeux tout grands : mais au moment même où il produisait cet intéressant document, ma mère nous prit par la main, et nous conduisit dans notre chambre.

La richesse du repas, la joie que me causait la déroute du garde, et le mystère de cette photographie troublèrent mon premier sommeil. Je fis un rêve assez incohérent : une jeune femme, nue comme une statue, franchissait le canal d'un seul bond, et retombait sur un général qui ressemblait à mon père, et qui éclatait à grand bruit.

Je m'éveillai, un peu hagard, et j'entendis à travers le plancher la voix paternelle. Elle disait :

« Tu me permettras de regretter qu'en ce monde, le vice soit trop souvent récompensé ! »

La voix de Bouzigue, devenue étrangement nasillarde, lui répondait :

« Joseph, Joseph, tu m'escagasses .. »

LE temps passe, et il fait tourner la roue de la vie comme l'eau celle des moulins.

Cinq ans plus tard, je marchais derrière une voiture noire, dont les roues étaient si hautes que je voyais les sabots des chevaux. J'étais vêtu de noir, et la main du petit Paul serrait la mienne de toutes ses forces. On emportait notre mère pour toujours.

De cette terrible journée, je n'ai pas d'autre souvenir, comme si mes quinze ans avaient refusé d'admettre la force d'un chagrin qui pouvait me tuer. Pendant des années, jusqu'à l'âge d'homme, nous n'avons jamais eu le courage de parler d'elle.

Puis, le petit Paul est devenu très grand. Il me dépassait de toute la tête, et il portait une barbe en collier, une barbe de soie dorée. Dans les collines de l'Etoile, qu'il n'a jamais voulu quitter, il menait son troupeau de chèvres ; le soir, il faisait des fromages dans des tamis de joncs tressés, puis sur le gravier des garrigues, il dormait, roulé dans son grand manteau : il fut le dernier chevrier de Virgile. Mais à trente ans, dans une clinique, il mourut. Sur la table de nuit, il y avait son harmonica.

Mon cher Lili ne l'accompagna pas avec moi au petit cimetière de La Treille, car il l'y attendait depuis des années,

sous un carré d'immortelles : en 1917, dans une noire forêt du Nord, une balle en plein front avait tranché sa jeune vie, et il était tombé sous la pluie, sur des touffes de plantes froides dont il ne savait pas les noms...

Telle est la vie des hommes. Quelques joies, très vite effacées par d'inoubliables chagrins.

Il n'est pas nécessaire de le dire aux enfants

ENCORE dix ans, et je fondai à Marseille une société de films. Le succès couronna l'entreprise, et j'eus alors l'ambition de construire, sous le ciel de Provence, la « Cité du Cinéma » ; un « marchand de biens » se mit en campagne, à la recherche d'un « domaine » assez grand pour accueillir ce beau projet.

Il trouva mon affaire pendant que j'étais à Paris, et c'est par le téléphone qu'il m'informa de sa découverte. Mais il m'apprit en même temps qu'il fallait conclure la vente en quelques heures, car il y avait d'autres acheteurs.

Son enthousiasme était grand et je le savais honnête : j'achetai ce domaine sans l'avoir vu.

Huit jours plus tard, une petite caravane de voitures quitta les studios du Prado. Elle emportait les hommes du son, les opérateurs de la prise de vues, les techniciens des laboratoires. Nous allions prendre possession de la terre promise, et pendant le voyage, tout le monde parlait à la fois.

Nous franchîmes une très haute grille, déjà ouverte, à deux battants.

Au fond d'une allée de platanes centenaires, le cortège s'arrêta devant un château. Ce n'était pas un monument historique, mais l'immense demeure d'un grand bourgeois du Second Empire : il avait dû être assez fier des quatre tours

octogonales et des trente balcons de pierre sculptée qui ornaient chaque façade...

Nous descendîmes aussitôt vers les prairies, où j'avais l'intention de construire les studios.

J'y trouvai des hommes qui dépliaient des chaînes d'arpenteurs, d'autres qui plantaient des jalons peints en blanc, et je regardais orgueilleusement la naissance d'une grande entreprise, lorsque je vis au loin, en haut d'un remblai, une haie d'arbustes... Mon souffle s'arrêta et sans en savoir la raison, je m'élançai dans une course folle à travers la prairie et le temps.

Oui, c'était là. C'était bien le canal de mon enfance, avec ses aubépines, ses clématites, ses églantiers chargés de fleurs blanches, ses ronciers qui cachaient leurs griffes sous les grosses mûres grenues...

Tout le long du sentier herbeux, l'eau coulait sans bruit, éternelle, et les sauterelles d'autrefois, comme des éclaboussures, jaillissaient en rond sous mes pas. Je refis lentement le chemin des vacances, et de chères ombres marchaient près de moi.

C'est quand je le vis à travers la haie, au-dessus des platanes lointains, que je reconnus l'affreux château, celui de la peur, de la peur de ma mère.

J'espérai, pendant deux secondes, que j'allais rencontrer le garde et le chien. Mais trente années avaient dévoré ma vengeance, car les méchants meurent aussi.

Je suivis la berge : c'était toujours « une passoire », mais le petit Paul n'était plus là pour en rire, avec ses belles dents de lait...

Une voix au loin m'appela : je me cachai derrière la haie, et j'avançai sans bruit, lentement, comme autrefois...

Je vis enfin le mur d'enceinte : par-delà les tessons de la crête, le mois de juin dansait sur les collines bleues ; mais au pied du mur, tout près du canal, il y avait l'horrible porte

noire, celle qui n'avait pas voulu s'ouvrir sur les vacances, la porte du Père Humilié...

Dans un élan de rage aveugle, je pris à deux mains une très grosse pierre, et la levant d'abord au ciel, je la lançai vers les planches pourries qui s'effondrèrent sur le passé.

Il me sembla que je respirais mieux, que le mauvais charme était conjuré.

Mais dans les bras d'un églantier, sous des grappes de roses blanches et de l'autre côté du temps, il y avait depuis des années une très jeune femme brune qui serrait toujours sur son cœur fragile les roses rouges du colonel. Elle entendait les cris du garde, et le souffle rauque du chien. Blême, tremblante, et pour jamais inconsolable, elle ne savait pas qu'elle était chez son fils.

LA GLOIRE DE MON PÈRE
et
LE CHÂTEAU DE MA MÈRE

deux films de Yves Robert
d'après les œuvres de Marcel Pagnol

JOSEPH	Philippe CAUBÈRE
AUGUSTINE	Nathalie ROUSSEL
ONCLE JULES	Didier PAIN
TANTE ROSE	Thérèse LIOTARD
MARCEL (11 ans)	Julien CIAMACA
PAUL (5 ans)	Victorien DELAMARE
LILI DES BELLONS	Joris MOLINAS
MOND DES PARPAILLOUNS	Paul CRAUCHET
FRANÇOIS	Pierre MAGUELON
LE FACTEUR DE LA TREILLE	Michel MODO
LE CURÉ DE LA TREILLE	Victor GARRIVIER
LE BROCANTEUR	Jean ROUGERIE
M. VINCENT	Raoul CURET
M. BESSON	René LOYON
MLLE GUIMARD	Michèle LOUBET
M. ARNAUD	Maxime LOMBARD
MARCEL (5 ans)	Benoît MARTIN
PAUL (3 ans)	Benjamin DETRICHE
VOIX DE MARCEL	Jean-Pierre DARRAS
Adaptation	Jérôme TONNERRE-Louis
	NUCERA-Yves ROBERT
Mise en scène	Yves ROBERT
Musique	Vladimir COSMA
Producteur délégué	Alain POIRÉ

Une co-production GAUMONT — GAUMONT PRODUCTION
PRODUCTIONS DE LA GUEVILLE — TF 1 FILMS PRODUCTION

*Cet ouvrage a été composé
par l'Imprimerie BUSSIÈRE
et imprimé sur presse CAMERON
dans les ateliers de la S.E.P.C.
à Saint-Amand-Montrond (Cher)
en août 1990*

N° d'édition : 83. N° d'impression : 1973.
Dépôt légal : juillet 1990.
Imprimé en France